D0795114

BASTEI
LÜBBE

Aus dieser Taschenbuchreihe sind folgende Romane erhältlich. Fragen Sie Ihren Buch- oder Zeitschriftenhändler.

24 007 Poul Anderson
Hrolf Krakis Saga

24 008 Jody Scott
Fast wie ein Mensch

24 009 William Morris
Das Reich am Strom

24 011 Samuel R. Delany
Dhalgren

24 012 Jerry Pournelle (Hrsg.)
Black Holes

24 013 Jerry Pournelle
Die entführte Armee

24 014 Barry N. Malzberg
Malzbergs Amerika

24 015 William Morris
Die Quelle am Ende der Welt

24 016 Samuel R. Delany
Triton

24 017 Lübbes Auswahlband
Abenteuer Weltraum

24 018 Orson Scott Card
Meistersänger

24 019 Robert L. Forward
Das Drachenei

24 020 Robert Sheckley
Endstation Zukunft

24 021 David Bear
Wer hat mir meine Zeit gestohlen?

24 022 Poul Anderson
Das Avatar

24 023 Jessica Salmonson
Amazonen!

24 024 D. G. Compton
Mit meinem Auge

24 025 Norman Spinrad
Lieder von den Sternen

24 026 Samuel R. Delany
Geschichten aus Nimmeria

Robert Holzachs chronolytische Reisen

Science Fiction-Roman

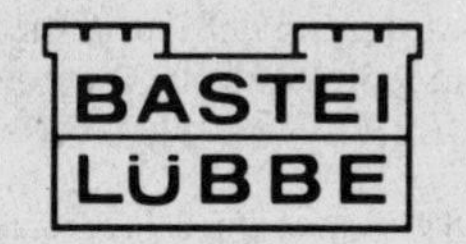

BASTEI-LÜBBE-TASCHENBUCH
Science Fiction Special
Band 24 027

Deutsche Lizenzausgabe 1982
Bastei-Verlag Gustav H. Lübbe, Bergisch Gladbach
Originaltitel: LE TEMPS INCERTAIN
Ins Deutsche übertragen von: Sylvia Pukallus
Titelillustration: Oliviero Berni/Agentur Thomas Schlück
Umschlaggestaltung: Quadro-Grafik, Bensberg
Druck und Verarbeitung:
Mohndruck Graphische Betriebe GmbH, Gütersloh
Printed in Western Germany
ISBN 3-404-24027-8

I

Robert Holzach stand auf, und der Wandschmuck des Zimmers erwachte zum Leben wie eine ruhige Landschaft von einst. eine rotbraune Kuh weidete ewig auf einer grünen Wiese. Darüber stand der Zen-Vers: *Wenn die Kuh nach viertausend Tagesmärschen am Ende des Universums anlangt, was wird sie dann unternehmen?* Im Hospital hatte jeder über diese wichtige Frage seine eigene Vorstellung, abgesehen von den Leberkranken und den Kartesianern, die behaupteten, das Universum sei grenzenlos. Die Kuh beschließt, nach Hause zurückzukehren, dachte Rob. Aber viertausend Tage, das sind mehr als zehn Jahre und genausoviel für die Rückkehr . . . Sicher stirbt sie auf dem Rückweg. Es wird uns gehen wie ihr. Was für einen Sinn hat also der Aufbruch? Und doch bereitete er sich auf eine lange, eine sehr lange Reise vor . . .

Er trat näher an das Wandgemälde, um einem Maulwurf zuzusehen, der dabei war, einen kleinen Erdhügel aufzuhäufen. Das Hügelchen bewegte sich, wurde größer, doch der winzige, graue und blinde Kopf wollte nicht auftauchen. Die Kuh drehte sich um und blickte Dr. Holzach ernst an. Zumindest hätte man dies glauben können. Das Trugbild war vollkommen. Eine meisterhafte Arbeit. Dieser Wandschmuck war bestimmt seine zweitausend Monk wert!

Er nahm eine Dusche, ließ sich massieren und rasieren und schlüpfte in einen weißen Kimono. Er war bereit. Die langsame und etwas kalte Stimme des Centrophord Michael erklang aus dem TIK: »Phordalnetz des Garichankar-Hospitals. Es ist 7.15 Uhr. Ihr Count-down hat vor dreißig Minuten begonnen, Dr. Holzach. Alles in Ordnung. Ihr physiologisches Diagramm ist normal. Sie müssen nun gleich zwei Dragées Nr. 1 einnehmen. Bitte antworten Sie.«

»Es ist 7.15 Uhr. Ich nehme zwei Dragées Nr. 1. Alles in Ordnung.«

»Phordalnetz des Garichankar-Hospitals. Antwort notiert. Wir wünschen Ihnen viel Glück.«

Auf seinem Nachttisch befanden sich zwei Fläschchen. Mit

dem Daumen öffnete er jenes, das allem Anschein nach die codierte Nr. 1 trug und ließ zwei Dragées von lebhaftem Weiß mit mauvefarbenen Spiegelungen in seine Handfläche kullern. Er schob sie in den Mund, ohne sie zu schlucken. Die Chronolytika ließ man alle im Mund zergehen. Später würde er mit Hochdruck eine Intravenösspritze erhalten, dessen würde er sich jedoch kaum bewußt werden, nicht nur, weil dies völlig schmerzlos war, sondern weil er sich bereits mehr oder weniger in der Chronolyse befinden würde. Zweck der Dragées war es, die erste Phase der Operation vorzubereiten. Die Gesamtvorbereitungen dauerten bereits viertausend Tage . . . Nein, achtzig Tage. Seit zweiundsiebzig Stunden befand er sich in dreißig Meter Höhe über dem Erdboden in völliger Isolation . . . Er ging zu einer kurzen Sitzung auf die Toilette. Seit achtundvierzig Stunden hatte er keinerlei feste Nahrung mehr zu sich nehmen dürfen, und seit vierundzwanzig Stunden trank er nur noch Wasser. Er kehrte zurück und streckte sich auf seinem Bett aus. Er war ganz ruhig. Wie Michael schon gesagt hatte, war alles in Ordnung. Er wußte, daß er sich unter der ständigen Beobachtung der Phorden (photonische Ordinatoren) des Hospitals befand. Dies war ein wenig unangenehm, im Prinzip garantierte es jedoch seine Sicherheit.

Er verschränkte die Hände unter dem Nacken und starrte an die Decke, seine Lieblingsposition zur Meditation. Die zwei Dragées lösten sich langsam in seinem Mund auf. Er konzentrierte sich auf einen Magenkrampf und schaffte es, ihn nach wenigen Minuten verschwinden zu lassen. Die Kuh auf der Wiese verschwamm allmählich. Es bedurfte einer unvorhergesehenen Anstrengung, daß er sich über das Schaltpult neben dem Bett beugte. Er dämpfte das Licht ein wenig und rief die Zentrale.

»7.23 Uhr«, antwortete Michael. »Ihr Diagramm ist normal. Alles in Ordnung. Count-down hundertundzwölf Minuten. Bitte antworten Sie.«

»Hier spricht Dr. Holzach. Alles in Ordnung.«

Rob wußte, daß er schnell sein klares Zeitbewußtsein einbüßen würde. Er befand sich auf seiner neunten chronolytischen

Reise, die beiden letzten waren präzise Aufträge in der Vergangenheit gewesen. Zu Anfang würde ihm seine Erfahrung ein wenig helfen. Ein ganz klein wenig. Und im Verlauf der Reise immer weniger. Jede Expedition in das Unbestimmte war ein neues Abenteuer. Und wenn er sich in eine fremde Persönlichkeit versetzte – falls ihm dies gelänge – so gab er seine Selbständigkeit und die meisten seiner Erinnerungen auf. Manchmal wurden Forscher der ungewissen Zeit verrückt, starben direkt nach der Rückkehr oder aber verharrten bis an ihr Lebensende in einem Zustand des Überschreitungskomas, den nicht einmal die Phorden erklären konnten. Man kannte die Gründe solcher Unfälle nicht. Vielleicht blieben diese Unglücklichen »Gefangene der Vergangenheit«. Oder aber sie waren zu weit gegangen – bis an den Rand des Universums – und brachen auf dem Rückweg wie die Kuh vor Erschöpfung zusammen.

Die Chronolyse, welche einige Leute als Mittel zur subjektiven Verlängerung des menschlichen Lebens erachteten, wenn nicht gar zur Erreichung der Unsterblichkeit, brachte einen raschen Verschleiß der Reisenden mit sich. Im Garichankar-Hospital hatte niemand mehr als vierzehn Reisen gewagt (dies war die Zahl von Dr. Guair Norlan), und der Weltrekord mußte sich unterhalb zwanzig bewegen. Und von einem gewissen Alter an war man für Missionen in der Zeit nicht mehr geeignet, nicht wegen körperlicher Unfähigkeit als vielmehr wegen eines psychologischen Blocks: man wurde der »dichteren Träume« nicht mehr gewahr.

Robert Holzach war nicht allzu ängstlich. Seine Vorbereitung erwies sich wie immer als äußerst wirksam. Mitten im 21. Jahrhundert beherrschte man die psychologischen Techniken vollkommen. Dies kostete seinen Preis, war aber immer noch billiger, als eine Expedition zum Alpha im Sternbild des Zentauer. Außerdem waren die Chronolytika in geringen Dosen hervorragende Beruhigungsmittel. Die Angst schien natürlich an das Zeitbewußtsein gebunden. Sowie jenes sich milderte und verwischte, machte die Angst einer Art Gleichgültigkeit Raum, einer behaglichen Passivität, welche Amateure schätzten, die sich mit einem Nirwana unterster Ebene zufriedengaben. Und diese Nebenwirkung erwies sich als nützlich, denn die Reise in die Vergangenheit, die mehr oder minder völlige Integration in eine fremde Persönlichkeit, brachte furchterregende Erfahrungen mit sich.

Erheitert besah Rob sich das kleine runde Zimmer, wo man ihn seit fast fünf Tagen gefangen hielt. Vielleicht sah er es nie wieder. Es begann sich in dichten, leicht rosafarbenen Nebel zu hüllen. Es ähnelte der Zelle eines Bonzen der Sekte vom Blauen Elefanten und mehr noch schließlich seinem Kinderzimmer in Arizio. Voller Wehmut blieb sein Blick auf den Drei-D-Schirm des TIK hängen, das mit der Erinnerungshilfe und der Phordalzentrale verbunden war, er betrachtete das Schaltpult, das Wandbild mit der roten Kuh, dem geschäftigen Maulwurf und dem Zen-Vers. Nun hatte er es eilig. Allmählich ging ihm diese üppige Weide, das träge, fette Tier, das niemals ans Ende der Welt laufen würde, auf die Nerven. Gewiß hätte er ein Bild vom Meer vorgezogen wie in seinem Zimmer im Europa-Park IV, als er zehn Jahre alt war. Zu jener Zeit hatte er sich gewünscht, das der Zweimaster *La Superbe,* der seit Jahrhunderten auf dem Ölmeer schaukelte, endlich die Küste in Sicht bekäme. Am liebsten eine Insel der Karibik. Außerdem wünschte er sich, daß eine zweite Person neben dem Steuermann stünde. Am liebsten eine blonde Frau in einem langen, roten Kleid mit geschnürten Mieder. Blinde Passagierin, Fahrgast oder Gefangene . . . Aber die Techniker, die jene Wandbilder für die Verwaltung des Wohnparks gestalteten, waren sicher nicht in der Lage, sich eine so romantische Situation auszudenken . . .

»Count-down: eine Stunde, dreißig Minuten«, verkündete Michael mit seiner entfernten Stimme, die jener von Jean Holzach glich, dem Oberwächter des Europa-Parks IV, Vater von Dr. Holzach. »Diagramm normal. Situation unverändert. Bitte antworten Sie.«

Eineinhalb Stunden . . . Rob versuchte nachzurechnen. Wieviel Uhr ist es jetzt? Acht, neun . . . Er begann zu lachen. Er hatte unter Isolierung A natürlich keine Uhr, und die Zeit erschien ihm allmählich als lächerliche Erfindung. Das war ein gutes Zeichen.

»Count-down: eineinhalb Stunden«, brummelte er mit einem Gähnen. »Alles klar, laß mich in Ruhe!«

Er zog seinen Kimono aus, dessen Berührung ihm unerträglich wurde. Dies war eine andere Wirkung der Chronolytika: das Bedürfnis nach Nacktheit. Nichts zwischen meiner Haut und dem Universum! Dann der Wunsch, jemand anderer zu sein, etwas anderes zu werden: eine Kuh, oder ein Piratenschiff, ein Berg oder ein Stern, ein Maulwurf oder eine Dame in Rot . . . Er wußte nicht einmal mehr, ob die Zentrale mit ihm über die TIK gesprochen oder ob man die Botschaft direkt in sein Hirn übertragen hatte dank der transistorisierten Teile, die in seinen vorderen Gehirnlappen eingepflanzt waren. Er war eine Art von Kyborg – das Wort hatte allerdings einen üblen Klang bekommen, nachdem einige Experimente fehlgeschlagen waren, und man benutzte es kaum noch. Die Einpflanzung von festen Teilen im Gehirn war selbst aus medizinischen Gründen von den meisten Regierungen verboten. Man duldete ja kaum gewisse mobile Prothesen. Die chronolytischen Forschungen wurden mehr oder weniger im Geheimen auf der Ebene der autonomen Hospitäler durchgeführt. Die Regierenden von Auriga beobachteten die Psychronauten mit ganz besonderem Mißtrauen, obwohl der Präsident Ben Barka selbst ein reiselustiger Mann gewesen war. Und Europa lag um zehn Jahre hinter der sino-amerikanischen Union zurück. Es war schon wahr, daß das Garichankar-Hospital dem übrigen muselmanisch-christlichen Westen voraus war. Rob würde sich bemühen, so erfolgreich zu sein wie die Forscher der kalifornischen Republik (Utopie 01) . . . Immer an der Spitze des Fortschritts in Psychologie und Chronautik.

Er fühlte, wie er abhob, und dieser Eindruck bereitete ihm unaussprechlichen Genuß. Ja, er war glücklich wegzukommen. Die Welt, in der er lebte, war sicherlich nicht schlecht angesichts der Fehler der Vergangenheit. Die Gesellschaft der Jahrhundertmitte hatte eine akzeptable Zwischenlösung von Toleranz und Gerechtigkeit hergestellt; sie hatte den Menschen von der industriellen Sklaverei befreit. Die Reis- und Getreideration in Los Angeles, Garichankar und Kalkutta war die gleiche. Die

Zukunft der Art schien gesichert. Rob liebte seinen Beruf, und er hatte das Glück, im Garichankar-Hospital zu arbeiten, jener Festung der Kühnheit. Trotzdem langweilte er sich. Schlimmer noch: er erstickte. Und das Hospital war ihm vor allem teuer, weil es die Tür zur Unendlichkeit offenhielt, zu einem Universum, wo alles – vielleicht alles – möglich war. Zwischen zwei Reisen träumte er insgeheim vom Ozean Oradak und dem Kontinent Perte en Ruaba, jenem sagenumwogenen Land, das die kalifornischen Forscher jenseits der ungewissen Zeit entdeckt zu haben glaubten. Wer weiß, vielleicht würde er eines Tages in sagenhaften Ländern landen.

Oben an der Oberfläche mochte man den Ruch der Flucht nicht: man müßte verrückt sein, sich die Flucht aus dem Paradies zu wünschen! Aber vielleicht hatte der Mensch endlich das Recht erworben, ein wenig über das tägliche Brot und den Himmel hinauszublicken – beziehungsweise über das, was davon geblieben war. Die wirtschaftlichen Probleme schienen einigermaßen gelöst, und jeder fand sich wieder alleine im Angesicht seiner Angst und des Todes. In Erwartung der Ewigkeit bot das Universum der Innerlichkeit den einzig möglichen Ausweg.

*

»Count-down: neunundfünfzig Minuten«, verkündete die Zentrale. »Diagramm normal, Situation unverändert.« Die Phordalzentrale hatte seine Transistoren verwandt. Für Rob wurde die Zeit nun zum Chaos. Alles war in Ordnung. Er spürte heftigen Jubel seine Gelassenheit übertönen. Die Reise: weg, nichts wie weg! Mit einer letzten Anstrengung entledigte er sich des Kinomos. Nun war er nackt und empfand eine heftige sexuelle Erregung. Ein krampfhaftes Lachen verzerrte sein Gesicht. Er versuchte sich zu erinnern. Wenn die Zeit explodiert . . . dann stellt sich eine außergewöhnliche physiologische Spannung ein . . . Die Gehirnkontrollen lösen sich . . . Dies ist die große Freiheit des Körpers . . . Er dachte an Ellen, die ihn begleiten müßte. Nein, ich gerate durcheinander. Nicht mich begleiten,

vielmehr bei Abfahrt und Ankunft dabeisein oder soetwas ...
Er sah sie im Nachbarsaal. Eine zerebral-phordale Verbindung übertrug dieses Bild. Ellen Laumer befand sich bereits in mittlerer Chronolyse. Sie lag auf einer Liege und reichte Dr. Lauris Nortrigen, der an ihrem Fußende saß, die rechte Hand. Robert Holzach bewunderte ihre nackte Schulter, das bleiche Gesicht unter der Flut schwarzer Haare, die hochgerichteten Brüste, den flachen Bauch, die breiten Hüften und den dunklen Fleck, der ihr Schamhaar unter dem durchscheinenden Gewebe abzeichnete. Er winkte ihr freundschaftlich zu. Dann war er wieder zehn Jahre und begab sich in sein Zimmer in Arizio. Der Zweimaster *La Superbe* näherte sich endlich unbekannten Gestaden. Allmählich konnte man einen Sandstrand und Kokospalmen erkennen. Vielleicht war dies la Perte en Ruaba. Seit Jahrzehnten schaukelte das kleine Segelschiff nun auf der Wand, da war es doch nur gerecht, daß es Land in Sicht bekam. Und dann hatte sich eine rotgekleidete Frau zu dem Matrosen mit der verkrüppelten Hand auf dem Achterdeck gesellt. Rob stellte sich dicht vor das Bild, um die Szene besser verfolgen zu können. Schiff und Insel wurden immer größer. Rob entdeckte am Strand eine Riesenschildkröte. Er sah die junge Frau ganz deutlich. Sie war schön wie Ziti mit jener souveränen Ausstrahlung, die eben an die Königin von Formalhaut in den Ballons erinnerte. Ihr vom Wind geblähter Rock bedeckte die ganzen Planken. Und plötzlich war sie im Zimmer und stand neben Rob. Sie sah Ziti weniger ähnlich. Das Gesicht der Königin sah man niemals, wohl aber die lächelnde Sanftmut, die die Augen und Züge der unbekannten Besucherin erstrahlen ließen. Die rotblonden Haare waren zu einem Knoten geschlungen und zeigten ein ovales Gesicht mit schlankem Hals. Sie hatte eine kleine, gerade Nase, einen breiten Mund, hohe Wangenknochen und eine gewölbte Stirn. Das an der Taille eng geschnürte Mieder öffnete sich unterhalb ihres Halses. Mit graziöser Geste hob sie den Saum ihres scharlachroten weiten Seidenrocks und enthüllte gerade einen schwarzbestrumpften Knöchel. Den linken Arm hob sie empor und winkelte die Hand in Höhe ihres Herzens an, ihre Finger umrissen eine diskrete freundschaftli-

che Geste. Lange sog er ihren Duft, gemischt aus Pfeffer und Zitrone ein. Er war nackt, und es hätte ihm gefallen, daß die Dame in Rot sich ebenfalls auskleidete: dies wäre amüsanter gewesen als eine der Vergnügungsstunden mit den kleinen Mädchen, deren Anatomie man bereits im voraus kannte.

»Guten Tag, Rob«, sagte sie. »Ich heiße Serellen.«

Er erinnerte sich. Serellen war auch eine Gestalt der Ballonreisen wie die Königin Ziti, wie Pépin-de-Pomme, die Enkelin von Proxima, der Kapitän Gaybada und Span, die Raumkatze. Serellen, die Zeitreisende . . . »Ich werde auch«, sprach er schließlich,« in der Zeit reisen. Ich will in die Zeit der Piraten und der langen Kleider zurückreisen . . .« Sie nahm ihn bei der Hand, und sie liefen über den Sandstrand, die Riesenschildkröte folgte ihnen.

»Wie unternimmst du deine Zeitreisen, Serellen?« fragte Rob.

»Ich habe eine Zeitmaschine, mein Lieber.«

Er bewunderte sie heftig. Sie hatte hohe Brauen, lange Wimpern, zwei leuchtende Augen. Ihr Blick ließ einen an den Raum, an die Unendlichkeit, die Ewigkeit denken. Ihr Lächeln war rätselhaft. Sie roch nun nach verwelkten Blüten und dem Unterholz im Herbst: der Geruch der Vergangenheit selbst. Ein Mann erwartete sie im Schatten einer Palme: es war der Matrose mit der verstümmelten Hand.

»Das ist Renato, mein Liebster«, erklärte Serellen Rob.

Sie setzte sich neben den Mann, der sie lange auf den Mund küßte und sie dann mit seiner rechten Hand, der zwei Finger fehlten, zu streicheln begann . . .

»Count-down: vierzig Minuten«, mahnte die Zentrale mit mütterlicher Stimme, die die R ein wenig rollte. Das war die Stimme von Serellen. »Chronolyse leicht beschleunigt. Hören Sie mich, Dr. Holzach?«

»Hören Sie mich, Dr. Holzach?« wiederholte Rob, ohne zu verstehen.

»Chronolyse leicht beschleunigt.«

»Chronolyse leicht beschleunigt . . .«

»Bewahren Sie kühlen Kopf.«

»Bewahren Sie kühlen Kopf . . .«
»Hören Sie mich, Dr. Holzach?«
»Ja, schon gut. Laßt mich in Ruhe, Michael.«
»Dr. Holzach, Ihr Eintritt in die Chronolyse erfolgt ein wenig zu schnell. Haben Sie mich verstanden?«
»Ein wenig zu schnell . . .«
»Ein wenig zu schnell . . .«
»Ein wenig zu schnell!«
»Bewahren Sie kühlen Kopf.«
»Kühl . . .«

Er war zehn Jahre alt, und man feierte Weihnachten im Europa-Park IV. Jedes Jahr gab die Bezirksverwaltung, bei welcher sein Vater arbeitete, ein Fest für die Kinder des Personals. Jeder wollte ein bißchen Schnee und wenn es ging ein bißchen mehr. Die Wetterdienste waren überlaufen. In der Ebene tanzten ein paar halbgeschmolzene Flocken vom grauen Himmel, welche Freude jedoch für die Kinder, als der Lesobus sie in Neufont absetzte! Eine weiße Schneeschicht reichte einem bis auf Wadenhöhe, der eisige Wind peitschte einem Gesichter und Hände. Skifahrer flitzten die langen Hänge hinab und ließen bunte Spiralspuren endlos lang hinter sich . . .

Die Gebäude der Bezirksdirektion erhoben sich mitten zwischen den Tannen, und die Holzchalets umgaben sie in allen Richtungen. Die Kinder hüpften in den Hundeschlitten. Wir lachten und sangen: *»Toi qui t'en vas vers le sud extrême, pauvre marin, chasseur de chimères, ne crains-tu pas la colère, des rois, des braves gens, des capitaines?«*

Der Schnee fiel, als wollte er überhaupt nicht aufhören. Ein großer Meteorlesohubschrauber kreiste am Himmel. Dann drängten sich die Kinder in der beleuchteten Eingangshalle, wo man echte Tannen aus dem Wald in den festgestampften Schneeboden gepflanzt hatte. Über den Tannen flogen Ballons mit Bildern wie jene, die in der Luft schweben und die man mit einer Spezialantenne empfangen kann. Aber die waren ganz nahe. Man hätte die Figuren, die in ihrem Innern tanzten, fast berühren können: Onkel Tib, die Königin Ziti, Kapitän Gaybada, Span der Kater und viele andere.

Auf den Tannen hingen Girlanden, in denen ganze Lichtbäche sich spiegelten, Geschenke für die Kinder, Spielzeug, Plätzchen, Obst, nützliche Dinge wie Fausthandschuhe, Suities, Pyjacks und selbstverständlich die Tiere, die man zur Verwertung von Haushaltsabfällen gezogen hatte, wie die Fühlermäuse vom Planeten Berg, einem Phantasieplaneten. Und wunderschöne kleine vielfarbige Kugeln schwebten im Saal umher. Sie mußten ein ganz leichtes Gas oder etwas ähnliches enthalten. Seit den letzten Jahren des Leso-Konzernimperiums verstand man sich sogar darauf, Antigravitationsfelder zu erzeugen. Versuchte man die Kugeln zu fangen, so hüpften sie einem einfach weg. Den größeren Kindern gelang es manchmal, eine über den Kopf der anderen hinweg zu fangen, die kleinen hatten jedoch keinerlei Chance, denn zu viele Leute drängten sich in der Halle.

Plötzlich sah Rob, wie eine blaue Kugel auf den Schnee fiel, er ging auf die Knie, um sie aufzuheben. Sie trug ein Sternenmuster und konnte nicht mehr fliegen, war jedoch noch sehr schön. Die blauen waren die schönsten. Während er noch seinen Schatz bewunderte, sah er nicht den Faustschlag, der sie ihm entriß. Die Kugel fiel wieder zu Boden und wurde zertreten. Rob ging auf allen Vieren und ließ sich vergeblich auf den Fingern herumtreten. Verzweifelt stand er wieder auf. Er wollte ein solches Ding besitzen, mehr als alles auf der Welt. Ohne jeden Zweifel hätte man ihm eine geschenkt, hätte er gewagt, darum zu bitten: das war so einfach. Er wollte diesen kindlichen Wunsch jedoch nicht eingestehen und hüllte sich in düsteres Schweigen. Er dachte, daß er *ihnen* dies niemals verzeihen würde. Inbrünstig wünschte er sich, weit wegzufahren . . . Ans Meer, ein weißer Sandstrand, Kokosplamen und ein Krebs, der ein bißchen verdreht war und ab und zu auf Bäume kletterte, um sich eine Nuß auszusuchen. Gibt es auf diesem oder einem anderen Planeten Krebse, die an den Bäumen emporklettern? Rob wünschte sich von ganzem Herzen, daß es sie gab. Wenn nicht, war das Leben nicht wert, gelebt zu werden!

»Bewahren Sie kühlen Kopf.«

»Michael . . .«

»Count-down: achtunddreißig Minuten. Chronolyse leicht beschleunigt. Hören Sie mich, Dr. Holzach?«

»Laß mich in Ruhe, Michael. Ellen?«

»Rob«!«

»Wie geht's dir?«

»Ich langweile mich ein bißchen. Du gönnst dir eine Vergnügungsreise und ich bleibe zu Hause . . .«

»Deine Rolle ist sehr wichtig, das weißt du.«

»Ja . . . Und du, wie geht's dir?«

»Die Chrono läuft ein bißchen schnell, wie immer: stets zu früh bei Verabredungen . . .«

»Lieber nicht.«

»Ich brauche einen kühlen Kopf.«

In ihm stieg ein Bedürfnis zu lachen auf, das der zerebralphordale Komplex nur noch verstärkte: es war wie der Aufflug von Tauben, dann das Crescendo eines Zentaurengalopps und der Orgasmus einer einsamen Jungfrau.

»Ich bin doch nicht frigide, Dr. Holzach.«

»Aber du strahlst so viel Kühle aus, Dr. Laumer.«

Mach dich bereit, Schätzchen: es wird wehtun.«

»Ich weiß. Wenn du sagst, daß das Leben Scheiße ist, hat man Lust, alles hinzuschmeißen.«

»Du bist dran!«

Rob zog eine Grimasse, ein immenser Schmerz schnitt ihm die Luft ab. Dies war wie die Verzweiflung, die ihn manchmal mitten in der Nacht beschlich, wenn er an sein verpfuschtes Leben dachte – denn jegliches Leben ist stets verpfuscht – wenn er an das Alter und den Tod dachte. Aber schlimmer noch, tausend Mal schlimmer. Es war die unmittelbare Nähe des Todes, die eisige Anwesenheit des Nichts. Eine gewaltige Traurigkeit durchflutete seine Nerven und überspülte ihn. Die Tränen, die er seit seinem zehnten Lebensjahr zurückhielt, stiegen ihm plötzlich in die Augen, seine Kehle zog sich zusammen, sein Herz schien in einen Schraubstock gespannt. Die Farben verschwanden vor seinem geistigen Auge. Er sah nur noch ein schmutziges Grau ohne Ende: Regen über dem Meer, Nebel unter den Birken. Er fragte sich, wie die Menschen Jahrtausende hatten leben und die Nähe des Todes vergessen können, um sich mit dem Überleben zu befassen. Es war hoffnungslos. Und im übrigen mußte man die Hoffnung töten. Du kommst aus der Kälte, und du kehrst in die Kälte zurück. Ein Krampf zog ihm den Magen, Herz und Bauch zusammen. Er fühlte, daß er gleich wie ein einsamer Wolf, der im Schnee verhungerte, losheulen würde. Und dann brach dies plötzlich ab, genauso unvermittelt, wie es gekommen war. Danke, Dr. Laumer.

»Count-down: sechsunddreißig Minuten«, verkündete die Zentrale. »Chronolyse stark verlangsamt. Alles in Ordnung. Der Präsident Ben Barka wünscht Ihnen einen angenehmen Aufenthalt im Jahr 1966 . . . Hören Sich mich, Dr. Holzach? Der Präsident Ben Barka . . .«

»Sag dem Präsidenten Ben Barka, er soll von mir aus im Schnee verhungern . . . oder in der Wüste verdursten . . . einsam wie ein Hund!«

»Man ist immer einsam – im Leben wie im Sterben. Ihre Nachricht wird übermittelt werden.«

»Na, wie geht's?«

»Schatz, ich wünsche dir, daß du . . .«

»Beruhige dich, es ist vorüber.«

»Zu viele Zacken in diesem Diagramm.«

»Dr. Holzach darf nicht wissen . . .«

»Das Jahr 1966 ist gerade eben von den Phorden ausgewählt worden.«

»Im Großen und Ganzen verläuft alles gut.«

»Holzach und Laumer haben Schlimmeres mitgemacht, Dr. Carson.«

»Ben Barka weiß schon, was er sagt.«

Dr. Holzach«, erklärte die Zentrale, »Ihr Diagramm ist jetzt normal. Hören Sie mich?«

»Ich höre dich, Michael.«

»Genau in dreißig Minuten werden Sie in die Tiefenchronolyse eintauchen. Ihr grobes Ziel war die Zeit von 1950 bis 1975, wir haben im Jahr 1966 einen Kontakt herstellen können, der

Ihren Angaben im Groben entspricht. Es handelt sich um einen Mann. Seine Muttersprache ist Französisch, er spricht jedoch auch Deutsch. Er hat ungefähr Ihr Alter. Er besitzt eine mittlere wissenschaftliche Ausbildung und arbeitet in einem Laboratorium in Paris. Er heißt Daniel Diersant. Hören Sie mich, Dr. Holzach?«

»Sag mir doch gleich, was ich 1966 machen sollte.«

»Es ist zu spät, um Ihnen die allgemeinen Richtlinien ins Gedächtnis zu rufen. Sie tun ihr Bestes, so wie immer.«

»Ich habe den Eindruck, als hebe ich vom Planeten Berg ab.«

»Sie fühlen sich also ein bißchen verloren? Das ist normal. In der Tiefenchronolyse verschwinden alle Ihre Erinnerungen. Sie verwischen angesichts der Persönlichkeit, mit der Sie Kontakt aufgenommen haben. Sie müssen Daniel Diersant werden und sei es nur für einige Augenblicke. Wir schlagen Ihnen folgendes vor, um Ihnen zu helfen . . . Daniel Diersant ist Opfer eines Unfalls – oder eines kriminellen Anschlags geworden. Außerdem steht er vermutlich unter Drogen, was uns geholfen hat, eine chronolytische Verbindung zu schaffen, wir kennen jedoch weder die Art der Droge noch die Umstände, unter welchen er sie zu sich genommen hat. Vielleicht haben seine Angreifer – sofern es sich um einen Überfall handelt – sie ihm injiziert. Wir wissen es nicht. Sie werden versuchen herauszufinden, was vorgefallen ist. Es wird schwierig werden, daran besteht kein Zweifel. Eine Untersuchung im Unbestimmten ist niemals einfach.«

»Du willst eine Art Flic aus mir machen, Michael. Einen Aushilfsspion oder soetwas ähnliches? Bist du sicher, daß du dich da nicht täuschst?«

»Ich muß doch bitten, Dr. Holzach. Das ist völlig ernst. Und ich bin gezwungen, schnell zu machen. Sie befinden sich im Augenblick in einer Zwischenzone, bevor Sie in die Tiefenchronolyse eintauchen. In wenigen Minuten werden Sie mich nicht mehr verstehen . . . Ihre Untersuchung wird wie der Faden Ariadnes sein, der Sie in die unbestimmte Zeit führt. Sie werden sich mehr oder weniger bewußt erinnern, daß Sie herausfinden müssen, was *Ihnen* zugestoßen ist. Vielleicht entgeht Ihnen die Wahrheit, Sie werden jedoch viel über die Epoche erfahren, die Sie besuchen, über die Welt des Daniel Diersant, über das Leben, die Gedanken und Sitten des Jahres 1966. Wenn Sie die Wahrheit erfahren, so wird dies ein genaues Ergebnis sein, das sich fast in Zahlen lesen läßt und das genau Ihren Stellenwert im Weltenplan beschreibt und zwar einen Stellenwert erster Ordnung. Diese Gnade wünschen Ihnen die Phorden von Garichankar.

Jetzt erinnern Sie sich bitte noch einmal. Man hat vielleicht versucht, Daniel Diersant zu ermorden. *Sie* zu ermorden. Vorausgesetzt, es handelt sich nicht einfach um einen Unfall . . . oder einen Selbstmordversuch. Sie werden nach der Wahrheit suchen. Vergessen Sie dies nicht . . .«

». . . wollten mich umbringen, die Schweine! Aber ich bin noch am Leben, ich bin . . . Ellen!«

»So oder so werde ich dir immer nahe sein, Rob. Gute Reise.«

»Das war kein Unfall. Die elenden Kerle haben mich . . .«

»Count-down: siebenundzwanzig Minuten. Hören Sie mich, Dr. Holzach?«

»Die Mörder von HKH . . .«

»Count-down . . .«

»Ich bin doch schon auf der Autobahn. Fahr zur Hölle, Mistkerl!«

»Eintritt in die Tiefenchronolyse bei sechsundzwanzig Minuten, fünfzehn Sekunden. Diagramm normal.«

»Willkommen Perte en Ruaba!«

»Es ist besser, wenn du es gleich erfährst: mein Paradies ist mit jämmerlichen Typen und Huren bevölkert!«

»Das Ganze bewegt sich im Kreis.«

»Wir warten auf Sie, Diersant.«

»Haben Sie Ihre Karte?«

»Ich wäre gerne am Meeresufer mit dir, Renato, mein Liebling, einem weißen Sandstrand und einem schönen blauen Meer, ich liebe dich!«

»Entspannen Sie sich, schließen Sie die Augen, schlafen Sie!«

»Wenn ich einen Unfall gehabt habe!«

»Bist du sicher?«

»Nein, aber ich glaube, der Schock hat mich in die Chronolyse versetzt.«

»Die Phorden von Garichankar haben dich in die Chronolyse versetzt.«

»Im Jahr 1966 gab es noch keine Chronolytika.«

»HKH existiert und wir werden es beweisen.«

»Diersant ist tot. Ich fühle es. Ich weiß es. Irgend etwas ist bei der Rückkehr passiert. Ein Unfall. Noch einer!«

»Renato! Zum ersten Mal in der Geschichte der Menschheit konnte ein Band zwischen zwei voneinander entfernten Welten geknüpft werden . . .«

»Guten Tag, Doktor, Flucht ist keine Lösung, nicht wahr? Ich habe die Schnauze voll von euch elenden Bullen. HKH existiert, und wir werden es beweisen! Komm doch lieber vorbei, ich hebe dir einen braunen Sack auf . . . Ich muß unbedingt telefonieren das entspricht der Vorschrift Sie glauben sie befinden sich auf der Autobahn aber ich bin auf der Autobahn Elender Bulle Sie kommen also aus der Zukunft nehmen wir mal an ich bin zu schnell gefahren Renato Rizzi du spielst deine letzte Karte aus!«

*

»Count-down: zehn Sekunden . . .«

»Die Botschaft, die ich Ihnen zu vermitteln versuche, erscheint Ihnen sehr komplex und ist vielleicht durch die Übertragung verzerrt. Ich bin nicht der, für den Sie mich halten . . .«

»Neun . . .«

»Dr. Holzach, eine böse Überraschung wartet in Garichankar auf Sie. Versuch dich ans Meer durchzuschlagen Gong Pizzicato und Pauken, man kann unmöglich annehmen, daß wirklich etwas passiert wenn ich . . .«

»Acht . . .«

». . . das Steuerrad ein wenig nach rechts gerissen auf die Bäume zu du knallst gegen einen Baum du stirbst du wachst auf das Steuerrad herumgerissen du knallst gegen einen Baum du

»Sieben . . .«

Bist tot du wachst auf der Straße auf das Steuerrad herumgerissen, du bist ein jämmerlicher Typ, der nicht in die HKH-Geschichte gehört Wissenschaft ist mir scheißegal wenn du das initiierst mein Lieber dann wird nichts mehr

»Sechs . . .«

Wirklich in Gefahr das faschistische industrielle Imperium können Sie zu Monika Gersten Forestier kommen hau ab Scheißtyp Schnauze voll von dir Schnauze voll von dir Renato Seemann Ingenieur im abgetragenen Anzug diese ekelhafte verkrüppelte Pfote du bist

»Fünf . . .«

Meine einzige Liebe Renato von Garichankar verbringe gerade eine ekelhafte Viertelstunde im chronolytischen Raum macht aus dem schlauen Diersant bloß nicht einen Matrosen mit verkrüppelter Hand der dickste Fehler den ich jemals gesehen habe

»Vier . . .«

Monat Mai 1998 in Verwirrung zugebracht und die Verwirrung in der ungewissen Zeit es gibt nur den Augenblick und achtzehn Monate Arbeitslosigkeit meine Frau halts Maul elender Typ ich bin abgehauen weil

»Drei . . .«

Nach der gefährlichen Spritze schläft er nicht nicht auf der gleichen Realitätsebene wie diese blaue Muschel paß auf ob der Chefarzt euch nach der HKH-Karte fragt Chef mein alter telefonier Garichankar

»Zwei . . .«

Folge Monika zum Garichankar-Hospital um die Phorden davon abzuhalten daß sie HKH schließ die Augen ich warte dort hinten Flick Haus Laboratorium Ewigkeit subjektiv

»Ein . . .«

Dr. Laumer hat niemals Renato welches sind die Welten die völlig beherrscht werden von Ellen erinnere mich ich denke nicht daran sie zu unterschätzen HKH wir werdet nicht entkommen Garichankar ist umzingelt wünscht Ihnen ein langes Leben im Mebsital Ozean Oradak.

»Null!«

II

Diersant, hören Sie mich?

Daniel hatte nicht die Zeit zu Antworten. Er machte einen Satz um ein paar Tage zurück in seine Vergangenheit – aber natürlich war er sich dessen nicht bewußt. Er befand sich im Wagen auf der Straße nach Chartres. Die Dämmerung brach herein. Taubenschwärme zogen über die dunstige Ebene. Schwarz umrissen gegen die letzten Sonnenstrahlen wirkten die Türme der Kathedrale fast wie Zwillingsschwestern. Grauer Nebel rundete die Kanten des nördlichen Glockenturms ab und verwischte seine Spitze . . . Daniel schaltete das Abblendlicht ein. Ein Blitz zuckte über die Felder. Er hatte kein bestimmtes Ziel. Dies war einer seiner Ausflüge, bei denen er nur Freiheit und Einsamkeit suchte. Vielleicht würde er in irgendeinem Gasthaus in der Nähe von Nogent-le-Rotrou anhalten, in Ruhe etwas essen und dann nach Paris zurückfahren . . . Einen Augenblick lang glaubte er fast, daß er sich nicht mehr auf der Nationalstraße 10 befand. Ein Hinweisschild wies aus: Perte en Ruaba. Diesen fremdartigen Namen kannte er nicht. Einige Minuten später jedoch gelangte er in die Vororte von Chartres. Warum hast du Defners Vorschlag nur ausgeschlagen, du Narr? fragte er sich. Wieder ins Cerba eintreten und dann rüber zur Nerek: das war die Chance deines Lebens. Ellen hatte für mich einschreiten müssen. Sie wird böse auf mich sein. Die Gelegenheit, diesen Scheißladen der Séac in aller Ruhe zu verlassen, habe ich verpaßt. Rauskommen, mein Gott! Da werde ich niemals rauskommen!

In der Séac lieferte man sich in den hohen Machtbereichen einen heftigen Kampf um die Nachfolge von Generaldirektor Desmaisons, der in Pension ging. Mehrere Clans bekriegten einander. Im Prinzip galt der Posten des Geschäftsführers bei der Programmdirektion (für Forschung und Herstellung) als Vorzimmer zum Generaldirektors Stuhl: Max Roland, Inhaber dieses Postens, müßte logischerweise die Nachfolge antreten. Aber eine Reihe anderer Kandidaten schoben diskret ihre Bauern vor: Parelli, Lagerdier, Colin, Dumoulin und vor allem

Robert Sarthès, Direktor des Werks in Choisy . . . Ohne das Cerba zu vergessen. Heinrich Defner, der deutsche stellvertretende Direktor des Cerba, vielleicht konnte er Generaldirektor der Séac werden? Gott allein wußte es – vorausgesetzt, er interessierte sich für die schmutzige Wäsche der Kapitalisten . . . Obwohl Daniel sich von der Cerba getrennt hatte, gehörte er noch stets dem Büro für Technische Dokumentation an und hing damit vom Zentralen Dokumentations- und Forschungsdienst des Geschäftsführers Max Roland ab, da das Centre Européen de Recherche en Biochimie-Appliquée (Cerba-Europäisches Forschungszentrum für angewandte Biochemie) eine gemeinsame Tochtergesellschaft der Société d'Etudes et d'Applications de Chimie et Physique (Séac = Gesellschaft zur Erforschung und Anwendung von Chemie und Physik) und der Nerek und Frobacher, pharmazeutische Abteilung der Nerek Allgemeine Chemikalien an. Seine Sympathie und seine Wünsche galten Robert Sarthés, seinem ehemaligen Chef in Choisy, den seine Mitarbeiter liebevoll oder ironisch den Großen Drachen nannten. Wenn Max Roland den Sieg davontrüge, würde seine Situation im BTD prekär. Aber was sollte es! Die Séac in diesem Augenblick verlassen, da der Nachfolgekrieg der Verräter stattfand, wäre einer Desertion gleichgekommen. Na ja, er hatte das Recht, diesem Krebshaufen zu entkommen. Es war zu gefährlich, zwischen Schalentieren spazierenzugehen, wenn man selbst keinen Panzer besaß! Oder andersrum: so man keine Krallen hat, hält man sich besser wie die Gazellen auf Distanz. Die großen Raubkatzen begannen sich um die lebende Beute zu streiten,und er war ein zu kleines Raubtier, um einen Jagdanteil abzubekommen. Je nach Ausgang der Schlacht bekäme er entweder einen Prankenhieb oder einen Fetzen Pansen. Aber er mußte sich eingestehen, daß er immer noch Lust zum sozialen Aufstieg hatte. Er war bereit, einen Hieb zu riskieren, um eine Rolle, so klein, so mittelmäßig sie auch sein mochte, zu spielen. Er schämte sich ein wenig für sich selbst.

Er rollte durch die Nacht. Er fuhr viel mit seinem alten Volkswagen. Er brachte lange Stunden im Auto zu, dies war die beste Art, sich ein wenig Einsamkeit zu verschaffen, ohne den Argwohn der braven Bürger auf sich zu lenken. Er fuhr gerne einige zig Kilometer, manchmal ein paar Hundert um Paris in Richtung Sologne, Anjou oder Normandie. Er entspannte sich völlig, ohne jedoch seine Reaktionsfähigkeit zu verlieren, seine Nerven beruhigten sich, waren jedoch wachsam, sein Geist war völlig frei, wenn nicht sogar besonders aufnahmefähig. In dem Volkswagen, dieser Blase, die mitten in der Ewigkeit schwamm, konnte nichts geschehen. Die Zeit wurde zähflüssig, die Welt konnte einem nichts anhaben. Ein Schutzmantel geheimnisvoller Art bildete sich um ihn. Er konnte unmöglich glauben, daß etwas geschähe, wenn er das Steuer ein wenig nach rechts riß. Es wäre so einfach, alles scheint irreal, den Phasenbruch mit der Materie, kein Selbstmord, vielmehr ein Versuch. Du rennst dir an einem Baum den Schädel ein, du stirbst, du wachst auf der Straße auf, reißt das Steuer herum, du rennst dir an einem Baum den Schädel ein, du bist tot, du wachst auf der Straße auf, das Steuer nach rechts gerissen, du rennst dir an einem Baum den Schädel ein, du bist tot, du wachst auf der Straße auf, das Steuer nach rechts . . .

Der VW rollte durch die Nacht. Die Lichter der Städte und Dörfer, die langsam vorbeiflogen, zerstreuten sich. Die Zeit war wie geronnen. Daniel kostete die Illusion aus, einen ewigen Augenblick zu leben. In der Ferne zeichneten sich Hügel wie blaue Spitzen gegen den in Mondschein getauchten Horizont ab. Das Brummen des Motors war, als lege man ein Ohr an eine Muschel. Daniel schwamm zwischen zwei Strömungen im Innern einer dicken Miesmuschel, und die Oberfläche über ihm wurde manchmal in gleißendes Licht getaucht. Er ließ sich von einem langsamen Taumel erfassen. Der Eindruck, die Welt um sich drehen zu sehen, während man selbst reglos blieb, wurde immer stärker und verwirrender. Einen Augenblick lang akzeptierte er die Vorstellung, daß der Raum ein gestaltloses Etwas war, das sich um Daniel Diersant drehte . . .

Der Raum drehte sich und er befand sich auf dem rechten Seine-Ufer unterwegs nach Choisy. Er nahm die Avenue de Villeneuve und hielt vor der Fabrik. Eine Mauerversteifung gab das Gittertor frei. Er drückte zweimal auf die Hupe. Der Nachtwächter streckte den Kopf heraus und zeigte seine schwarze Mütze, regte sich jedoch nicht. Es handelte sich um einen ehemaligen Gendarmen, der seine Position sehr wichtig nahm. Daniel wartete ein paar Sekunden, ehe er sich fügte und ausstieg, um das Was-machen-Sie-denn-um-diese-Zeit-hier-Ritual über sich ergehen zu lassen.

»Den Chef besuchen natürlich.«

Er hielt seine gelbe Séac-Karte mit den zwei braunen Balken hin.

»Ah ja, Diersant, Sie waren schon mal da.«

»Mindestens zehn Mal.«

»Ich werde durchrufen.«

»Nicht nötig. Der Große Drache erwartet mich.«

»Es ist Vorschrift. Es ist schon nach neun.«

»Also, dann machen Sie.«

Daniel stieg wieder in den VW und ließ die Tür offen, um Ellens Brief im Schein der Deckenlampe noch einmal zu lesen.

*

Mein lieber Daniel,
Umstände, die du später erfahren wirst, zwingen mich, nach Deutschland zurückzukehren. Monika muß mir ein paar Sachen nachschicken, der Rest ist unwichtig. Mach dir keine Sorgen, ich werde dir niemals sehr fern sein. Ich bin sicher, daß du dich zurechtfinden wirst und daß wir uns wiedersehen. Du hast recht gehabt, auf den Vorschlag von Defner nicht einzugehen. Ich glaube, daß dies eine Falle unserer Feinde war. Was das Mebsital betrifft, kann ich dich beruhigen. Die Chronolyse war meine Erfindung. Vielleicht wird sie eines Tages existieren, es wird jedoch sehr lange dauern . . .

Daniel wurde von einem blassen Blitz geblendet. Er hatte den Eindruck, einen Sprung auf der Stelle zu machen, der Brief glitt aus seinen Fingern. Er packte ihn fest und setzte seine unterbrochene Lektüre fort.

*

. . . Mach dir keinerlei Sorgen. Es tut mir leid, daß unsere Pläne sich im Augenblick nicht verwirklichen lassen, sicher hast du jedoch Unrecht gehabt, Defners Vorschlag abzulehnen: das war eine Chance, wie du sie nicht wieder bekommen wirst . . . Hast du die Dose mit dem Mebsital vernichtet? Die Chronolytika sind außerordentlich gefährlich, und du hattest nicht das Recht, diese Dose zu nehmen.

*

Daniel faltete den Brief wieder zusammen und steckte ihn in seine Tasche. Irgend etwas stimmte nicht. Aber was? Er hatte die Absicht, Robert Sarthés zu dem Mebsital und der Chronolyse zu befragen. In jedem Fall, würde er nicht die Schachteln mit den Tabletten vernichten. Vielleicht konnte er sogar einen Versuch wagen, je nachdem was Sarthés sagen würde.

Der Nachtwächter gab ihm Zeichen, daß alles in Ordnung war, dann begann er das Tor zu öffnen. Daniel lächelte. Ja, alles war in Ordnung, er würde sich zurechtfinden. Er schlug den Weg über die Hauptallee ein, war ein wenig abgelenkt und sein Fuß lag vielleicht etwas zu schwer auf dem Gaspedal. Die massiven Gebäude umrahmten den riesigen, rechtwinkligen Hof gegen den Himmel. Man glaubte, langsame Eisberge eine phantastische Eislandschaft durchqueren zu sehen: den Nordpol des Jules Verne mit einer Oase in der Mitte, in der Orangenbäume blühten. Plötzlich stürzte eine dunkle Form hinzu. Daniel trat auf die Bremse und riß das Steuer zweimal herum. Die Reifen quietschten.

Die beiden Wagen hatten sich gestreift und ihre Stoßstangen ein wenig zerkratzt. Der Peugeot 404 grau metallic war von einer Seitenstraße von rechts aufgetaucht. Hatte er zuerst nur seine Standlichter oder überhaupt keine Beleuchtung an, so brannten nun seine Abblendlichter. Der Fahrer hatte sich mit einer maximalen Rechtskurve in die Hauptspur eingeordnet, dann war er über den Gehsteig auf den Rasen gefahren. Der Peugeot hatte nur noch ein einziges Rad auf der Fahrstraße. Der Mann – falls es sich um einen Mann handelte – hatte nicht übel kaltes Blut bewiesen . . . Oder aber er hatte seinen Coup sorgfältig vorbereitet. Aber zu welchem Zweck?

Daniel war völlig überzeugt, diese Szene schon einmal erlebt zu haben. Er war eher verärgert als erstaunt. Er kannte den Ausdruck »déjà vu, déjà vécu« gut. Es entspricht einer gewissen Bewegung der Nervenmündung in die Gehirnzellen und nicht etwa einer objektiven Erscheinung . . . Vorausgesetzt, die Zeit ist nicht selbst eine geistige Erscheinung.

Eine Wagentür schlug zu. Daniel stieg aus, eine Hand in seiner Westentasche. In solchen Fällen bedauerte er es stets, nicht zu rauchen. Jetzt eine Zigarette anzuzünden, hätte ihn beruhigt und ihm auch ein wenig Sicherheit verliehen. Er fühlte sich unbehaglich und fremd in seinem eigenen Leben . . . Ein großer Typ mit Filzhut hatte sich vor dem Volkswagen aufgebaut.

Daniel konnte das Gesicht schlecht sehen, aber er erkannte sofort die lange,hüftlahme Gestalt: das war Forestier, der Chef der Gorillas der Séac, der Hauspolizist. Er machte eine Geste, als werfe er die Zigarette fort, die er nicht rauchte. Was hat er nur hier zu suchen, Forestier, lieber Gott, Forestier, lieber Gott Forestier, lieber Gott Forestier lieber Gott . . .?

»Was haben Sie hier zu suchen?« brüllte Forestier. »Glauben Sie, Sie sind auf der Autobahn?«

»Aber *ich bin* auf der Autobahn« , erwiderte Daniel ruhig.

Er erinnerte sich, daß er das *andere Mal* ruhig geblieben war, das half ihm. Forestier platzte vor Lachen.

»Sie machen sich wohl über mich lustig, mein Lieber!«

Daniel erkundigte sich in höflichem, aber kühlem Ton:

»Hat Ihr Wagen denn irgend etwas abgekriegt?«

»Nichts, glaube ich, aber das ist nicht Ihr Verdienst.«

Eine dicke Mondsichel schob sich in den violetten Himmel wie ein Knopf, der halb durch ein Knopfloch gerutscht ist. Die Scheiben in den Fensternischen der Laboratorien warfen einen unheimlichen, Schein zurück. Daniel kämpfe gegen die Angst an, die ihn würgte. Forestier, das war eine unangenehme Begegnung, er ahnte jedoch bereits andere Gründe für sein Unbehagen.

»Nehmen wir mal an, ich bin ein wenig schnell gefahren« , sagte er. »Nehmen wir auch an, daß Sie nicht gut beleuchtet waren. Ich glaube, dann sind wir quitt. Reden wir nicht mehr davon. Guten Abend.«

»Eine Minute, Diersant. Sie wollen zum Großen Drachen, nchme ich an?«

»Natürlich.«

»Aus dienstlichen Gründen?'

»Ja, ich bringe ihm Übersetzungen.«

»Um diese Zeit? Übersetzungen? Sind Sie denn zum Laufburschen aufgestiegen!?«

»Ich muß Herrn Sarthès wegen dieser Arbeit sehen.

Während des Tages hatte er keine Zeit gehabt, mich zu empfangen.«

»Ich dachte, Sie sind zum Cerba versetzt. Wie kommt es dann, daß Sie noch Übersetzungen für Sarthès anfertigen?«

»Ich gehöre immer noch dem BTD an.«

»Weiß Herr Roland, daß Sie für Sarthés arbeiten?«

»Das wird ihn vermutlich nicht interessieren. Ich arbeite nicht für Hinz und Kunz: ich arbeite für die Séac.«

»Weil Sie meinen, Sarthès sei die Séac.«

»Stimmt das nicht?«

»Ich verstehe. Sie meinen, daß Sarthès der Nachfolger des Generaldirektors wird?«

»Das ist mir scheißegal: das hat nichts mit meiner Arbeit zu tun.«

»Na schön, Guten Abend.«

Daniel zuckte mit den Schultern und stieg in seinen Wagen. Also ging der Krieg bei der Séac weiter, insgeheim und sehr diskret. Jeder beobachtete die Positionen des anderen und schob seine Bauern herum. Daniel dachte, daß der Große Drachen eine Zeitlang gewisse Pläne für ihn hatte. Aber diese Gauner haben es gedreht, daß ich Choisy verlassen mußte. Das BTD war bis zum Beweis des Gegenteils ein Lehen von Max Roland. Vielleicht wollten sie mich unter Beobachtung stellen oder mich aus dem Gefecht ziehen? Oder handelt es sich gar um ein heimtückisches Manöver von Sarthès, der einen seiner

Getreuen beim Feind einführen wollte? Zu gegebener Zeit hätte ich eine Rolle spielen können, wenn Max Roland mich nicht an das Cerba weitergeleitet hätte . . .

Daniel parkte seinen VW in der Nähe von Sarthès BMW. Er ging um einen Rosenstrauch, und der Duft der Blumen versetzte ihm einen Stich ins Herz. Er drückte auf die Klingel einer schmalen Tür aus massivem Holz, die weder Klinke noch erkennbares Schlüsselloch besaß. Dann sagte er leise seinen Namen. Forestier hatte keinerlei Möglichkeit, sich in die Büros einzuschleichen, um dem Gespräch Diersants mit dem Großen Drachen beizuwohnen- was sicherlich seine Absicht war. Ja, sicherlich hat er mich verfolgt, denn er hatte versucht als erster im Hof anzukommen, um sich zu verstecken, vielleicht hinter den Rosenhecken und den Schließmechanismus der Tür zu blockieren, wenn ich eingetreten bin, und dann bei Sarthès einige Sekunden nach mir einzudringen . . . Ja, das ergibt einen Sinn. Aber warum hat mich dieser Scheißtyp verfolgt? Wegen Ellen?

Mit leisem Zischen öffnete sich die Tür. Daniel überzeugte sich, daß sie wieder ganz zufiel. Forestier hatte seinen Coup vermasselt! Er ging fünf, sechs Schritte rückwärts. Dann blieb er stehen, um Luft zu holen. Gerettet! Er schloß die Augen und sinnierte einen Augenblick in leichtem Halbschlaf. Ein Schlag traf ihn im Nacken. Er spürte, wie ein prickelnde und kalte Flüssigkeit ihm in Nase und Mund drang. Jemand besprühte ihn mit einer Sprühdose. Er hatte geahnt, daß man ihm eine Falle stellte, aber ein Teil seiner Selbst, ein vernünftiger und skeptischer Teil wollte die Warnung nicht wahrhaben . . . Er wachte wieder auf, als er an einem Fuß beißende Kälte spürte. Er lag ausgestreckt auf einer Bank oder einem Sofa. Sein Fuß war auf eine eisige Kachel gestellt. Uber ihm eine Glühlampe ohne Schirm. Er war völlig nackt. Ein Mann in einem Mastixregenmantel stopfte sein Hemd und seinen Anzug in einen Leinensack. Der Raum war fast leer. In der Mitte ein Tisch, zwei oder drei Stühle, eine Anrichte mit Nippes . . . Eine junge, blonde Frau trat ein und trug einen Kessel mit dampfendem Wasser, den sie auf den Tisch stellte. Dies erzeugte ein metallisches Geräusch.

Daniel hob sich auf einen Ellbogen und sah, daß hinter ihm ein Mann stand, der seinen Hut bis in die Augen gezogen hatte. Eine vierte Person trat ein mit einem Kleiderpaket unterm Arm. Ein langer Kerl, mager und muskulös, mit graumelierten Haaren und ausgezehrtem Gesicht, einem riesigen Kinn und einer tiefen Niedergeschlagenheit, die die Augen, Wangen und Mundwinkel herabzog. Forestier!

»Nun, Diersant, schauen Sie doch nicht so belämmert drein!«

Das Echo warf das Ende des Satzes vom Flur zurück. Der Chef des Sicherheitsdienstes dämpfte automatisch die Stimme.

Machen Sie das Spielchen mit, zum Teufel! Man kann nicht immer gewinnen.«

Daniel beherrschte sich, nicht zu antworten, daß er kein einziges Spiel gewonnen hatte. Aber vielleicht hatte er doch gewonnen, ohne es selbst zu wissen. Das war tröstlich. Er zitterte vor Kälte. Forestier warf die Kleider zu seinen Füßen nieder. Die junge Frau drehte sich um. Sie hielt eine Spritze und einen Wattebausch. Daniel roch Alkohol und versuchte aufzustehen. Der Mann, der hinter der Bank stand, schlug ihm mit der Handkante auf die Schulter, daß er wieder zurückfiel.

»Soll ich ihm noch eins auf die Nase geben, Chef?«

»Nein« , bat die Frau. »Er soll jetzt nicht schlafen. Ich muß die Wirkung der Spritze beobachten.«

»Laßt mich in Ruhel« brüllte Daniel.

»Seien Sie doch kein Dummkopf« , sagte Forestier. »Wir bringen Sie schon nicht um. Wir bringen Sie nur ein bißchen zum Reden.«

»Lieber Gott, was wollen Sie eigentlich von mir?'

Und dann explodierte die Zeit. Daniel streckte vorsichtig die Hand aus und streichelte Barbar , den rosa Elefanten, der auf seinem Nachttisch stand und fühlte sich völlig beruhigt. Er lag im Bett in seinem Zimmer in der Rue de Verneuil. Wie hatte er nur daran zweifeln können. Er empfand ein vages Gefühl der Dankbarkeit für die Zivilisation. Eine sanfte Frauenstimme sang vor sich hin: *Armer Seemann – pauvre marin – toi qui t'en vas – vers la Perte – vers la Perte en Ruaba!*

Seine Kindheit ebbte mit gewaltiger Zärtlichkeit über ihn hinweg und er erinnerte sich.

III

Er war zehn Jahre alt, und es war der erste Tag der großen Ferien. Der Sand rann Korn um Korn durch eine Sanduhr, die höher war als die violetten Berge aller Märchenländer. Er hätte zehn Mal um die Welt reisen können, an jedem Grashalm Halt machen, die Fische des Meeres zählen, so wäre der Schulbeginn noch immer nicht in Sicht gewesen. Die Vormittage dehnten sich zu riesigen Zeitpfützen aus. Die Nachmittage in nicht enden wollende Sonnenuntergänge. Die Abende zogen sich mit aufgerissenem Maul über unergründliche Geheimnisse hin. Die Nacht riegelte schließlich die Dunkelheit ab und panzerte sich mit lang anhaltender Angst. Daniel mühte sich, sich der Welt zu entreißen. Er wollte sich nicht der Nacht hingeben. Jahrhunderte kämpfte er gegen den Schlaf, der sich schließlich doch wie ein gewaltiger Kiefer über ihm schloß, um ihn am nächsten Morgen voller Staunen und Entzücken an den Ufern eines neuen Tages auszuspucken. Nachdem er an den Ufern der Hölle geplantscht hatte, fand er sich wieder im Paradies voll vertrauensseliger und ungläubiger Freude. Er rannte davon und brüllte, daß er nun die Forellen im Bach, die Wildschweine im Wald oder die Fledermäuse in einer Höhle ansehen wollte. Er rannte aufs Licht und die Tagträume zu in völligem Einklang mit dem Universum, den Kopf voller Fragen. Dies spielte sich Jahrhunderte früher ab. Heute war Daniel vierunddreißig Jahre alt und erwachte am ersten Tag der Ferien. Man hatte ihn also vor die Tür gesetzt, nachdem man ihm seine Kündigungsfrist ausbezahlt hatte. Er war frei, begann zu hoffen, daß alles wie früher sei.

Langsam erwachte er aus einem Schlaf, der vollgetränkt war mit Alpträumen. Er wußte nicht mehr, ob er so viel absurde und beängstigende Dinge geträumt hatte, oder ob er die Träume nur geträumt hatte. Und welcher Unterschied bestand darin? Er war noch sehr müde und gleichzeitig wie befreit. Er würde es überwinden. Ein Vers, den sein Vater früher sang, kam ihm ins Gedächtnis:

Toi qui t'en vas vers le sud extrême,
Pauvre marin chasseur de chimères,
Ne crains-tu pas la colère
Des rois, es braves gens, des capitaines?

Er schlug die Augen auf, warf das Leintuch zurück und hob sich auf einen Ellbogen. Er hielt den Atem an und lauschte. Dies klang wie ein entferntes, gedämpftes Tamtam. Dann vernahm er ein metallisches Knirschen, wie das kurze Windheulen vor Einsetzen der Gewitter. Bald herrschten die Trommeln vor, bald das Knirschen, schien näherzukommen und sich schnell wieder zu entfernen.

Er spähte ängstlich in die Dunkelheit. Die dem Bett gegenüberliegende Wand strahlte in leichtem Blauton. Er streckte die linke Hand aus, um den Schalter der Nachttischlampe zu finden, fand das Kabel jedoch nicht. Er ließ sich wieder ins Kissen fallen, war fast atemlos. Dieses Geräusch mußte in seinem Kopf sein. Was war das? Irgendeine Störung im Innenohr, eine Verletzung, ein Gehirntumor? Verzweifelt wünschte er, erneut einzuschlafen, sich in einen anderen Traum zu stürzen, um einer unerträglichen Wirklichkeit zu entkommen.

. . . Der VW fuhr unter den düsteren und kalten Augen der Straßenlaternen durch ein Dorf. Eine Tankstelle tauchte als rotes Fünkchen in der Nacht auf. Dann stieß die Straße in den Wald wie eine Lanze in den Leichnam eines niedergemetzelten Ungeheuers. Der Mond verschwand. Die Leitplanken warfen das Licht der Scheinwerfer zurück. Die Baumstämme bildeten zu jeder Seite der Straße eine dichte Mauer, deren Farbe heller war als das Laubwerk. Der Wagen schob sich in einen engen Tunnel, den die Lichtbündel der Scheinwerfer aufzusaugen schienen. Dann öffnete sich der Wald unvermittelt in einer Kurve. Blitzartig fiel der Himmel herab. Zu seiner Linken erhob sich eine strahlende Klippe, zur Rechten tauchten etwas tiefer gelegen die verschwommenen Umrisse von Bäumen an einem Flußufer auf. Ein Kieshaufen glitzerte, dann bemerkte Daniel das weiße Dach eines Wagens, der in einer Parkbucht am Ufer stand: ein Krankenwagen mit Blaulicht vorne und blauen Vorhängen hinter den Seitenfenstern.

Zwei Männer standen wie erstarrt in einer Hab-Acht-Stellung vor dem Wagen. Ihre Anzüge aus weißem Nylon strahlten unter dem kalten Mondlicht metallisch und bedrohlich. Sie trugen lange, weiße Stiefel und eine durchsichtige Kugel umhüllte ihre Köpfe. Daniel hielt den Volkswagen an, stieg aus, und ging auf sie zu. Sogleich sah er die Aufschrift, die in roten Buchstaben auf dem Krankenwagen stand: Garichankar-Hospital. Ein merkwürdiger Name. Und diese Pfleger – oder Ärzte -, warum trugen sie Helme wie Raumfahrer? Das war nur die Folge dieses endlosen Alptraums. Trotzdem war Daniel überzeugt, daß er seine Rolle bis zum Ende spielen mußte. Dies war von großer Bedeutung, warum, wußte er nicht. Er ging langsam auf die Männer in den weißen Anzügen zu. Vielleicht würde er die Wahrheit herausfinden. Sogleich fragte er sich: Welche Wahrheit?

»Kann ich Ihnen helfen, meine Herrn?«

Der größere, der wie der Leiter aussah, kam Daniel entgegen. Graumeliert, mit knochigem Gesicht und langem Kinn: das war Forestier. Aber was hat Forestier hier zu suchen, lieber Gott?

»Wir haben auf Sie gewartet, Diersant.«

Daniel zuckte mit den Schultern. Als Pfleger verkleidete Polizisten! Er würde also nie entkommen! Und schon hatten ihn die zwei Männer umstellt.

»Haben Sie Ihre Karte?«

»Natürlich.«

Er hielt das braune, gelbgestreifte Rechteck mit einem alten Photo hin, das Forestier sogleich zurückgab.

»Machen Sie sich über mich lustig, Diersant? Halten Sie mich für einen Narren, oder haben Sie den Verstand verloren?«

Daniel wußte keine Antwort. Er warf einen Blick auf die Karte. Statt des Séac-Stempels oben links standen hier nur drei

Großbuchstaben, deren Bedeutung ihm unbekannt war: HKH . . .

Er schloß die Augen und hörte zu. Alle drei oder vier Sekunden übertönte ein dumpfer Schlag ein monotones, entferntes Dröhnen. Ein Gongschlag, dann noch einer und noch einer. Und etwas schwächer der Lärm von Becken und eine Art piepsiges, spöttisches Pizzicato. Das Ganze schuf einen beängstigenden Lärm. Ohne seine Karte mit der Aufschrift HKH loszulassen, hielt Daniel sich mit den Handflächen die Ohren zu. Das Dröhnen und die Becken verstummten, der Gong schlug jedoch weiter.

»Sie sind ganz schön dreist, Diersant, ausgerechnet mir eine falsche HKH-Karte vorzulegen!«

Daniel schlug die Augen auf und senkte langsam die Arme. Forestier fixierte ihn immer noch mit einer Miene, die zugleich Verblüffung, Bewunderung, Verachtung und Wut ausdrückte.

»Warum ist diese Karte gefälscht?«

»Weil sie die Unterschrift Huber Hagen Hess trägt. HHH . . . Das ist die gröbste Fälschung, die ich jemals gesehen habe!«

Daniel warf die Karte hin. Forestier gab seinem Begleiter ein Zeichen. Der zweite trug eine lange Zylinderform, die sie nun aufklappten und die sich sogleich zur Tragbahre umbildete. Forestier packte Daniel bei der Schulter. Ganz offensichtlich wollten sie ihn zwingen, sich auf ihrem Gerät auszustrecken, das nun völlig reglos in der Luft schwebte, ohne irgendwie gestützt zu werden. Er war jedoch weder krank noch verletzt und hatte nicht die geringste Lust, in ihren verdammten Krankenwagen zu steigen! Er riß sich los, tat einen Satz zurück und rannte zu seinem Wagen. Er war kaum zehn Schritte gelaufen, da blieb er entsetzt stehen: der VW bestand nur noch aus einem Schrotthaufen. Der Kühler und die rechte Seite waren völlig eingedrückt. Er dachte: lieber Gott, wenn ich am Steuer gesessen hätte, was hätte ich da abbekommen! Der Unfall erklärte vielleicht die Anwesenheit der weißgekleideten Männer und ihre Verachtung. Aber nein, berichtigte er sich, das war keine Verachtung, das war eine Falle!

Forestier schob mit einer Hand die Bahre, die wie ein Kinderballon, den der Wind vor sich herträgt, durch die Luft glitt. Daniel fragte sich, ob es einen Sinn hatte, den aufgeregten Burschen zu sagen, daß er sich im Augenblick des Unfalls nicht im Wagen befand und nicht verletzt war! Nein, das interessierte sie nicht. Und wieder machte er einen Sprung in der Zeit. Er erwachte, den Kopf zwischen den Armen, die Ellbogen auf dem Lenkrad des VWs. Lieber Gott, meine Verabredung!

»Ich erwarte Sie heute abend nach halb zehn in meinem Büro«, hatte der Große Drache gesagt. Ich werde bis Mitternacht da sein. Dann können Sie mir Ihre Geschichte erzählen.« Robert Sarthès gab sich als der Mann der Geheimnisse, der Nacht, der einsamen Arbeit in der Dunkelheit. Heute abend . . . Heute abend? Heute, am 20. November 1966?

Die Lichter der Stadt regneten ihre kleinen öligen, schillernden Tränen durch den Nebel. Ab und zu warf sich der VW auf ein Ektoplasmaungeheuer, ließ sich verschlingen und schoß, sogleich wieder ausgespien, nackt, metallen und eisig durch die Winternacht. Daniel mußte langsamer fahren. Er hatte die Heizung eingeschaltet und fühlte sich erneut von einer leichten Schläfrigkeit erfaßt. Er gelangte über das rechte Seine-Ufer nach Choisy und nahm kurz vor der Fabrik die Avenue de Villeneuve. Was werde ich Sarthès nur erzählen? Auf jeden Fall war er reichlich zu früh. Er hielt an und machte ein paar Schritte auf dem Bürgersteig, um aufzuwachen. Der Himmel war ganz klar. Er sah Orion zu seiner Linken, genau über den Häusern. Das ist normal Ende November. Er fragte sich, ob es nicht vernünftig wäre, in einer Kneipe ein Schnitzel zu essen. Er hatte jedoch weder Hunger noch Durst. Vielmehr schauderte ihm in seiner Sommerjacke. Erneut hob er den Blick zum Orion. Rigel war nicht zu sehen, wohl aber das Wehrgehänge, Beteigeuze, Aldebaran weiter rechts oben, Castor und Pollux zur Linken . . . Das alles entsprach durch und durch der Jahreszeit – aber der VW hatte seit dem 18. Juli, dem Datum des letzten Ölwechsels, nur vierhundert Kilometer hinter sich gebracht. Nun gut, in Wirklichkeit war der 31. Juli. Max Roland hat mich gestern zu sich bestellt, am 30., um mir meine Kündigung auszusprechen. Als ich zu Hause angelangt war, habe ich ein oder zwei oder auch drei Mebsital-Tabletten genommen, am nächsten Morgen, das heißt also heute, heute früh, war ich doch noch klar genug, um Sarthès anzurufen, und um eine Unterredung zu bitten. Die chronolytische Wirkung stellt sich also mit ein paar Stunden Verspätung ein. Der Brief der Nerek, die Ohrfeige von Monika, der Nebel des 20. November und Orion: Wahnbilder! Nun gut . . . Er stieg wieder in seinen Wagen und fuhr zum Werk.

Eine Mauerversteifung bildete einen Engpaß, an dessen Ende sich das Gittertor öffnete. Daniel bog ein und hupte zweimal. Der Nachtwächter schaute heraus, legte einen Finger an die Mütze und kam zur Tür. Ein alter Polizist vom Kinnriemen bis zum Hakenschlagen: gewiß einer der Leute von Forestier und Max Roland. Daniel entschloß sich doch, auszusteigen und trat ans Tor.

»Was wollen Sie denn um diese Zeit?«

Daniel streckte ihm seine Séac-Karte hin.

»Ich bin mit dem Großen Drachen verabredet.«

»Ah ja, Diersant, Sie habe ich schon mal gesehen.«

»Das hoffe ich. Mindestens zehn Mal.

»So oft nun auch wieder nicht. Ich werde anrufen.

»Das ist nicht nötig. Herr Sarthès erwartet mich.«

»Es ist Vorschrift. Es ist schon nach neun Uhr.«

»Wie Sie wollen.« Sarthès bestätigte die Verabredung und eine Minute später rollte Daniel den Hauptweg hinab. Die Gebäude des Unternehmens grenzten den riesigen, rechtwinkligen Hof gegen den Himmel ab. Eine riesige Spiegellandschaft, in der das Mondlicht wie auf Eisbergen schimmerte. Du kommst aus der Kälte und . . . der Düsternis! Plötzlich tauchte ein dunkler Umriß auf und nahm ihm die Vorfahrt. Ein Wagen, der seine Scheinwerfer nicht eingeschaltet hatte. Daniel wich ihm aus, steuerte zurück und bremste. Gerade noch rechtzeitig. Die zwei Fahrzeuge hatten sich gestreift und ihre Stoßstangen ein wenig verkratzt. Der metallic-graue Peugeot 404 kam über eine Seitenstraße von den Garagen. Der Wagen war kaum oder auch gar nicht beleuchtet. Sein Fahrer war auf die Hauptstraße eingebogen, indem er das Steuer so weit wie möglich nach rechts einschlug. Er war auf den Bordstein geholpert und auf den Rasen gerollt. Ja, dieser Verbrecher hatte seinen Coup gut vorbereitet, daß es so aussah, als trüge ich die Schuld! Es war Forestier: es konnte niemand anderes sein. Ein großer Typ mit einer weiten, karrierten Jacke, einem hellen Filzhut, der seine Augen verbarg: der Haussheriff der Séac. Was hat er hier bloß zu suchen, lieber Gott! Offensichtlich hat er mich verfolgt. Jawohl, er hat mich verfolgt, und als er begriff, daß ich ins Werk ging, hat er versucht, mich zu überholen. Er ist zu den Garagen gefahren, hat jedoch Zeit verloren und . . .

»Was haben Sie denn hier zu suchen?« 'brüllte Forestier. »Glauben Sie, Sie sind auf der Autobahn?«

»Aber ich *bin doch* auf der Autobahn« , erwiderte Daniel ruhig. Eine trügerische Ruhe. In Wirklichkeit befand er sich am Rande der Panik. Forestier platzte mit einem brutalen Lachen heraus.

»Sie machen sich wohl über mich lustig!«

»Diesen Luxus kann ich mir nicht erlauben. Hat Ihr Wagen etwas abbekommen?«

»Nein, ich glaube nicht. Aber das ist nicht Ihr Verdienst.«

Eine dicke Mondsichel verbreitete einen öligen Schimmer. Ende des ersten Viertels. Leere war an die Stelle von Orion eingetreten. Auch Castor und Pollux waren verschwunden. Weiter oben nahm Daniel das Dreieck Altair – Deneb – Wega wahr, jener letztere sehr bleich aufgrund des Mondes und fast schon im Zenit. Die Stellung der Sterne entsprach der sommerlichen Jahreszeit. Die Temperatur war lau. Die Dinge hatten wieder ihren eigenen Platz eingenommen. Andersherum gesagt, die Krise löste sich, die Wirkung des Mebsital ließ nach – falls es sich um Mebsital handelte.

Im ersten Stockwerk eines kleinen Gebäudes am Ende des Hofs brannte ein Licht. Sarthès wartete. Daniel hob den Blick, seufzte. Ein gewisser göttlicher Frieden durchströmte ihn. Die Ruhe war außergewöhnlich. Also, welchen Tag hatten wir noch? Er wandte sich zu Forestier um.

»Angenommen, ich bin zu schnell gefahren« , erklärte er in versöhnlichem Ton. »Aber Sie waren auch nicht sehr gut beleuchtet. Das ist das Mindeste, was man sagen kann. Also sind wir quitt. Guten Abend.«

»Eine Minute, Diersant. Was machen Sie hier?«

»Und Sie?«

»Ich verrichte meine Arbeit. Ich warne Sie, wenn Sie keine befriedigende Antwort geben, werde ich einen Bericht über Sie anfertigen.«

»Ich bringe Übersetzungen.«

»Ich bringe Übersetzungen.«

»Ich bringe Übersetzungen.«

»Ich bringe Übersetzungen.«

... Sah im Mondschein ein paar Rosen, deren weiße Farbe fast ins violette spielte. Er kannte ihren Namen nicht und bedauerte es: man sollte immer den Namen der Blumen kennen, an denen man unterwegs vorüberkommt.

Nervös drückte er auf die Klingel einer verborgenen Tür und meldete sich mit leiser Stimme. Dieser Saukerl von Forestier hat erraten, daß ich mich zum Großen Drachen begebe. Er hat wohl versucht, als erster im Hof anzukommen, um mich insgeheim zu beobachten und dann den Schließmechanismus der Tür hinter mir zu blockieren, und ebenfalls einzutreten. Ja, das ergibt einen Sinn, aber warum sollte er mich verfolgen?

Die Tür quietschte und ging auf, Daniel machte im Flur ein paar Schritte rückwärts, um sich zu überzeugen, daß sie sich wirklich völlig hinter ihm schloß. Pech gehabt, mein Alter! Auf der Treppe blieb er stehen, um wieder zu Atem zu kommen und seine Aufregung niederzukämpfen. Hier, in der Höhle des Großen Drachen, konnte ihm keinerlei Gefahr mehr drohen.

»Treten Sie ein, Diersant. Ich habe auf Sie gewartet.«

Der Raum, in dem das Rot der Teppiche, das Schwarz der Sessel und der Mahagoniton von Schreibtisch und Stühlen dominierte, war nicht sehr groß, doch ein Halbdutzend Leute hätten sich hier wohlfühlen können. Dies lag an den riesigen Fensternischen, der hohen Decke und der begrenzten Größe der Möbelstücke, die in wohlerwogener Unordnung aufgestellt waren. Ein künstliches Dekor, eine künstliche Stimmung ...

»Ich freue mich, Sie zu sehen!«

An Sarthès fielen einem sofort die massiven Formen von Gestalt und Gesicht auf. Dann bemerkte man den langen Rumpf, die Kraft von Kopf und Hals, das viereckige Gesicht unter einer graumelierten Mähne. Schließlich seine Größe: mindestens 1,85 Meter. Der Große Drache trug eine karrierte Hausjacke und eine unförmige Flanellhose. Funken sprühten durch die dicken Gläser seiner Brille. Er wirkte wie ein Tiefseefisch.

Auf seinem Schreibtisch stand ein Hermes aus Gips (mit einem Gesichtsausdruck, der Daniel unbekannt war und leicht futuristisch wirkte, dies war neu . . .), neben einer Rechenmaschine Dunn 101, der Sprechanlage, den üblichen zwei Telefonen und einem Computerterminal. Auf einem niedrigen Tisch lag eine moderne Bibel in zwei Bänden und ein Geschichtsabriß der Séac, ein Werk von Sarthès selbst.

An den Wänden hingen mehrere Digramme und Grafiken, die Daniel sich nicht erinnerte, bereits gesehen zu haben und deren Sinn ihm völlig entging, dazu ein naturalistisches Nacktbild einer jungen Frau, deren Körper wie gemeißelt und muskulös war, und die dem Besucher das Schauspiel ihrer geöffneten Schenkel bot und die den Blick auf dunkles Schamhaar freigab.

Sarthès klopfte seinen Pfeifenkopf an der Tischkante aus.

»Einen Whisky?«

»Pur, bitte.«

Der Große Drache saß ein wenig zurückgelehnt in seinem Sessel, sein Gesicht entspannte sich allmählich, als habe er gedöst, Daniel wußte jedoch, daß er wachsam und klar war. An der Wand hing ein kleiner Tageskalender in hölzernem Rahmen. 31. Juli 1966. Alles war in Ordnung. Alles war in Ordnung.

»Ich habe mich heute selbst mit meinen Freunden bei der Nerek in Verbindung gesetzt«, sagte Sarthès. »Sie werden sicherlich etwas für Sie finden. Jedoch unter einer Bedingung. Wären Sie bereit, Frankreich für mindestens fünf Jahre zu verlassen? Wäre das möglich?«

»Frankreich zu verlassen, um wohin zu gehen?«

»Nach Amerika natürlich. In die Vereinigten Staaten.«

Daniel seufzte. Amerika, dieses Blendwerk, dieses falsche Paradies, diese Falle . . . *Struggle for life:* der Bessere soll gewinnen, oder dcr Verschlagenste! Kampf auf allen Ebenen und keinerlei Mitleid mit einem lahmenden Pferd. Aber die Oasen des Friedens und des Glücks, die existieren ohnehin nur in den Science Fiction-Romanen, und wenn auch. Es sei denn, man ist Milliardär. Die reine Lebenshaltung wurde immer kostspieliger. Man mußte sich fügen. Warum nicht Amerika? Daniel hatte das Gefühl, daß alle wesentlichen Entscheidungen, die ihn betrafen, anderswo getroffen wurden, wo, wußte er nicht. Im Pentagon, in der Höhle der Agartha, auf einer kleinen Wolke oder dem Thron Gott des Vaters oder in irgendeinem geheimnisvollen Verwaltungsgremium.

»Ich glaube schon, daß das möglich wäre«, antwortete er vorsichtig.

»Es gäbe eine andere Lösung«, sagte der Große Drache.

Von Zeit zu Zeit zog er an seiner Pfeife und blies den Rauch langsam aus dem Mund. Er sprach mit tonloser und leicht singender Stimme, in welcher der Pyrenäenakzent immer noch zu hören war . . . Daniel bemerkte zwischen zwei Vorhängen einen Winkel nachtblauen Himmels. Die Fabrik, die Stadt und die Welt waren jenseits der Mauer, harmlos, wie entzaubert.

»Haben Sie schon von HKH gehört?« erkundigte sich Sarthès.

Ein heller Fleck zeichnete sich kreisartig am Fenster ab: der Lichtkreis einer Lampe, die der Nebel oder einfach eine optische Täuschung siebte. Daniel konzentrierte sich auf jenen nebelhaften, blassen Ton, der vielleicht nur in seiner Vorstellungswelt existierte. Er veränderte seine Gestalt und schien sich um sich selbst zu drehen. Bald zeichneten sich zwei schwarze Löcher, dann ein drittes darunter ab und er erkannte den vereinfachten Totenkopf, wie er ihn als Kind gezeichnet hatte, als er für die Piraten schwärmte. Eine Warnung. Eine Art von Vorahnung . . . HKH! Ich bin in die Falle gegangen. Er stand auf. Sarthès begann zu lachen.

»Ich glaube, Sie kennen HKH.«

Dieser Schweinehund hat mich verraten. Sie sind alle gegen

mich. Er fühlte, wie seine Knie nachgaben und stürzte nach vorne. Ein sehr begrenztes, jedoch äußerst lebhaftes Gefühl von Kälte weckte ihn. Sein nackter Fuß lag auf einer eisigen Kachel. Er war auf einer Bank oder einem Sofa ausgestreckt. Uber ihm hing eine Glühbirne ohne Lampenschirm. Er bemerkte, daß er nackt war. Ein Mann im Regenmantel stopfte seine Kleider in einen Sack. Der Raum war fast leer: ein Tisch, ein paar Stühle, ein alter Schrank: es müßte nach Moder riechen, Daniel hatte jedoch noch einen starken, chemischen Gestank in Nase und Hals. Man hatte ihn mit einem Mikronebelgenerator eingeschläfert. Eine junge, blonde Frau trat ein und trug einen Kessel mit dampfendem Wasser, den sie auf dem Tisch abstellte. Er vernahm ein metallisches Geräusch und klirrende Gläser. Die Frau drehte ihm den Rücken zu, so daß er ihre Hände nicht sehen konnte. Daniel hob sich auf einen Arm und sah, daß hinter seiner Bank ein Mann stand. Er ließ sich wieder zurückfallen.

Eine vierte Person trat mit einem Bündel Kleider ein: ein langer, magerer, muskulöser Typ mit grauen Haaren, schmalem Gesicht, langem Kinn und einer tiefen Falte, die narbenähnlich vom Auge über die Wange verlief. Der Chef vom Séac-Sicherheitsdienst. Forestier.

»Also, Diersant, verlieren Sie mit Anstand, zum Teufel. Man kann nicht immer gewinnen!«

»Was soll das heißen?«

»Sie fühlen sich wohl sehr stark, was?«

Forestier warf die Kleider vor Daniel auf die Fliesen. Die junge Frau drehte sich um. Sie hielt eine Injektionsspritze und einen Wattebausch. Daniel nahm einen starken Alkoholgeruch wahr. Er versuchte aufzustehen. Der Mann, der hinter ihm stand, schlug ihm mit der Handkante auf die Schulter.

»Soll ich ihm noch eins in die Schnauze geben, Chef?'

Daniel legte sich wieder hin.

»Er darf nicht schlafen«, sagte die Frau. »Ich muß die Wirkung der Spritze beobachten.«

»Lassen Sie mich in Ruhe!« schrie Daniel.

»Spielen Sie nicht den Dummkopf«, herrschte Forestier ihn

an. »Man will Sie ja nicht umbringen. Sie nur ein wenig zum Reden bringen.«

»Aber lieber Gott, was wollen Sie denn von mir?«

Der Chef des Sicherheitsdienstes warf der jungen Frau einen Blick zu.

»Soll ich's ihm sagen?«

»Er wird sich so oder so nicht daran erinnern.«

»Also, mein Alter. Sie werden sich an nichts erinnern. Sie werden sogar Ihren Namen vergessen. Zumindest für einige Zeit. Danach wird Ihnen einiges wiederkommen, nur nicht, was heute abend geschehen ist. Die letzten Stunden vor der Injektion: nichts. Einfach gar nichts. Wir werden sie ein paar Hundert Kilometer von Paris entfernt auf freiem Feld aussetzen. Und ehe Sie erfahren, wer Sie sind und Sie dies beweisen können, werden Sie monatelang zu tun haben. Sie werden gezwungen sein, uns in Ruhe zu lassen! Dieses Ding hier, dieses Produkt, das müßten Sie eigentlich kennen: das kommt bei unseren Freunden bei der Nerek und Frobacher. Das NF 7009: eine Droge zum Gedächtnisverlust. Es sieht so aus, als befände sie sich noch im Versuchsstadium, nun gut, wir werden sie ausprobieren! Das Schlimmste, was Ihnen passieren kann, wäre ein oder zwei Jahre in einem Irrenhaus zuzubringen. Ich wäre darüber nicht besonders traurig. Also fangen wir an.«

»Wenn Sie jetzt nicht ruhig halten, sind wir gezwungen, Sie mit einer Sprühdose zu betäuben«, erklärte die junge Frau. »Und es würde die Risiken steigern, denn ich muß Ihr Herz überwachen und Ihnen eine weitere Spritze geben, falls Sie in Ohnmacht fallen. Und ich bin keine Ärztin. Es wäre besser, wenn Sie mir während der ersten Minuten sagen könnten, wie Sie sich fühlen.«

Sie zwang sich zu lächeln. Ihre hohen, geschwungenen Brauen schienen den Augen auszuweichen. Ihre eingefallenen Wangen, leicht flachgedrückte Nase und der etwas vorgeschobene Mund bezeugten ihre Angst. Sie hatte Angst. Ihre Züge gruben sich in Daniels Gedächtnis. Vielleicht würde er nie wieder ein Gesicht sehen, das sich über das seine beugte. Er hielt den Arm hin. Die Hände der jungen Frau zitterten ein wenig. Daniel schloß die Augen. Er fühlte die Spritze kaum. Leichte Wärme stieg langsam seinen Arm, dann seine Kehle empor.

»Gut, sehr schön« sagte Forestier. »Ziehen Sie sich an.«

Daniel stand auf und zog hastig die zerschlissene Unterwäsche und den petrolfarbenen Anzug an, der mindestens zehn Jahre alt war. Die Frau hielt ihn auf.

»Ziehen Sie die Weste noch nicht an, falls ich Ihnen schnell eine zweite Spritze geben muß.«

»Ich brauche keine Jacke. Schließlich ist es der 31. Juli, nicht wahr?«

Die anderen schwiegen. Natürlich war der 31. Juli. Oder sie täuschten ihn bewußt.

»Die Nächte sind kühl«, erklärte Forestier. »Das ist der jämmerlichste Sommer, den ich jemals erlebt habe.«

Daniel setzte sich wieder und wurde von einer Woge Fatalismus überspült, die zweifellos seinem Charakter innewohnte. Er fand sich selbst wieder: der Mann, der dem Schicksal völlig ausgeliefert ist. Und deshalb auch frei.

»Wie lange warten wir?« erkundigte sich der Typ im Regenmantel.

»Eine knappe halbe Stunde«, antwortete Forestier.

Die junge Frau hob den Kopf. Sie sägte eine Ampulle ab und bereitete eine weitere Spritze vor. Daniel fühlte sich schwach und fiebrig. Sie setzte sich neben ihn aufs Sofa und ergriff sein Handgelenk.

»Wie geht's?«

»Gut, aber ich friere.«

Forestier brachte die blaue Jacke. Sie legten sie Daniel um die Schultern. Die zwei Komparsen beobachteten die Szene mit sichtbarer Unruhe. Daniel lehnte seinen Kopf gegen die Lehne des Sofas und schloß erneut die Augen.

»Was ist los?« wollte Forestier von der jungen Frau wissen. »Schläft er?«

»Nein, ich glaube nicht. Sein Puls ist schwach. Ja, damit war zu rechnen, aber ich bin trotzdem ein wenig besorgt.«

»Geben Sie ihm diese Spritze.«

»Gerne, aber ich glaube, wir sollten einen Arzt rufen.«

»Da sehen wir ja gut aus!«

»Einen befreundeten Arzt. Man könnte doch Dr. . . .«

»Keine Namen!« schrie Forestier.

»Ich hoffe, wir werden mit dem Scheißzeug keine Schwierigkeiten bekommen« , erklärte einer der Männer.

»Ich möchte schlafen«, sagte Daniel. »Bis heute habe ich ganz idiotisches Leben geführt, ich bin sehr müde. Ich möchte lange schlafen . . . Und am Meeresufer aufwachen. An einem weißen Sandstrand und . . .«

»Ich gebe ihm die Spritze«, beschloß die junge Frau.

Sie kniete vor Daniel nieder.

»Wenn irgend etwas passiert, sind Sie verantwortlich«, sagte sie zu Forestier.

»Was soll's, HKH deckt uns.«

»Trotzdem meine ich, es wäre besser, einen Arzt zu rufen.«

»Nein! Ich hoffe bloß, daß dieses Zeug in Ordnung ist.«

»Das NF 7009?«

»Ja. Das ist nicht nur ein einfaches Betäubungsmittel. Es ist ein Chronolytikum, wie?«

»Und wir, was machen wir jetzt?« wollte einer der Männer wissen.

IV

Er bewohnte eine Ein-Zimmer-Wohnung in der Rue de Verneuil in der fünften Etage. In diesem großen, ein wenig düsteren Raum häufte er Kindheitserinnerungen an, Ansichtskarten von Freunden und Prospekte von Reisebüros. Sein einziger Luxus: das Telefon. Auf der Anrichte lag die Fotografie eines kleinen Jungen mit kurzen Haaren und allzu strahlenden Augen herum: Daniel Diersant im Alter, da er von Piraten und Indianern träumte. Er hatte seinen Namen auf die Rückseite der Fotografie mit der folgenden Widmung an sich selbst geschrieben: Ich bin ein großer Häuptling aus dem Land der

Kälte und fahre meinen Schlitten schneller als der Wind. Auf bald.

Auf der Kommode stand ein Glücksbringer aus Gummi: eine Micky Maus im Raumfahreranzug. Und auf dem Bett, dem Teppich, dem Sessel oder irgendwo anders ein rosafarbener Elefant wie jene, die gewisse überkandidelte und ein wenig eierköpfige Gentlemen sehen, wenn sie betrunken waren, jene Gentlemen, die Daniel immer in der angelsächsischen Literatur bewundert hatte. Es handelte sich um einen Prototyp aus einem Spezialmaterial, das die Séac in Choisy produzierte: weich, widerstandsfähig, feuerfest und so weiter. Was die Bilder betraf: eine Art vor einem Weltuntergangshintergrund. Und als Wandschmuck eine rote Kuh in einer grünen Wiese mit einem Zen-Vers in Münzschrift: Wenn die Kuh nach viertausend Tagesmärchen am Ende des Universums anlangt, was wird sie dann unternehmen?

Daniel stand gähnend auf und massierte sich die schmerzenden Schläfen. Ekelhafter Alptraum! Was für eine Krankheit steckt in seinem Gehirn? Er mochte diese frühzeitige Hitze im Juni nicht, die den Sommer mit so brutalem Vorspiel einleitete. Er war für die sanften Übergänge im Leben. Vielleicht ist das ganze Leben ein Übergang, sagte er sich, ohne daran zu glauben. Ja, Dummkopf, ein sanfter Übergang vom Nichts zum Nichts. Und doch wieder nicht so sanft! Er trödelte im Badezimmer. Auf jeden Fall, war es nicht das Wetter, das ihn plagte, sondern die vorübergleitende Zeit. Konnte denn auch jene durcheinander geraten? Absurd. Er betrachtete sich neugierig im Spiegel über dem Waschbecken. Er hatte ein wenig schräggestellte, asiatisch wirkende Augen, einen schmalen Mund, ein wenig fliehendes Kinn, die Nase leicht plattgedrückt. Seine hellen Haare standen ihm strähnig in eine Stirn, die von zwei sehr feinen Falten durchzogen war und ihm die Miene eines Kindes verliehen, das sich mit einem Problem befaßte, das noch nicht seinem Alter entsprach. Es war seltsam: hätte er diesen Kopf auf den Schultern eines Doppelgängers erblickt, so hätte er ihn sicherlich nicht wiedererkannt.

Er nahm eine Alkasygoltablette vom Cerba (eine Art Aspirin)

mit einem Schluck Wasser und öffnete zerstreut ein Röhrchen Mebsital Nerek. Er ließ in seine linke Hand eine weiße, fast mauvefarbene Pille rollen. Alle Drogen übten Anziehungskraft auf ihn aus, ohne daß er wirklich den Wunsch empfand, sie zu benutzen. Er sammelte die Proben pharmazeutischer Produkte und begann natürlich bei jenen der Nerek und des Cerba. Die jungen Frauen, die er zu sich abschleppte, waren im allgemeinen von den kleinen, bunten Dosen fasziniert. Und einige konnten nicht dem Wunsch widerstehen, ein Röhrchen Beruhigungsmittel in ihre Tasche zu stecken. Für einige Schlafmittel hätten sie ihre Seele als Pfand gegeben, diese nervösen Schönen, deren Körper einen festen Preis hatte. Sie schnüffelten auch voller Lust und Mißtrauen zwischen den blauen Nidopanpillen, dem Verhütungsmittel von Cerba. Die Schachtel Mebsital hatte er jedoch versteckt. Daniel besaß nur eine einzige und wollte nicht Gefahr laufen, daß man ihm dieses seltene Stück stahl. Außerdem hatte ihm Ellen anvertraut, daß man das Produkt aus dem Verkehr ziehen würde, da gewisse Nebenwirkungen alle Befürchtungen übertrafen. Die Forscher der Nerek hatten in einem einzigen Medikament die Mittel der Narkoanalyse, den Amphetaminnachweis und der Traumanalyse vereinen wollen. Das Mebsital sollte die Schwelle zum Unbewußten durchlässiger machen – vorausgesetzt, es gab ein Unbewußtes und eine Schwelle – aus dem die Träume mit dem reichen symbolischen Gehalt stammten, vorausgesetzt, es gab Träume und Symbole. Aber das französische Gesundheitsministerium hatte die Einfuhrgenehmigung verweigert. Wegen gewisser chronolytischer Nebenwirkungen nahm Ellen an.

»Was ist denn die Chronolyse?«

»Eine umfängliche Verwirrung der Zeit.«

»Im Bewußtsein des Subjekts?«

»Natürlich, aber wenn eine gewisse Disposition oder eine Überdosierung vorliegt, dann existiert die Zeit für den Kranken überhaupt nicht mehr. Dann kann sich der Traum endlos verlängern. Er tritt dann an die Stelle der Realität, daher in gewissen Fällen die Unmöglichkeit, in den Wachzustand zurückzukehren. Und einige Minuten erscheinen dem Träumenden wie Tage oder Monate. Es hat ein paar schwerwiegende Unfälle gegeben: sie endeten mit Wahnsinn oder dem Tod . . .«

»Es ist seltsam, daß ich das das erste Mal höre.«

»Die Laboratorien bemühen sich, darüber Schweigen zu bewahren . . .«

Daniel streckte sich auf seinem Bett aus, stellte ein Röhrchen auf den Nachttisch, und schlug die Hände in den Nacken, seine Lieblingsstellung zur Meditation. Er konnte an diese Chronolysegeschichte nicht ganz glauben. Warum sollte er es nicht versuchen? Ein oder zwei Pillen? Oder das halbe Röhrchen? Er konnte sich nicht entschließen.

Reisen . . . Ist es wahr, daß man nirgendwo ankommt? Vielleicht gibt es eine Möglichkeit, irgendwo herauszukommen, eine Art Geheimtür, in der sich Privilegierte das Geheimnis von Zeitalter zu Zeitalter weitergeben. Nein, es gibt keine jungfräulichen Inseln und keine übernatürlichen Kräfte. Vorausgesetzt . . .

Welchen Sinn hatte es, den Weg in den Süden einzuschlagen? Der Süden ist der Tod. Die Zukunft zeichnete sich in Grau ab. Daniel sagte sich, daß er lieber einen echten Fehlschlag erlitten hätte mit all seinen Folgen: der Kampf ums Leben und nicht nur um die besseren Plätze. Über dies Bedauern stieg ein vager Zorn in ihm auf. Das werden sie mir büßen! Aber an wen soll ich mich halten? Nichts ist alberner, als sich alle vorzunehmen. Oder vielleicht ist auch nichts klüger . . .

Er machte einen Sprung in Raum und Zeit. Er war durch die Doppeltür ins Allerheiligste getreten. Voller Verwunderung blieb er stehen wie ein Gefangener, der aus einem dunklen Verließ ans Tageslicht tritt. Er hatte diese Szene hunderte Mal erlebt oder geträumt. Sie nahm plötzlich symbolische Bedeutung an und faßte sein untergeordnetes Dasein, sein Schuldbewußtsein, seine heimliche Angst vorm Urteil Gottes und der Menschen zusammen.

Stilmöbel, Gobelins und Meisterwerke. So viele Dinge, die ihm kaum etwas sagten, und die ihn ehrlich gesagt ankotzten. Und er war wütend auf sich, als er sich doch von diesem

Aufwand äußerer Zeichen der Macht beeindrucken ließ. Groß, gebieterisch, von zurückhaltender Eleganz erwartete ihn der Geschäftsführer Max Roland im Schutz seines gewaltigen Schreibtischs, den ein Niemandsland von drei oder vier Metern von den hochlehnigen Besuchersesseln trennte.

»Setzen Sie sich, Diersant.«

Der Geschäftsführer lag hinter seinem geschmückten Panzerturm auf der Lauer. Seine länglichen statt runden Brillengläser verliehen ihm, wenn er lächelte, das Aussehen eines amerikanischen Intellektuellen aus den fünfziger Jahren: halb Zahnpastareklame, halb vollgefressenes Raubtier. Der oberste Chef. Ein Halbgott. »Ein häßliches Entlein, das sich für einen schönen, weißen Schwan hält«, sagte Sarthès. Ein fast frisches Windchen strich leise durch das Arbeitszimmer. Max Roland blätterte in einem Ordner, man hätte sagen können mechanisch, aber vielleicht durfte man sich nicht an diesem gelangweilten und zerstreuten Gesicht stören, das eine allzu klassische Raubtiertarnung war, für einen, der sich zum Sprung auf seine Beute vorbereitete. Plötzlich hob er die Augen und legte seine Handflächen auf den Tisch.

»Bevor Sie bei der Séac eintraten, waren Sie doch bei Laurent-Duvernois?«

»Ja.«

»Sie haben ja sogar bei der Vollendung ihres berühmten D-Aminogel mitgearbeitet?«

»Ja.«

»Sie waren also bei den Laurent-Duvernois-Laboratorien als Chemiker eingestellt?«

»Richtig.«

»Wie kommt es dann, daß Sie sich jetzt als Übersetzer Ihr Geld verdienen? Das ist doch eine seltsame Entwicklung.«

»Diese Entwicklung war Wunsch der Séac.«

»Erklären Sie das deutlicher.«

»Es ist nicht meine Aufgabe, dies zu erklären, Monsieur. Ich nehme an, daß zum damaligen Zeitpunkt zu viele Chemiker und zu wenig Spezialübersetzer zur Verfügung standen. Ich hatte schon immer Übersetzungen angefertigt . . . Vorausgesetzt, daß man mir keine Falle gestellt hat«

»Außerdem sind Sie vierunddreißig Jahre alt und nicht verheiratet.«

Daniel zuckte mit den Schultern. Max Roland sprach weiter.

»Sie wissen, daß die Psychologen solchen Details gewisse Bedeutung beimessen. Sie könnten annehmen, daß Sie Junggeselle bleiben, weil Sie im Alter von zweieinhalb Jahren geträumt haben Ihren Vater mit einer Rassel totzuschlagen, um Ihre Mutter zu heiraten. Aber ich nehme an, daß dies nicht der Fall ist.«

Ein eisiger Glanz blitzte einen Augenblick in Max Rolands Augen auf. Daniel machte sich nicht die Mühe, diesen reichlich finsteren Scherz zu kommentieren.

»Und welche Pläne haben Sie jetzt?'

Daniel zögerte. Man muß immer den Eindruck erwecken, das Geld zu lieben, wenn man in einer Welt, deren Gott das Geld ist, nicht verdächtig werden will. Daniel glaubte sich in der Lage, ihn hinters Licht zu führen. Er zwang sich die grauenhafte Bronzeuhr zu bewundern, die ihm den Blick auf die Akten des Geschäftsführers versperrte.

»Natürlich wollte ich mich verbessern.«

»Und können Sie mir sagen, was das hier bedeutet?«

Mein Pech, dachte Daniel. Einmal spiele ich ihr Spielchen mit, und schon ist irgendwo ein Haken. Max Roland hielt ihm ein Blatt Papier hin, das er mit zitternder Hand entgegen nahm. Als wüßte er schon, woran er sich halten müßte . . . Es handelte sich um einen Brief, und er stellte fest, daß er an ihn adressiert war. Nerek und Frobacher Laboratorien an Herrn Daniel Diersant.

Wie konnte er in Max Rolands Hände gelangen? War dies wieder das Werk Forestiers? Er las:

Sehr geehrter Herr Diersant,
von Herrn Sarthès haben wir erfahren, daß Sie ab 1. Oktober 1966 frei sind. Wir sind der Auffassung, daß die berufliche Erfahrung, die Sie im Büro für Technische Dokumentation der

Séac und im Centre Européen de Recherche en Biochimie-Appliquée (Cerba) ebenso wie Ihre Doppelausbildung zum Techniker und Linguisten den Qualifikationen entspricht, die ein Posten, der in Wilmington (Delaware) beim Sitz unserer gemeinsamen Filiale mit Du Pont von Nemours zu besetzen wäre, erfordert.

Daniel schloß die Augen. Das ist eine Fälschung, das ergibt keinerlei Sinn! Warum haben sie das erfunden? Gleichzeitig konnte er sich nicht zurückhalten, sich doch der Hoffnung hinzugeben, der Brief könnte von der Nerek stammen und auf merkwürdige Weise von Forestier umgelenkt worden sein, von den Leuten bei der Séac oder Cerba. Er schämte sich für diese kindliche Hoffnung. Idiot! Glaubst du denn immer noch daran? Wieviel mußt du eigentlich noch mitmachen! Er schlug die Augen wieder auf, und dann erst bemerkte er das Datum: 19. September 1966. Eine Falle. Es handelte sich um eine chronolytische Falle! Wir haben den 30. Juli, ganz ohne Zweifel. Gestern abend habe ich mich von Forestier im Werk in Choisy ertappen lassen . . . Er sah sich um, konnte jedoch keinerlei Kalender finden.

»Welches Datum . . .«

»Wie, welches Datum?« Daniel gab es auf, den Satz zu Ende zu sprechen, um seine Angst nicht zu zeigen. Ja, sie sind mächtig. Welchen Sinn hatte es, zu diskutieren? Sie haben immer recht. Mit müder Geste reichte er den Brief zurück. Vielleicht hätter er ihn behalten sollen, schließlich war er an ihn adressiert. Aber er war zu müde. Alles hing ihm zum Hals raus. Nur raus hier, lieber Gott, nur raus!

»Ich verstehe nicht«, sagte er. »Das ist eine Fälschung oder was weiß ich. Wenn die Nerek mir diesen Brief geschickt hätte, so wäre er in meinem Besitz und nicht in dem ihren. Den wievielten haben wir heute?«

Max Roland musterte ihn mit einem langen, kühlen Blick.

»Heute haben wir den letzten Tag Ihrer Zusammenarbeit mit der Séac. Heute abend können Sie sich an der Kasse Ihre Abfindung auszahlen lassen.«

Daniel stand schließlich auf der Straße, nachdem Forestier im Flur ihm noch einmal über den Weg gelaufen war. Der Hauspolizist setzte ein siegreiches Lächeln auf. Wollen die mich verrückt machen oder was? Was stimmt hier eigentlich nicht? Er hielt vor einem Bistro. Er hatte niemals Neigung gehabt, den Alkohol zur Lösung seiner Probleme in Anspruch zu nehmen und konnte sich den Luxus eines Rauschs noch nicht leisten. Mehr als je zuvor benötigte er einen klaren Kopf. Er genehmigte sich ein einziges Glas, das er langsam trank und vermied dabei tunlichst, einen Blick auf den Kalender an der Wand neben dem Telefon zu werfen. Das Wetter war grau, die Sonne sah aus wie geronnener Rahm. Gegen halb fünf Uhr brach schon die Dunkelheit herein. Daniel fror in seinem Sommeranzug. Die Männer um ihn her trugen Gaberdin- oder Lammfellmäntel, die Frauen Wintermäntel oder Regenschutz. Er erblickte einen Zeitungskiosk und dachte, daß er jetzt oder nie der Wahrheit ins Gesicht schauen müßte. Er kaufte eine *France-Soir*, fand jedoch erst im Schutz seines Wagens den Mut, einen Blick auf das Datum zu werfen. Im Schutz vor Welt und Zeit. Und nichtsdestotrotz war ihm kalt, hatte er Angst. Man schrieb den 20. November. Er erinnerte sich an Ellens Warnung. Das Mebsital hatte eine chronolytische Wirkung, so daß die Nerek sie aus dem Verkehr ziehen mußte. Liebe Zeit, was habe ich getan? Ein Experiment? Oder habe ich versucht, mir mit diesem Scheißzeug das Leben zu nehmen? Und habe ich jetzt alles vergessen? Aber das ergibt keinen Sinn!

Wie auch immer, er hatte sein klares Zeitbewußtsein eingebüßt. Ein Loch von mehreren Monaten gähnte in seiner Erinnerung. Das war mehr als ein einfacher Gedächtnisverlust. Oder auch weniger. Ganz allmählich wurde er wieder ruhig. Er fühlte sich klar. Nur gab ihm dies die drei unterschlagenen Monate nicht zurück, ebensowenig wie es ihm half, eine Leberkrankheit oder einen Gehirntumor zu heilen. Je mehr er sich zu erinnern bemühte, um so heftiger stieg Wut in ihm auf. Diese Gauner werden es mir büßen! Er preßte die Fäuste gegen die Schläfen. Ich habe in der Zwischenzeit doch leben müssen! Ich habe doch gearbeitet . . . Bei der Séac, beim Cerba oder weiß

Gott wo. Er nahm seine Brieftasche aus der Innentasche seiner Weste und schlug sie auf. Er besaß Geld: ein ganzes Bündel von 500-Franc-Scheinen. Meine Abfindung – mein Gott, unberührt! Und der Brief? Nun denn, der Brief existierte nicht. Dies war ein chronolytischer Alptraum. Was er befürchtete oder was er hoffte vermischte sich in seinem Geist mit dem, was ihm wirklich zustieß. Aber was tun? Nach Hause fahren und um Hilfe rufen? Er hatte keinerlei Lust, sich den Psychiatern anzuvertrauen. Vielleicht könnte er sich alleine zurecht finden, vor allem falls er Arbeitsstelle und Wohnung nicht gewechselt hatte. Achja, die Schlüssel. Ja, das paßt. Und er mußte auch seine Gehaltsstreifen zu Hause haben. Zu Hause in der Rue de Verneuil. Er beruhigte sich ein wenig bei dem Gedanken an Babar, seinen rosaroten Elefanten. Er hatte allerdings keine Lust, nach Hause zu fahren. Oder er hatte Angst. Ihm graute vor der Vorstellung, alleine in seinem Zimmer zu hocken.

Er legte die Arme überkreuzt aufs Lenkrad und stützte seine Stirn auf den Handrücken, um nachzudenken. Vielleicht hatte Ellen inzwischen Frankreich verlassen. Er erinnerte sich nicht. Als er sie qekannt hatte, wohnte sie in einem Hotel in der Nähe des Ostbahnhofs, traf sie jedoch meistens bei ihrer Freundin Monika Gersten am Montmartre. Das schien sehr weit weg und sehr lange her zu sein. Er beschloß, die Expedition zu riskieren, wenn auch ohne große Hoffnung. Dritte Etage. Mademoiselle Monika Gersten, Journalistin . . . Ja, Monika war ja angeblich Korrespondentin mehrerer deutscher Zeitungen. Daniel wurde schwindelig, daß er sich gegen die Wand lehnen mußte. Soweit bist du gerettet, mein Alter. Er wartete einige Sekunden, ehe er klingelte. Vielleicht war Ellen sogar da. Außerdem war das unwichtig. Monika würde ihrer Freundin schon Bescheid sagen.

Er legte die Hand auf einen glühenden Heizkörper. Die Zentralheizung war an. Das war normal für den 20. November. Seine Furcht zerstreute sich ein wenig. Er klingelte. Mal sehen, ob Monika da war. Er erkannte den leichten, etwas schlurfenden Gang der jungen Frau wieder. Die Erleichterung, die er dabei empfand, ließ ihn erst das Ausmaß seiner Verwirrung erkennen. Ruckartig öffnete Monika die Tür und sah Daniel kalt an. So etwa, wie Max Roland ihn vor einiqen Stunden oder Monaten angesehen hatte. Sie trug ein Abendkleid aus rotem Patchwork. Das in der Taille eng geschnürte Mieder öffnete sich auf der Brust ein wenig, so daß es ihre Brüste nicht abzeichnete. Ihre rotblonden Haare ließen Stirn und Ohren sehen. Ihr Gesicht war ein längliches Oval, die Nase klein und gerade, die Wangenknochen hoch, die Lippen kräftig gezeichnet. Daniel lächelte. Einen Auqenblick lang hatte er befürchtet, sich getäuscht zu haben. Dies war wohl Monika Gersten. Er bewunderte sie in einem Schwall unklarer Erinnerungen, hingerissen zwischen Begierde und einer schlecht definierten Angst.

»Guten Tag, Monika«, sagte er. »Da bin ich wieder.«

Die Deutsche öffnete die Tür jedoch nicht weiter, um ihn eintreten zu lassen, und ihr kühler Blick wurde keineswegs freundlicher. Er trat einen Schritt auf sie zu. Daraufhin ohrfeigte sie ihn mit aller Kraft, einmal von links, einmal von rechts ohne einen Ton oder ein Wort. Er trat zurück und sie nutzte die Gelegenheit, um ihm heftig die Tür vor der Nase zuzuschlagen.

Mit schwerem Kopf ging er wieder die Treppe hinunter. Er versuchte erst gar nicht zu verstehen. Monika war jetzt seine Feindin. Ellen vielleicht auch. Mehr als hundert Tage waren seit ihrer letzten Begegnung vergangen, zumindest seit der letzten, an die er sich erinnern konnte. Vorausgesetzt . . . er hatte eine Idee. Er öffnete die Kühlerhaube des Volkswagens, um den Anhänger vom letzten Ölwechsel anzusehen. Das Datum: 18.Juli 1966. Kilometerstand: 74 650. Er hüpfte nach vorne, um die Zahl auf dem Kilometerleser anzusehen: 75 072. Er schloß die Motorhaube wieder, setzte sich hinters Steuer, zog die Tür zu und schloß die Augen. Schlafen. Diese Hoffnung füllte seinen ganzen Kopf aus, erstreckte sich über seine Nerven durch den ganzen Körper: schlafen.

Lieber
Gott
schlafen
was
bin
ich
müde
ich
glaube
ich
würde ein
Jahrhundert lang schlafen, in Wirklichkeit schlief er ein oder zwei oder drei Stunden in einem fiebrigen, krankhaften, seltsamen Schlummer. Als er aufwachte, erinnerte er sich an die Verabredung mit Sarthès im Werk in Choisy. Er gähnte und rieb sich die Augen. Diese Schweinehunde haben mich vor die Tür gesetzt, ich werde mich ausruhen können. Das Wetter war schön und der Himmel stand voller Sterne. Altair, Deneb, Wega . . . Nun gut! Wo hatte ich doch geträumt, ich hätte Orion gesehen? Er warf einen Blick auf seine Uhr. Es ist Zeit, ich muß mich aufmachen. Diese Schlafkrankheit zu jeder Tageszeit und an jedem Ort, fängt an mir auf den Nerv zu gehen.

Vor dem Werk wendete er und nahm die Avenue de Villeneuve. Was werde ich Sarthès erzählen? Daß ich nach Amerika fahre? Ach was, wir werden schon sehen . . . Er hupte zwei Mal, worauf der Nachtwächter in einer blauen oder schwarzen Uniform ans Gitter trat.

»Was wollen Sie denn?«

»Ich will den Patron sehen.«

»Welchen Patron?«

»Wie, welchen Patron? Haben Sie denn mehrere?«

»Unmengen. Das ist ja der Ärger bei der Séac. Wollen Sie den Großen Drachen sehen?’

»Sicher.«

»Ich werde anrufen.«

»Glauben Sie, daß das sinnvoll ist?«

»Nach neun Uhr abends ist das die Vorschrift.«

Daniel stieg wieder in den VW und ließ die Tür angelehnt, um Ellens Brief im Schein der Deckenlampe noch einmal zu lesen.

Mein lieber Daniel,

glaube nicht, daß ich dich vergessen habe. Seit dem Zeitunfall vom 29. (oder 31.) Juli bin ich ständig bei dir gewesen. Und wir werden uns ohne Verzug wiedersehen. Wann und wo kann ich dir nicht sagen. Diese Worte, das hast du inzwischen verstanden, haben in der Welt, in der wir nun leben, keinen Sinn.

Was das Mebsital betrifft, kann ich dich beruhigen. Dieses Produkt ist in Wirklichkeit nicht gefährlicher als irgendein Barbiturat. Die Chronolyse war eine Erfindung von mir. Erfindung oder Prophezeiung: zweifellos wird sie eines Tages existieren. Sie muß selbst auf gewisse Art existieren, denn die Zeit scheint irgendwie zerrissen. Es ist jedoch kaum möglich, daß dies irgendeine Wirkung des Mebsitals ist. Keine chronolytische Droge war im Jahr 1966 so weit, und ich habe meinerseits keine farbigen Pillen geschluckt . . .

Ein paar Sekunden später fuhr Daniel über den Hof des Werks unter einem klaren Himmel, an dem die Sommergestirne schwach leuchteten. Eine Szenerie aus Mondschein, Glas und Beton mit seltsamen Lichtspielen auf Eisbergen. Er fuhr nun im Schrittempo, um die Sterne zu beobachten. Seine Müdigkeit kehrte sogleich wieder. Er biß die Zähne zusammen. Ja, er würde es schon schaffen, das schwor er sich. Er war nicht mehr allein. Er würde Ellen wiederfinden, und sie würde mit ihm kämpfen. Plötzlich tauchte Forestiers Wagen rechts, dann links auf. Von beiden Seiten, der gleiche 404 grau metallic. Daniel machte einen Zeitsprung von sieben oder acht Sekunden. Der VW und der rechte 404 standen hintereinander etwa auf der gleichen Linie. Der zweite 404 hatte den Hof überquert und in der Allee geparkt, die zu den Garagen hinabführte. Forestier? Zweifellos. Aber warum zwei Forestiers in zwei identischen Wagen, wollten sie den VW in die Klemme nehmen?

Ringsumher erhoben sich hohe Gebäude. Die Fensternischen warfen bläuliche Schimmer zurück. Diese futuristische Szene war nicht mehr ganz jene, die Daniel kannte . . . Forestier stieg aus dem Wagen in einer Art grauen Umhang.

Alptraum, Zeitunfall oder Chronolyse? Keine chronolytische Droge war bislang erfunden und im übrigen existierte die Chronolyse vielleicht überhaupt nicht. Wenn jedoch ein Zeitunfall eingetreten war, so befinde ich mich nicht mehr im Jahr 1966. Daniel schloß die Augen. Das war zu einem Reflex geworden. Der Panik nicht nachgeben. Dies ist nicht die Welt, in der ich gelebt habe – oder zu leben glaubte – während der letzten vierunddreißig Jahre. Aber es ist auch kein Alptraum. Nein, kein einfacher Alptraum. Die Geschehnisse gehorchen undurchschaubaren und zugleich logischen Gesetzen. Ich bin überzeugt . . . Wie ein Kind mußte er lernen, in einem geheimnisvollen Universum zu leben.

*

Er wartete auf Forestier. Wieder einmal. Und niemals hatte er auf so präzise Art den beängstigenden Eindruck von Freiheit und Ohnmacht zugleich empfunden. Er konnte keinen wirklichen Einfluß mehr auf die Zukunft nehmen, vielleicht weil die Zukunft im gewohnten Sinn des Wortes nicht mehr existierte.

»Was haben Sie denn hier zu suchen?« schrie der Chef des Sicherheitsdienstes. »Sie glauben wohl, Sie sind auf der Autobahn?«

»Aber ich bin auf der Autobahn«, erwiderte Daniel ruhig. Eine trügerische Ruhe. In Wirklichkeit schwankte er zwischen Wut und Panik. Und doch erinnerte er sich, hunderttausend Mal unter vergleichbaren Umständen ruhig geblieben zu sein.

Forestier lachte brutal hinaus.

»Wollen Sie sich etwa über mich lustig machen, wie?«

Das war ganz der Forestier, wie Daniel ihn kannte mit seinem knochigem Gesicht, den tiefliegenden Augen unter dicken Brauenbögen, einer tiefen Falte, die sich wie eine Narbe über seine Wange zog und mit seinem riesigen Kinn. Er trug jedoch einen schwarzen Anzug und eine seltsame Schirmmütze. Er sah aus wie ein Froschmann.

Daniel wurde von Ekel erfaßt: es ging schon wieder los, die gleichen Worte kamen ihm in den Sinn, und er konnte sich nicht bremsen, sie auszusprechen.

»Nehmen wir mal an, ich bin zu schnell gefahren. Und Sie hatten Ihre Scheinwerfer nicht eingeschaltet, nicht wahr? Wir sind quitt. Reden wir nicht mehr davon. Guten Abend.«

»Eine Minute, Diersant. Spielen Sie hier nicht den Schlaukopf. Wollten Sie den Großen Drachen besuchen?«

»Das ist doch wohl mein Recht.«

»Eben nicht. Gestern hat man Sie aus der Séac geschmissen, mein Alter. Sie haben hier nichts zu suchen.«

Schweinehund! Plötzlich revoltierte alles in Daniel – gegen die Zeit, gegen das Leben, das Schicksal, die normative Kraft des Faktischen und die Bedeutung der Vergangenheit. Er katzbukkelte seit Jahrhunderten, dies würde sich jedoch ändern. Schluß machen damit, lieber Gott, er wollte einfach Schluß machen!

»Verdammtes Bullenarschloch! Ihre Geschichten sind mir doch scheißegal. Die Séac ist ein Sack voller Flöhe und Sie sind ein Misthaufen. Tschüs!«

»Bravo, Diersant!« erklang eine Stimme hinter ihm.

Er drehte sich um. Der Fahrer des zweiten Peugeot 404 kam langsam näher. Daniel erkannte den Ingenieur im abgetragenen Anzug, dem er bereits einmal begegnet war. Wo war das doch gleich, wo hatte er diesen Typ von ungefähr fünfundvierzig, sympathisch, schlecht angezogen, lächelnd, die Hände in den Taschen, mit unförmiger Hose, die auf seinen Beinen Korkenzieherfalten schlugen, mit schmieriger Krawatte und schiefgetretenen Latschen gesehen?

»Ich bin's, Larcher« , erklärte er. »Kennst du mich nicht wieder?« Er trat auf den Bürgersteig und sprang auf den Rasen.

»Ich komme wohl gerade rechtzeitig, wie?«

»Rechtzeitig wozu?«

»Dich aus den Klauen dieses Gangsters zu befreien!«

»Ich danke dir, daß du gekommen bist, aber ich glaube, ich werde mich auch alleine zurechtfinden.«

»Oh, das würde mich wundern. Du machst eher einen ziemlich verwirrten Eindruck.«

Daniel erkannte ganz klar die Züge des Ingenieurs. Es war gegen Ende des ersten Viertels, fast Vollmond. Sie drückten sich die Hand. Forestier begann zu lachen und trat zwei, drei Schritte zurück.

»Ob mit oder ohne Ihre Kumpels, aus dieser Geschichte kommen Sie nie mehr raus, Diersant!'

Larcher legte Daniel eine Hand auf die Schulter.

»Komm mit in mein Büro.'

»Du hast ein Büro?«

»Und ob!«

Sie gingen quer über den Rasen: ein echter Orientteppich, auf dem die Fußtritte sogleich wieder verschwinden. Möbel aus rötlichem Holz, Sessel aus schwarzem Leder. Daniel gewann ganz allmählich den angenehmen Eindruck von Sicherheit zurück. Er ließ sich in einen Sessel fallen, der so weit war wie ein Kindertraum. Der Ingenieur im abgetragenen Anzug starrte mit zusammengezogenen Brauen und schmalen Augen an die gegenüberliegende Wand. Zwischen seinen Augen zeichnete sich ein großes T ab. Seine Unterlippe war leicht über die obere geschoben und deutete ein fragendes Lächeln an. Zu seiner Entspannung spielte er mit einer strahlenden, blauen Kugel wie eine von der Art, die man in die Christbäume hängt.

»Also, mein Alter, was hälst du hiervon?«

Daniel hob den Kopf. Er hatte gerade festgestellt, daß er immer noch den altmodischen, nicht sehr sauberen, petrolblauen Anzug trug, den Forestier und seine Komplizen ihm aufgezwungen hatten. Wir sind zwei schöne Arbeitslose. Zwei jämmerliche Arbeitslose im luxeriösen Büro eines Generaldirektors, der eine grinsend, der andere fassungslos. Merkwürdige Geschichte. Ach, ich erinnere mich, es war im Personalbüro, daß ich den Typ kennengelernt habe.

»Was ich wovon halte?«

»Von der Umgebung. Das ist das Büro, wo ich früher gearbeitet habe. Ich besetzte die Büros. Zumindest, wenn sie leerstehen. Ich amüsiere mich. Ich bin jetzt wohl an der Reihe. Nach achtzehn Monaten Arbeitslosigkeit, da kannst du dir kaum vorstellen, was das für mich bedeutet.«

»So lange? Du bist doch Ingenieur.«

»Na und? Hast du noch nicht bemerkt, daß ihre Gesellschaft allmählich aus den Fugen gerät? Genau achtzehn Monate und es hätte noch viel länger dauern können. Es waren genau achtzehn Monate, als ich mich umgebracht habe, das ist alles.«

»Du hast dich umgebracht? Es ist wohl nicht gelungen!«

»Tja, sieht ganz so aus. Jedenfalls bedaure ich nichts. Hier wäre es gar nicht so schlecht, wenn diese Gauner vom HKH nicht wären. Aber ich komme da schon raus.«

»Wer sind die Gauner vom HKH?«

Larcher lehnte sich behaglich auf die Seite, die Beine schlug er über die Armlehne seines Sessels, das Kinn stützte er in die Hand.

»Denen bist du gerade entkommen, mein Alter!«

Seine Körperstellung verlieh seiner Stimme einen pfeifenden, abgehackten und vertraulichen Ton.

»Frag mich nicht, was das HKH ist. Ich habe nichts damit zu tun. Aber diese Gauner sind immer unterwegs in dem Versuch, einen irgendwo in die Enge zu treiben, zumindest zu Beginn. Mit ein wenig Erfahrung gelingt es dir aber, sie abzuhängen. Das ist sogar ganz lustig. Eine richtige Kunst, du wirst sehen! Hier herein setzen sie beispielsweise nie einen Fuß. Inzwischen glaube ich, daß ich davonkommen werde.'

Daniel lächelte melancholisch.

»Ich verstehe etwas nicht.«

»Ich verstehe vieles nicht. Erzähl.«

»Welches Datum haben wir heute?«

»Na, jedes, das du willst. Nein, warte mal, so einfach ist das nicht. Es ist nicht einfach eine Frage des Willens. Man braucht Erfahrung dazu. Am Anfang dreht man sich immer im Kreis. Auf jeden Fall gibt es keinen Beweis, daß es für dich und mich das gleiche Datum ist. Die Zeit ist krank . . .«

»Was ist denn geschehen? Ein Zeitunfall?«

»Ein Zeitunfall, das sagt doch gar nichts.«

»Ja was denn?«

»Die Verhältnisse waren schon immer so, doch im allgemeinen bemerkt es keiner. Dir und mir und zweifellos einer Menge anderer ist etwas geschehen, das uns die Augen geöffnet hat. Was uns gestattet hat, Zutritt zu der wirklichen Welt zu finden. Ich bin überzeugt: die wirkliche Welt, das ist die hier. Nicht die andere von früher.«

»Dann habe ich einen Unfall gehabt?«

»Wahrscheinlich.«

»Und du, du hast einen Selbstmordversuch unternommen . . . Kannst du mir sagen, warum?«

»Achtzehn Monate Arbeitslosigkeit, langt das nicht als Erklärung? Tja, vielleicht hast du recht. Denn als ich arbeitslos wurde, habe ich eigentlich erst angefangen zu leben. Ich bedaure nichts. Aber man hatte mir in meiner Jugend derart den Kopf vollgestopft mit Zielen: Arbeit, Familie, la patrié das Vaterland, und all solcher Scheiß! Also, sobald ich keine Arbeit mehr hatte, ist meine Frau mit einem jungen Beamten oder irgendso einem Typ abgehauen und das Vaterland war auf Seiten der Chefs. Das ist ja auch schließlich ganz normal, sie passen ja sogar etymologisch zusammen. Die Patrie den Patrons – das Vaterland den Chefs, das ist doch ein hübscher Slogan. Na, ich schweife ab. Aber das ist nicht außergewöhnlich, hier schweift man ständig ab, das wirst du sehen. Also fühlte ich mich jämmerlich gedemütigt. Ein Nichtsnutz, ein jämmerlicher Typ, das war ich. Eines Tages habe ich mir gesagt: besser machst du Schluß damit. Ich bin in eine richtige Idiotenfalle getappt. Oder vielleicht war es auch keine Falle, ich weiß es nicht. Jedenfalls habe ich mir eine Kugel in den Schädel gejagt, es hatte jedoch nicht geklappt. Ich war noch niemals in der Lage, etwas zu Ende zu bringen, was immer es auch war in dieser Hurenwelt. Aber seit ich hier bin, geht es besser. Es tut mir nicht leid.«

»Dein Selbstmordversuch ist also mißglückt und dann?«

»Ich mag eigentlich nicht daran denken.«

»Ist es dir niemals in den Sinn gekommen, daß du vielleicht tot bist?«

»Äh, ho!«

Larcher lachte gezwungen und grinste.

»Du glaubst doch nicht an solchen Quatsch, oder? Ich bin nicht tot, nein. Ich bin eigentlich erst geboren!«

Das Telefon zu seiner Rechten summte, ein Lämpchen leuchtete auf. Er hob ab.

»Ist das nicht Klasse? Ich bekomme sogar Anrufe . . . Fehlt mir bloß noch eine hübsche, kleine Sekretärin!« »Unsichtbare Ventilatoren bliesen frische Luftströme durch den Raum. Die herabgelassenen Jalousien schufen ein lebhaftes Zwielicht, in dem sich mitten auf dem Direktorschreibtisch ein heller Lichtfleck abzeichnete. Larcher fuhr mit seiner plumpen Hand über den Fleck, er hielt seine Zigarettenspitze wie eine Waffe. Es muß August sein, dachte Daniel. Deshalb sind die Büros auch leer. Er hat es irgendwie geschafft, die Klimaanlage in Gang zu setzen, das ist alles . . .

Ein riesiges Fenster gab den Blick auf einen Himmel aus japanischem Porzellan frei. Man hätte glauben können, die Zivilisation hielt einen Augenblick ihren verpesteten Atem an. Daniel stand auf, um ein kleines rosa Wölkchen weit weg über der Stadt zu beobachten. Das Büro von Larcher befand sich in der Nähe der Champs-Elysées. Man konnte vom Fenster aus den Place de l'Etiole sehen. Aber gewöhnlich gab es keine rosa Wölkchen über Paris . . . Daniel wußte plötzlich, was er sich wünschte: ein einsamer Strand, fernab von der Welt, Meer, weißer Sand, Kokospalmen, ein rosa Wölkchen am Himmel und ein verdrehter Krebs, der von Zeit zu Zeit auf die Bäume kletterte, um sich ein oder zwei Nüsse auszusuchen . . . Gibt es auf diesem Planeten oder anderswo Krebse, die auf die Bäume kletterten?

»HKH?« brüllte Larcher ins Telefon. »Noch nie gehört! Sie wollen mich wohl verschaukeln! Was? Erklären Sie mir, was Ihr KHH oder HKH oder ich weiß nicht was ist!«

Er wartete jedoch nicht auf die Antwort, sondern warf den Hörer wieder auf die Gabel.

»He, Diersant, hör mal zu.«

Daniel nahm wieder Platz. Lieber Gott, was bin ich müde! Hier war es besser als im VW: der Luxus hat seine Vorteile.

»Hör mal, Diersant, stehst du eigentlich nicht im Kontakt mit dem Garichankar-Hospital?«

»In Kontakt stehen ist ein ziemlich weit gefaßter Begriff.« Nach Ellen war der Krankenwagen mit der Aufschrift *Garichankar-Hospital* eine Falle. Eine Falle vom HKH. Und was sollte er von den weißgekleideten Männern denken, die mit dem zweiten Peugeot 404 nach Choisy gekommen waren? Außerdem hatte er Ellens Brief in der Tasche – vorausgesetzt . . . vorausgesetzt, daß er noch da war oder jemals existiert hatte! Daniel fühlte sich einsamer denn je – oh, nicht völlig einsam, das war eine Frage des Blickpunkts. Zwei Identitäten existierten in ihm nebeneinander. Es gab den Daniel Diersant, der den anderen beobachtete, dies war jedoch kein Heilmittel gegen die Einsamkeit. Er nahm seine Brieftasche, zog seine Séac-Karte heraus, die nun das berühmte Zeichen trug: ein schwarzes K zwischen zwei dunkel-braunen H . . . Er hielt Forestier das Rechteck mit einem alten Foto hin, daß der Chef des Sicherheitsdienstes abgelehnt hatte, und fragte in kaltem Ton:

»Machen Sie sich über mich lustig, Diersant, oder sind Sie verrückt geworden?«

Daniel biß die Zähne zusammen, um seine Wut zu unterdrücken. Dies war nicht der Augenblick einzugestehen, daß er die Bedeutung des seltsamen Stempels nicht kannte. Er schloß die Augen und lauschte auf die Gongschläge, die die entfernten Trommeln übertönten. Dann dröhnten die Becken los. Ein beängstigender Lärm, inzwischen war er ihm jedoch vertraut. Gefahr. Ja, es mußte eine Warnung sein. Der Weg in die Zukunft war auf dieser Seite versperrt. Als er die Augen wieder aufschlug, betrachtete Forestier ihn voller Haß. Dann sprach ihn ein zweiter an, was er als Zeichen von Nachsicht auffaßte. Ja, dieses Gesicht hatte er schon mal gesehen . . .

»Ihre HKH-Karte ist eine Fälschung« , erklärte der Sicherheitschef. »Wer hat sie Ihnen ausgestellt? Das Garichankar-Hospital?«

Krankenpfleger mit Astronautenhelmen, das gibt es doch gar nicht, daß darf es gar nicht geben.

»Mein armer Forestier, Sie sind in diesem Aufzug durch und durch lächerlich« , stieß Daniel verächtlich hervor. »Gehen Sie sich umziehen und lassen Sie mich in Ruhe. Ich glaube weder ans Garichankar-Hospital, noch an HKH und Ihre Maskerade wirkt auf mich keineswegs erheiternd!«

Forestier zuckte mit den Schultern.

»Sehen Sie sich Ihren Wagen an, Diersant.«

Daniel drehte sich herum. Der Volkswagen war nur noch ein Haufen Schrott, vorne und rechts war er völlig eingedrückt. Wenn ich am Steuer gesessen hätte, hätte es mich ganz schön mitgenommen, Ja: déjà vu, déjà vécu. Nur raus hier!

»Wollen Sie immer noch den Schlauen spielen?«

»Gut, dies hier ist ein geplanter Coup, aber Sie werden mich nicht bekommen!'

Ein leises Rascheln ließ Daniel begreifen, daß der zweite Pfleger ihm etwas in die Tasche gesteckt hatte, vielleicht eine Nachricht. Nun erkannte er ihn wieder. Das war der Ingenieur mit dem abgetragenen Anzug, den Ellen ihm vorgestellt hatte. Ein Verbündeter der unbestimmten Zeit? Er brauchte Verbündete. Er würde die Nachricht später lesen. Die Gongschläge, das Trommeln und das Scheppern der Becken ließ ihn sich nicht konzentrieren. Forestier beobachtete ihn.

Der Sicherheitschef stieß die Antigravitationsbahre an, die auf Daniel zuschwebte. Dieser riß sich los und tat einen Sprung rückwärts. Weder krank noch verletzt. Keinerlei Lust, in deinen Krankenwagen zu steigen, Scheißbulle. Ich war bei dem Zusammenstoß nicht im Wagen. Ein verdammtes Glück! Er drehte sich zu dem VW um. Und doch . . .? Mondschein erhellte das Pflaster. Vorne oder dort, wo das Vorderteil gewesen war, lehnte ein dunkler Körper zwischen den verkanteten Sitzen und der zerschlagenen Windschutzscheibe. Eine Leiche . . . Nichts wie weg hier! Er war schon einmal aus dieser Fallenkette geflohen, indem er einen neuen Weg eingeschlagen hatte, nun mußte er ihn wieder finden. Er hupte zweimal und stieg aus dem Wagen. Der Nachtwächter in der dunklen Uniform kam auf der anderen Seite des Gitters näher. In seiner Hand hielt er einen kurzen, strahlenden Gegenstand, der eine

Waffe oder ein tragbarer Mikronebelgenerator sein konnte.
»Was wollen Sie denn um diese Uhrzeit?«
»Ich bin mit dem Großen Drachen verabredet.«
»Haben Sie Ihre Karte dabei?'
Daniel streckte seine HKH-Karte durchs Gitter und hielt sie an einer Ecke fest.
»Ja, das geht wohl. Ich werde anrufen.«
»Ist das wirklich notwendig?«
»Tja, Sie wissen, es sind ständig Vodrans unterwegs.«
»Was?«
»Vodrans. Es ist fast Mitternacht.«
»Schon so spät!« Daniel empfand eine Mischung aus Spannung und Ungeduld. Er hatte diese Szene zehn oder hundert Mal durchlebt, doch jede Folge unterschied sich leicht von den anderen. So hatte ihm der Nachtwächter niemals zuvor von den Vodrans erzählt: wer waren die Vodrans?
Er bedauerte nicht, hierhergekommen zu sein, Der Weg in die Zukunft führte über Choisy. Er konnte sich den Trümmern der Zeit nicht entreißen, ohne das Hindernis der Fabrik hinter sich zu bringen.
Er ließ die linke Wagentür halb offen, um im Schein der Deckenlampe den Brief zu lesen, dem ihm Forestiers Begleiter, der ehemalige Ingenieur im abgetragenen Anzug, zugesteckt hatte, während er auf den Nachtwächter wartete. Mit einem kleinen freudigen Schock und voller Unruhe erkannte er Ellens lebhafte, zügige und gleichmäßige Schrift.

Mein lieber Daniel,
es ist mir schwierig geworden, mit dir in Verbindung zu treten. Seit dem Zeitunfall vom 29. (oder 31.) Juli gehorcht die Welt anderen Gesetzen, wie du zweifellos bemerkt hast. Ich habe durch Ingenieur Larcher die Möglichkeit dir diesen Brief zu schicken, ich glaube er ist ein Freund . . . Aber im Unbestimmten kann man nichts und niemandem sicher sein. Wir werden uns bald wiedersehen, wann und wo kann ich dir jedoch nicht sagen: in Raum und Zeit, wo wir leben, hätte das keinerlei Sinn.

Du weißt, daß es 1966 noch keine Chronolytika gab. Die Annahme, daß das Mebsital schuld ist, kann also ausgeschlossen werden. Vielleicht hat es eine gewisse Rolle gespielt. Welche, weiß ich nicht. Jedenfalls ist das nicht wesentlich. Wir werden versuchen, mit dem Garichankar-Hospital Kontakt aufzunehmen, um eine Erklärug zu bekommen. Vielleicht haben wir dies schon getan: und haben dann die Erklärung vergessen . . . Sei vor allem vorsichtig: der Krankenwagen von Forestier gehört nicht zum Hospital. Es ist eine Falle.

Auf bald

Ellen

Einige Minuten später raste der Volkswagen die Hauptstraße zum Werk hinab, ein Vollmond strahlte am klaren Himmel, so daß die Sterne beinahe nicht zu sehen waren. Die Szenerie war großartig: eine Oase am Pol, ein außerirdischer Zirkus in einer hieratischen Nacht. Die Gestirne flackerten ein wenig. Daniel fuhr im Schritttempo, um sie zu beobachten. Alles war in Ordnung, Er mußte wieder einmal sein Glück versuchen. Es war unmöglich, den Durchbruch zu schaffen, ohne das hier zu überwinden. Er kämpfte gegen den Schlaf an, der in ihm aufstieg und zog den rechten Fuß zurück, der sich schwer aufs Gaspedal legen wollte. Der 404 von Forestier tauchte zurest zur Linken auf, dann rechts, dann von vorne. Drei graue Wagen, die sich völlig glichen. Ein einziger konnte wirklich Forestier gehören. Theoretisch mußte es der rechte sein. Wenn alles wie das letzte Mal vor sich ging, mußte Larcher sich im linken befinden. Wer aber hatte den dritten genommen, der von vorne aus Richtung des Werks kam? Der VW rollte mit fünfzehn Stundenkilometern dahin.

Die drei 404 schossen weiter voran. Daniel zögerte. Er mußte die Gesetze dieser Welt besser kennenlernen.Deshalb mußte er gewisse Experimente durchführen, die Risiken ließen sich jedoch schwer abschätzen. Was geschieht, wenn ich auf Forestiers Wagen rase – oder auf einen anderen? Sein rechter Fuß drückte leicht aufs Gaspedal. Die Zeit schien zu gerinnen. Der VW begann zu vibrieren. Die 404 schlingerten von vorne bis hinten, als rutschten sie auf einer Eisschicht. Sie vermittelten den Eindruck, als schössen sie mit voller Geschwindigkeit dahin, in Wirklichkeit bewegten sie sich jedoch kaum. Daniel war nicht überzeugt, ob er das gewollt hatte. Wenn er dermaßen Einfluß auf die Zeit nehmen konnte, so war dieses Universum nur eine Illusion, eine geistige Projektion. Oder das Handeln selbst war Illusion, und nicht die Welt, Wie sollte er es wissen? Sein Fuß spielte auf dem Gas ohne weiter zu beschleunigen. Die grauen Wagen schaukelten völlig synchron. Dann beschleunigte er ein wenig. Die 404 legten den Rückwärtsgang ein, während der VW nach vorne schoß. Mußte er dieses Experiment fortsetzen oder um jeden Preis versuchen durchzukommen? Die Versuchung, auf Forestiers Wagen zu rasen, um zu sehen, was passierte, war groß. Schließlich traf er einen Entschluß. Er trat das Gaspedal voll durch. Ein paar Zehntelsekunden lang hatte er den Eindruck, daß eine Katastrophe sich anbahnte. Dann kam alles in Ordnung. Der VW und der 404 Nummer eins waren plötzlich hintereinander geparkt, daß sie sich fast berührten. Die 404 Nummer zwei und drei standen in kurzem Abstand daneben, einer auf dem Weg zu den Garagen, der andere auf der Hauptallee.

Daniel machte die Wagentür auf . . . Dann widerstand er dem Impuls, wie die anderen Male hinauszuhüpfen, um Forestier entgegenzutreten. Er kauerte sich auf seinen Sitz, umfaßte mit der Hand das Steuerrad und zwang sich, seine Angst zu meistern. Vier Männer stiegen aus dem ersten Wagen aus, Forestier allen voran. Der Sicherheitschef machte eine vage drohende Geste in Daniels Richtung. Dann stiegen drei andere Personen aus dem 404 auf der Hauptstraße. Sie alle trugen schwarze Overalls mit roten Streifen. Wie die Helden eines Zeichentrickfilms. Sie versammelten sich in der Mitte der Kreuzung. Sie schienen sich gar nicht für Daniel zu interessieren. Die Türen des dritten Wagens schlugen gleichzeitig zu. Daniel zuckte zusammen. Vier Männer in weißen Kitteln und Hosen stellten sich gegenüber den sieben übrigen auf. Auf ihrer Brust leuchtete eine rote Schrift: Garichankar-Hospital. Die beiden Gruppen standen einander säuberlich aufgereiht in ein paar

Schritt Entfernung gegenüber. Dann stieg ein Kriegsschrei in die Stille auf: HKH! Kam dieser Schrei nun von den Weißen oder den Schwarzen? Eher von den Schwarzen, aber das war nur ein persönlicher Eindruck. Welches waren die Freunde? Welches die Feinde? Vielleicht waren es alles Feinde. Daniel schloß leise die Wagentür, startete den Motor und legte den Gang ein. Der Volkswagen glitt ohne Beleuchtung zwischen dem ersten und dem dritten 404 durch, streifte Forestier und seine schwarzgekleideten Männer und machte sich auf die Hauptstraße davon. Er bog vor der Fabrik links ein und nahm die Avenue de Villeneuve. Die Mauer gab einen schmalen Gang nach innen frei, an dessen Ende sich die schwere, gepanzerte Tür befand. Daniel hielt an der schmalen Stelle, die der Mond nicht erhellte, an. Er drückte zweimal kurz auf die Hupe. Ein Licht ging an, einen Augenblick lang tauchte die Mütze des Nachtwächters auf. Daniel stieg aus und trat an das Türfenster. Eine rauhe aber leicht zitternde Stimme fragte ihn, was er wollte. Eine Stimme, die er voller Mißfallen erkannte. Der Nachtwächter war einer von Forestiers Leuten. Irgend etwas stimmt nicht. Der Große Drache hätte mich nicht für heute abend bestellen sollen.

»Ich will den Chef sehen« , sagte er.

»Sind Sie vom Haus?«

»Natürlich.«

»Ihre Karte.«

Daniel hielt das gelbe, braungestreifte Rechteck mit dem alten Foto und dem HKH-Stempel hin.

»Diersant, ich hatte Sie nicht erkannt. In Ordnung, ist gut.«

»Kann ich reinkommen?«

»Warten Sie, bis ich telefoniert habe.«

»Wozu?«

»Das ist Vorschrift. Wir haben . . . drei Minuten vor Mitternacht.«

»In Ordnung. Machen Sie voran.«

Daniel stieg wieder in den VW und ließ die Tür leicht angelehnt, um Ellens Brief im Schein der Deckenlampe zu lesen.

*

Mein lieber Daniel,

ich gratuliere dir zu der Kaltblütigkeit, mit welcher du eine so fürchterlich komplizierte und beängstigende Situation handhabst. Als wir uns das erste Mal begegnet sind, hast du gleich in mir einen Eindruck von Festigkeit und Reife erweckt: dein Blick, deine Gesten, deine Art zu sprechen, deine Haltung, eine Art Gleichgewicht . . . Jetzt sehe ich, daß ich mich nicht getäuscht habe.

Nein, dies ist kein Alptraum. Du befindest dich im chronolytischen Universum. Der Weg in die Zukunft läuft für dich über die Ereignisse, die dem Zeitunfall vom 29. (oder 31.) Juli vorangingen. Deshalb mußt du herausfinden, was zu diesem Zeitpunkt geschehen ist, das ist von größter Bedeutung.

Vorsicht! Die HKH-Mörder sind auf deiner Spur. Sie wissen dich im Umkreis des Zeitunfalls und suchen eine Gelegenheit, auf die gleiche Wirklichkeitsebene wie du zu gelangen, um dich außer Gefecht zu setzen. Versuche, mit Garichankar in Verbindung zu bleiben. Ich bin immer da. Ich werde dir helfen, Viel Glück.

Ellen

Daniel faltete den Brief sorgfältig zusammen und steckte ihn in seine Brieftasche zwischen die Fotografie einer jungen, dunkel-haarigen Frau und seinem Abfindungsscheck.

»Sie werden am Telefon verlangtl« rief der Nachtwächter.

»Wer ist es denn?«

»Ein Arzt, glaube ich. Seinen Namen habe ich nicht verstanden. Kommen Sie herein . . . Muß wohl wichtig sein, wenn man das Gespräch hierhergelegt hat.«

Daniel betrat den stahlgrauen Raum mit niederer Decke, Metallmöbeln, einem Schaltpult und einer grünlichen Telefonzentrale. Der Hörer war wie ein kleines Meeresungeheuer, das gleich zubeißen würde. Ein Arzt? Was will der von mir?

»Hallo?« rief er mit vor Angst belegter Stimme.

»Guten Tag, wie geht es Ihnen?«

»Sollte ich Sie kennen?«

»Ich bin Dr. Robert Holzach. Ich nehme an, daß Ellen Ihnen von mir erzählt hat.«

»Ah, vielleicht.«

»Erinnern Sie sich an Ellen?«

»Ja.«

»Und außerdem sind wir uns schon in der ungewissen Zeit begegnet . . .«

»Was nennen Sie die ungewisse Zeit?

»Das chronolytische Universum oder das Unbestimmte.«

»Die Chronolyse ist also eine Art von Zeitverwirrung?'

»Sie ist eine richtige Zeitzerstörung. Eine *Lyse* der Zeit.«

»Und weshalb bin ich zum Opfer dieses Phänomens geworden? Oder war es ein allgemeiner Unfall? Ein Zeitunfall?«

»Sie können in der Folge irgendeines Ereignisses, ja, eines Unfalls in das Unbestimmte geschleudert werden. Es liegt an Ihnen festzustellen, was wirklich geschehen ist. In diesem Punkt kann ich Ihnen kaum behilflich sein. Trotzdem werde ich es versuchen . . . Was sich in der ungewissen Zeit ereignet hat, wiederholt sich mit mehr oder weniger Genauigkeit systematisch. Dies ist ein Gesetz der Chronolyse. Die Vergangenheit wiederholt sich pausenlos und versperrt einem in gewisser Weise den Weg in die Zukunft. Dies kann Ihnen helfen, aber Vorsicht, lassen Sie sich in keine Falle locken. Darüberhinaus besteht die Gefahr, daß Ihre Persönlichkeit gespalten wird, Ihre Ängste sich materialisieren und sich auf heimtückische und gewalttätige Art Ihrer bemächtigen . . . Ich kann nicht einschreiten, denn ich befinde mich nicht völlig auf der gleichen Ebene im chronolytischen Universum wie Sie. Ich komme von einer anderen Zeit.'

»Wollen Sie damit sagen, daß Sie der Zukunft angehören?«

»Ich bin Psychronaut vom Garichankar-Hospital. Ich gehöre Ihrer Zukunft an, das stimmt. Ich bin 2025 geboren und bin jetzt fünfunddreißig. Mein Auftrag ist es, mit Ihnen in Kontakt zu treten . . .«

»Warum mit mir?«

»Wir werden uns kennenlernen. Ich werde es Ihnen erklären. Wo sind Sie jetzt?«

»Das wissen Sie wohl, denn Sie haben mich doch angerufen.«

»Nein. Das Telefon ist nur eine geistige Übereinkunft.«

»Aber Zeit und Raum existieren nicht mehr im chronolytischen Universum. Welche Bedeutung hat es dann, wo ich bin!«

»Zeit und Raum liegen in Scherben. Doch Sie existieren weiterhin für uns. Die Stunde, der Tag und der Ort sind geistige Begriffe, die häufig von großer Bedeutung sind. Das werden Sie noch begreifen. Können Sie mich bei Monika Gersten treffen?«

»Warum sollte ich Sie treffen?«

»Weil Sie verloren sind. Weil Sie mich brauchen. Weil Sie mehr über diese Welt erfahren wollen!«

»Ja, Sie haben recht. Wann?«

»Sofort. Oder wann immer Sie wollen. Im Unbestimmten ist es ungefähr das gleiche. Ich erwarte Sie. Viel Glück!«

Sogleich und ohne daß er sich dies explizit gewünscht hätte, befand sich Daniel in einem düsteren Korridor mit unebenem Boden. Die Flurlampe war ausgegangen. Er empfand einen leichten Schwindel und lehnte sich gegen die Mauer. Warum war er gleich wieder da? Ach ja, der Zeitunfall, die Chronolyse, Ellen, Dr. Holzach, Monika Gersten . . . Journalistin. Er begann zu lachen. Monika war eine Nutte. Das wußte er seit langem. Er hatte sie in Hamburg kennengelernt, als er zur See fuhr . . . Was ist das nun wieder für eine Geschichte? Wann bin ich jemals zur See gefahren? Erstens war es keine Monika mit einem K, sondern Monica mit einem c und er hatte sie in Genua kennengelernt, ehe er die beiden Finger seiner rechten Hand verlor . . . Lieber Gott, was ist das schon wieder mit den Fingern? Werde ich verrückt? Er rieb sich ängstlich die Innenflächen der Hand und zählte seine Finger. Alle vollständig. Ich bin verrückt. Das ist die Chronolyse. Meine Persönlichkeit löst sich auf. Das Licht ging wieder an. Er betrachtete seine Hände. Sie gehörten ganz offenkundig einem Büroangestellten und keinem Seemann. Gib's auf, mein Alter. Wir werden schon sehen. Er ging bis zur Tür von Monikas Wohnung und klingelte. Vielleicht war Ellen auch da. Welche Beziehung bestand noch einmal zwischen den beiden Frauen? Er hatte es vergessen. Vielleicht er selbst. Er erinnerte sich, daß Ellen ihm geraten hatte, Dr. Holzach aufzusuchen, wenn er ernste Schwierigkeiten hatte. (Aber warum sollte er ernste Schwierigkeiten bekommen?) Holzach – der Name erinnerte ihn an etwas, was er nicht wußte. Der Arzt von Garichankar gab vor, daß sie sich bereits begegnet wären . . . Er legte die linke Hand auf einen Heizkörper. Glühend heiß. Das ist normal am 20. November . . . Falls man den 20. November schrieb. Seine Angst ebbte grundlos wieder ab. Er atmete tief durch. Es würde ihm schon gelingen, aus diesem Labyrinth herauszugelangen.

Monika öffnete die Tür wie beim letzten Mal – oder die vielen letzten Male . . . und sie lächelte immer noch nicht, als sie Daniel sah. Trotzdem zeigte ein Aufleuchten in ihren Augen, daß sie ihn wiedererkannte. Ihre blonden Haare fielen auf einen schwarzen Pullover. Ihre Beine unter dem kurzen Rock standen mit sichtbarem Stolz in schwarzen Stiefeln, die bis über ihre Knie reichten. Sie sah ihn kalt an, eine Hand auf die Hüfte gestützt, die andere spielte mit einer goldenen Kette, die sie um den Hals trug.

»Guten Tag, Monika« , sagte er. »Darf ich hereinkommen?‘

»Nein. Du weißt sehr gut, daß es zwischen uns aus ist.«

»Warum?‘

»Weil du ein mieser Dreckskerl bist, Renato!«

Daniel wich einen halben Schritt zurück.

»Ich bin nicht Renato. Lieber Gott, sieh mich doch an: ich bin Daniel Diersant.«

»Und ich bin die Königin von England. Ich habe genug von dir!«

»Hör zu, Monika, mir ist etwas Schreckliches geschehen. Ich glaube nicht, daß ich es dir jetzt erklären kann. Aber du mußt mir helfen. Ich bitte dich: laß mich hinein.«

»Nein. Ich habe mir geschworen, daß Renato Rizzi keinen Fuß mehr über meine Schwelle setzt.«

»In drei Teufels Namen, Monika, du siehst doch, daß ich nicht Renato Rizzi bin. Ich höre diesen Namen zum ersten Mal.«

»Und zu allem machst du dich auch noch über mich lustig.«

»Monika, ich . . .«

Er fuhr sich langsam mit der Hand über Stirn und Augen.

»Irgend etwas stimmt nicht. Entschuldige bitte. Ich verstehe einfach nicht, was hier vorgeht. Kennst du Dr. Holzach?«

»Nein. Erzähl mir mehr von den Meer-Vodrans!«

»Die Vodrans . . . Was ist denn das für ein Ding?«

»Du leidest also an Gedächtnisschwund, mein kleiner Renato?«

Daniel trat einen Schritt auf sie zu und stand ihr direkt gegenüber. Er lächelte sie an und nahm einen Parfumgeruch nach warmen Hölzern wahr. Sie trat jedoch einen Schritt zurück und ohrfeigte ihn zweimal sehr schnell und aus ganzer Kraft, einmal rechts, einmal links und schrie: »Das wird dein Gedächtnis auffrischen, du mieser Kerl!« Dann schlug sie ihm heftig die Tür vor der Nase zu. Da stand er in dem dunklen Flur und lehnte sich erneut an die Wand. Ein Gesetz der Chronolyse! Die Vergangenheit versperrt den Weg in die Zukunft . . . Aber welche Vergangenheit? Nicht nur die von Daniel Diersant, sondern auch die von Renato Rizzi, dem unbekannten Seemann. Wer ist dieser Renato? Was hat er Monika angetan? Ein mieser Kerl? Aber wer benimmt sich nicht hie und da wie ein mieser Kerl? Und Dr. Holzach? Ich muß einen anderen Weg finden . . . Das Flurlicht. Gut. Es erhellte den Korridor und Daniel erblickte auf der Nachbartür ein Kupferschild: Dr. Robert Holzach, Neuropsychiater, Garichankar-Hospital. Der Gesandte aus der Zukunft bewohnte also den gleichen Häuserblock wie Monika Gersten? Oder war dies eine Art von Erkennen, eine geistige Projektion? Er drückte wütend auf die Klingel und hob die Augen zu den Sternen. Orion war verschwunden. Castor und Pollux ebenfalls. Leicht fand er das Dreieck Altair-Deneb-Wega, jene letztere fast im Zenit. Der Mond verstrahlte im Ende des letzten Viertels eine ölige Helligkeit, die die Gestirne verblassen ließ. Ihre Positionen entsprachen der Jahresmitte. Juli – August. Und es mußte ungefähr zweiundzwanzig Uhr sein. Die Temperatur war mild. Im dritten Stock einer Art von Turm am Ende des Hauptweges brannte ein Licht.

Daniel konnte sich nicht an ihn erinnern. Er parkte seinen VW auf dem leeren Parkplatz. Sarthès BMW war nicht zu sehen. Er bog um einen Rosenstrauch, dessen Duft ihm außergewöhnlich schien. Beunruhigt blieb er stehen. Im Mondschein konnte er ein paar Rosen von fast violetter Tönung erkennen. Er setzte seinen Weg fort. Das waren doch nur Rosen! Er gelangte an eine schmale Metalltür, die weder Knauf noch Klinke noch erkennbares Schlüsselloch besaß und sprach seinen Namen aus, seine Stimme war vor Aufregung ganz rauh. Es war ihm jedenfalls gelungen, sich zur Höhle des Großen Drachen durchzuschlagen. Er würde schon aus dem Labyrinth herausfinden.

Geräuschlos ging die Tür auf. Er machte ein paar Schritte rückwärts in den Flur, um sich zu überzeugen, daß sie sich wieder völlig schloß. Gut, alles klar, keiner folgt mir. Er blieb auf der Treppe stehen, da er ein wenig außer Atem war. Dann ging er weiter. Auf dem Absatz der zweiten Etage suchte er mit den Augen die Tür zum Vorzimmer, durch welches man Zutritt zu Sarthès Büro bekam. Aber nichts war mehr wie in seinen Erinnerungen. Ein bläuliches Licht erhellte einen langen, blaßgrauen, schmalen und verlassenen Korridor. Daniel ging ihn entlang und gelangte in eine Halle, mit niederer Decke, von der Glühbirnen im blendenden Weiß herabhingen. Ein musikalisches Pfeifen ertönte plötzlich. Dann ein Knacken. Das Pfeifen verstummte. Aus dem Fahrstuhl trat ein Mann in einer Art weißen Kimono. Er ging auf Daniel zu und streckte ihm mit einem traurigen, aber herzlichen Lächeln die Hand hin. Er war ziemlich jung, eher klein mit langen, dunkelbraunen Haaren und stark ausgeprägten Zügen. Ein leicht sarkastischer Zug zog die Winkel seines dicklippigen, quasi negroiden Mundes herab und verlängerte sein Lächeln. Er mochte fünfunddreißig Jahre alt sein.

»Ich bin Robert Holzach. Sie sind Daniel Diersant, nicht wahr? Ich freue mich, Sie kennenzulernen. Ich hatte einige Schwierigkeiten, Sie zu erreichen: das sind die Unsicherheiten der ungewissen Zeit. Ich bin der Assistent von Dr. Carson, dem Chefarzt von Garichankar und augenblicklich insbesondere mit den chronolytischen Forschungen beauftragt. Dies ist mein zehnter Aufenthalt im Unbestimmten. Wollen Sie mir folgen?«

»Wohin?«

»Wir werden einen Besuch im Garichankar-Hospital und eine Unterredung mit Dr. Carson simulieren. Treten Sie in die Kabine.«

»Wieso simulieren?«

»Dies ist eine Technik, die die Psychronautik anwendet, um feste Kontakte zwischen den einzelnen Subjekten in der Tiefenchronolyse herzustellen. Ich benötige Ihre Mitarbeit: ohne Sie funktioniert es nicht, es geht nur, wenn Sie einverstanden sind und sich nicht ablenken lassen. Sie können alles über dieses Universum erfahren.«

»Nun gut. Wo befinden wir uns jetzt?«

»Hier, egal wo, anderswo, überall. Die Szenerie ist nicht festgelegt. Es ist ein schlichter Kompromiß zwischen Ihren Vorstellungen und den meinen.«

»Nehmen wir das mal an. Wollen Sie mich nach Garichankar bringen?«

»Es ist nicht Garichankar selbst, vielmehr eine einfache Simulation. Aber ich weiß nicht, ob es uns gelingt. Ein geistiges Band ist von den Phorden des Hospitals zwischen uns geknüpft worden, es lockert sich jedoch manchmal und wir verlieren uns. Ich würde gerne einen Versuch wagen, um es wieder enger zu knüpfen. Dies alles ist ziemlich ungewöhnlich. Ich hatte mehrere Male die Empfindung, daß eine Macht, eine fremde Intelligenz uns zu trennen versucht.«

»Was ist das Ziel Ihres Auftrags?«

»Es ist besser, wenn Sie das nicht erfahren.«

»Und wenn ich die Mitarbeit verweigere?«

»Dann bleiben Sie sich selbst« – oder wem auch immer – im Unbestimmten überlassen und vielleicht finden Sie niemals wieder heraus. Treten Sie in die Kabine.«

Daniel gehorchte und befand sich in einem kreisrunden Raum von ungefähr zwei Metern Durchmesser. Dies war kein Fahrstuhl. Dr. Holzach trat ein, die Tür ging lautlos zu. Ein grünliches Licht strahlte von den Wänden. Sehr futuristisch. Das musikalische Pfeifen setzte ein und verstummte.

»Ich kann an das alles nicht so recht glauben«, sagte Daniel. »Aber ... Wenn Sie ... das geistige Band, das uns verbindet, wieder zusammengeknüpft haben, was wird dann geschehen?«

»Ich stoße ins Unbewußte vor. Meine Persönlichkeit und die Ihre verschmelzen. Ich werde nur noch wachsamer Zeuge Ihrer Erlebnisse sein. Meine Erinnerungen werden eine gewisse Zeit lang verschwinden. Ich werde mich jedoch befreien, wenn dies nötig sein sollte, um Ihnen zu helfen ... Wir haben einen gemeinsamen Feind: HKH.«

»Wer ist HKH?«

»Ein privates Industrieimperium, das zu Ende des vergangenen Jahrhunderts in Europa existierte, zerstört wurde und im chronolytischen Universum eine Art larvenhaftes Schattendasein führt. Diese Gespenster haben einen mysthischen Imperator, Harry Krupp Hitler I, der den paranoiden Träumen eines Konzernherrn des zwanzigsten Jahrhunderts entsprungen ist, dessen Initialen ebenfalls HKH lauteten: Hans Karl Hauser. Ich weiß nicht, warum HKH sich an Sie heranwagt. Ich würde es besser verstehen, wenn ich alle meine Fähigkeiten und alle meine Erinnerungen besäße. Aber ich bin nur kurze Zeit bei Bewußtsein und meine Erinnerungen sind umnebelt. Ich weiß nicht, warum die zerebral-phordalen Bindungen zwischen uns plötzlich gelockert wurden und warum ich wach wurde. Es gibt zwei Hypothesen: entweder versucht HKH uns zu trennen oder Garichankar will mit mir Verbindung aufnehmen ... Ich stehe nicht leibhaftig vor Ihnen,und die Szenerie, die Sie wahrnehmen, ist lediglich eine Konvention. Ebenso wie unsere Begegnung. Unser Gespräch ist jedoch keine. Die Nachricht, die ich Ihnen übermittle, wird vielleicht durch die Übertragung entstellt, sei es per Zufall, sei es durch einen Eingriff unserer Feinde. Es ist immer schwierig, im chronolytischen Universum zu kommunizieren. Hier darf man nichts für endgültig halten.«

»Und wann kommen wir im Hospital an?«

»Ich habe keine Ahnung. Egal wann oder niemals. Vielleicht sind wir bereits da. Vielleicht haben wir es niemals verlassen. Vielleicht gelangen wir gar nicht dort hin. Vielleicht ...«

Daniel empfand keinerlei Eindruck von Bewegung. Robert Holzach blieb aufrecht mit ruhiger Miene und steifen Gliedern stehen. Lange Zeit schwieg er, dann murmelte er:

»Ich bin in Verbindung mit den Phorden von Garichankar. Es ist alles in Ordnung.«

Daniel versuchte über seine seltsame Situation nachzudenken. Je mehr sich die Vergangenheit auflöste, indem sie sich wiederholte, ordneten sich alle Ereignisse um diese beiden Pole: HKH und das Garichankar-Hospital. Waren dies Produkte seines Geistes, fremde geistige Projektionen, oder umherirrende Symbole auf halbem Weg zwischen Tag und Nacht oder aber authentische Realitäten der Zukunft? Vielleicht waren sie dies alles zugleich. Alles, egal was oder gar nichts! Und Gott weiß was noch . . . Daniel hatte stets eher zu Träumerei und Spekulation anstatt zum Handeln geneigt und dieses verrückte Universum der Ungewißheit schien ihm nicht völlig fremd. Er akzeptierte es wie er die Gesellschaft akzeptierte, in der er lebte, seit er erwachsen war, nämlich mit einer Mischung aus Fatalismus und Verachtung, aus Überheblichkeit und Distanz. Er gehorchte den neuen Gesetzen, die ihm kaum absurder und gewalttätiger schienen, als die der Zivilisation. Er fühlte sich verloren, jedoch nicht in größerem Maß als früher. Zweifellos hatte er nun andere Herrn. Offensichtlich zählten die alten Werte hier kaum. Er bedauerte dies nicht. Vorausgesetzt, sie hatten sich nicht einfach verkleidet. Gewalt wurde hier brutaler und hinterhältiger, auf jeden Fall auch beängstigender ausgeübt, aber dies war vielleicht nur eine Frage der Gewohnheit.

Gewiß, er fühlte sich eingeengt. Das Gefühl, in einem Labyrinth eingesperrt zu sein, hatte er jedoch immer empfunden. Es war eine Ewigkeit her, daß man ihm den Horizont gestohlen hatte. Nichtsdestotrotz schürte er die Hoffnung, einen Ausweg zu finden und er wußte, daß er weiter darum kämpfen würde. Vor dem Zeitunfall hatte er häufig den Eindruck gehabt, daß sein Leben ein Traum war: beispielsweise bei seinen nächtlichen Streifzügen um Paris. Daß nun durch eine unvermittelte Umkehrung der Traum zum Leben wurde, überraschte ihn nicht. Sein gegenwärtiges Erlebnis schien sich vielmehr oberhalb der Traumebene abzuspielen. Doch die Vorstellung, die man sich im Wachzustand vom Träumen macht, ist vermutlich falsch. Was denkt man im Traum vom Träumen? Egal was und überhaupt nichts . . .

Bei klarem Kopf sah er sich so, wie er stets gewesen war. Warum hätte er sich auch verändern sollen? Er wollte *herauskommen,* er wußte jedoch genausowenig wie zuvor das Halseisen zu sprengen, das ihn gefangen hielt,und daß dieses Halseisen augenblicklich geistiger Natur war, machte seine Aufgabe nicht leichter. Daniel mochte sich nicht länger gegen die Illusion auflehnen, als er sich hatte gegen die Wirklichkeit auflehnen können. Er ersann Listen, floh, muckte auf, betrog gelegentlich ein wenig und bewahrte bei alldem die Hoffnung, eines Tages der Stärkere zu sein, eines Tages mehr Bewußtsein, Freiheit und Macht zu erwerben, um von gleichstarker Position aus den Kampf gegen die Gesellschaft oder das Universum zu führen. Doch die Droge – vorausgesetzt es handelte sich um eine Droge – oder die Auflösung der Zeit – falls es sich um eine solche handelte – hatten ihm noch nicht die Macht, das Bewußtsein und die Freiheit gebracht.

Vielleicht war der Augenblick gekommen, da es hieß, Widerstand zu leisten und zu kämpfen . . . Er wedelte mit der rechten Hand vor seinem Gesicht hin und her, was seinen Blick verschleierte, dem Raum um ihn her ein glasartiges Ansehen verlieh und Robert Holzach in einen flimmernden Nebel hüllte. Gleichzeitig schien sich sein eigener Körper zu spalten. Er hielt inne und alles wurde wieder normal – oder fast normal. Nur Dr. Holzach war immer noch ein wenig verschwommen. Daniel glaubte, daß er diese Gestalt durch einen Willensakt vertreiben konnte. Ihn aus der Szene verbannen. Ihn zwingen, zu verschwinden. Aber war dies eine gute Taktik? Wäre er ein Mann der Tat gewesen, so hätte er zweifellos alle Möglichkeiten ausprobiert, die sich ihm boten. Er hätte mit allen Mitteln versucht, die Illusion zu zerstören und den Alptraum zu beenden, auch auf die Gefahr hin, um so Schrecklicheres zu erleben, wenn es sich nicht um eine Illusion oder einen Alptraum handelte. Er war jedoch kein Mann der Tat und es widerstrebte ihm, sich in einer Frontschlacht zu engagieren: er hatte Angst, was er jenseits von Illusion und Alptraum entdecken könnte. Instinktmäßig wählte er einmal mehr die Flucht. Als die Spannung in der reglosen Kabine neben dem Unbekannten, der sich in eine Salzsäule verwandelt hatte, unerträglich wurde, unternahm er einen leichten Sprung in die Zeit, wie es ihm mehrere Male mit dem VW gelungen war. Diese Kunstfertigkeit hatte er sich immer gewünscht. Nun besaß er sie. Alles war in Ordnung.

Die Kabine verschwand. Daniel begann zu steigen. Er fühlte sich wohl. Er hatte die Empfindung, endlich diese erstickende Enge zu verlassen, an welche ihn das Schicksal seit tausenden Jahren gefesselt hatte. Es tat ihm leid um das Garichankar-Hospital. Er würde Dr. Carson nicht kennenlernen. Niemals würde er die Wahrheit über HKH erfahren. Schade. Jedenfalls war es das Wesentliche, herauszukommen und dieses geheimnisvolle Krankenhaus wirkte wie eine neue Falle, ein bewegliches Mittel, um ihn in dem Labyrinth gefangen zu halten . . . Er stieg weiter. Alles war in Ordnung. Dann spürte er, wie sein Schwung nachließ und sein Körper schwerer wurde. Furcht verkrampfte seine Muskeln, Verzweiflung schien ihn eine Sekunde lang zu ersticken. Er stürzte hinab. Ein lebhaftes Gefühl von Kälte hatte ihn aufgeweckt. Er lag auf einer Art tiefen und harten Pritsche lang ausgestreckt. Uber ihm hing eine nackte Glühbirne. Er stellte fest, daß man ihm seine Kleider ausgezogen hatte. Ein Mann in einem schwarzen Overall stopfte sie in einen Sack. Der Raum war fast völlig leer: ein runder Tisch in der Mitte, ein paar Stühle, ein alter Schrank, eine Anrichte mit einem alten, verstaubten Fernsehgerät. Hier roch es nach Abgeschlossenheit trotz der Sprühflüssigkeit, die Daniel noch in der Nase hatte. Eine junge blonde Frau trat ein und trug ein Tablett auf dem eine Art Ebenholz- oder Metallkästchen stand. Er nahm ein merkwürdiges Geräusch wahr wie das Pfeifen eines schlecht eingestellten Radioempfängers. Die Frau drehte Daniel den Rücken zu, so daß er ihre Hände nicht sehen konnte. Er stützte sich auf einen Ellbogen und sah einen schwarzgekleideten Mann hinter sich stehen, der sich an die

Lehne des Sofas drückte. Er streckte sich wieder aus, atmete tief durch und versuchte sich zu entspannen.

Déjà vu, déjà vécu. Eine Falle aus der Vergangenheit. Aber vielleicht mußte er diese Szene bis zum Ende durchmachen, um zu erfahren, was vorgefallen war. Forestier trat zur vorgesehenen Minute auf. Wie in Choisy trug er einen rotgestreiften schwarzen Overall und einer Art weicher Mütze über seinem knochigen Schädel. Auf seiner Brust standen in einem Kreis die drei Buchstaben HKH. Abgesehen davon handelte es sich um den Forestier, den Daniel kannte; lang, fleischlos, mit kräftigen Gelenken, grauen Haaren, langem Gesicht, messerscharfer Nase und zwei Falten wie Narben, die seine Augen trennten und sich unterhalb seiner Lippen vereinigten. In dieser Aufmachung wirkte er leicht satanisch.

»Nun, Diersant, machen Sie nicht so ein Gesicht, mein Alter«, sagte er mit fast freundschaftlicher Stimme.

Ein entferntes Echo warf die letzten Worte zurück. Dieses Haus war ein richtiger Resonanzkasten. Forestier schloß die Tür zum Korridor, kehrte zurück und fügte lächelnd hinzu: »Verlieren Sie doch mit Anstand, mein Lieber. Sie sind besiegt. Man kann nicht jedes Spiel gewinnen.«

Von der Decke herab schimpfte das Echo . . .: Jedes Spiel gewinnen!

»Noch haben Sie mich nicht, Forestier.«

»Eben doch. Sie sitzen fest. Sie werden mir sagen, was Sie in Choisy vorhatten.«

»Das werden wir noch sehen«, entgegnete Daniel.

Er beschloß, nichts zu überstürzen, die Szene bis zum Ende durchzuspielen und sich möglichst so zu betragen, als befände er sich in der realen Welt.

Forestier warf die abgetragene Unterkleidung und den petrolblauen Anzug, den er so gut kannte, vor ihm hin. Diese Einzelheit konnte er sich nicht erklären. Ihn schauderte. Wie die anderen Male. Die Temperatur hatte nichts Sommerliches mehr. Sicherlich war es nicht mehr Juli. Es war jetzt und dieses Jetzt war gleichgültig. Vielleicht der 20. November. Oder der 32. Dezember.

Die junge Frau drehte sich um. Sie trug eine an den Knöcheln gebundene weiße Hose und einen langen, weißen Kittel, auf der linken Brust unter der Schulter trug sie eine Art Namensschild, auf dem in roten Buchstaben stand: Garichankar-Hospital. In der Hand hielt sie den kleinen Ebenholz- oder Metallkasten. Sie trat zwei, drei Schritte auf Daniel zu, blieb ihm gegenüber stehen und sah ihm in die Augen, als wollte sie ihm eine Warnung zukommen lassen.

»Er sagt die Wahrheit. Sie sind in Gefahr und tun besser daran, zu gehorchen. Unternehmen sie vor allem keinerlei Fluchtversuche. Dem imperialistischen Vollstrecker entgeht man nicht. Sehen Sie, ich bin selbst gefangen.«

»Das ist mir egal«, sagte Daniel.

»Egal!« wiederholte das Echo.

Daniel versuchte sich zu erheben. Allerdings ohne besonderes Engagement. Er wußte, was geschehen würde. Und tatsächlich schlug der Mann, der hinter ihm stand, ihn heftig zwischen Hals und Schulter. Er stürzte zurück auf die Couch. Er begann sich zu fragen, ob es wirklich einen Sinn hatte, diese Szene bis zum Ende durchzuspielen. Diese absurde Szene. Er hatte Lust, alles hinzuschmeißen. Er streckte sich aus, schloß die Augen.

»Laßt mich doch in Ruhe«, sagte er. »Laßt mich schlafen oder verrecken oder was auch immer.'

Forestier schüttelte sich vor Lachen.

»Nun reg dich nicht auf. Bleib ruhig, mehr wird nicht von dir verlangt.«

Besorgt schaltete sich wieder die junge Frau ein.

»Glauben Sie nicht, daß dies ein Traum ist. Sie können tatsächlich sterben.«

»Ach, der wird schon vernünftig sein« , sagte Forestier. »Er sieht zwar nicht danach aus, er weiß jedoch sehr gut, was ihm nutzt. Er wird nicht den wilden Mann spielen. Selbst in einem Traum wird er das nicht wagen.«

»Vielleicht werde ich es wagen« , sagte Daniel ganz leise.

»Das würde ich gerne sehen!'

»Hören Sie!« sagte die junge Frau. »Hören Sie gut zu. Hören

Sie die Geräusche, die Stimmen. Sie werden sich bewußt werden, daß Sie nicht träumen. HKH und das Garichankar-Hospital existieren sehr wohl in Ihrer Zukunft. Das chronolytische Universum ist ebenfalls real. Sie werden bald den Beweis dafür bekommen. Also gehen Sie kein Risiko ein.«

»Jetzt langt es aber« , schnitt ihr Forestier das Wort ab. »Halt den Mund und gib ihm jetzt schnell seine Spritze.«

In diesem Augenblick wurde die Tür zum Korridor aufgestoßen. Daniel schlug die Augen auf. Ein Mann trat ein, einer von Forestiers Begleitern: schwarzer Overall, flache Mütze.

»Chef« , fragte er, »was machen wir denn mit Ihrem Wagen? Bringen wir den auch auf die Nationalstraße 20?«

»Ja bist du denn übergeschnappt? Den stellen wir natürlich in Paris ab. Anschließend werden wir sehen, was wir machen können. Auf jeden Fall werde ich mich um meinen Wagen selbst kümmern. Er ist nicht stark beschädigt. Seht zu, wie ihr mit dem VW zurechtkommt.«

»Der hat ordentlich was abgekriegt. In Ordnung, Chef.«

Der Mann verließ den Raum, schloß die Tür hinter sich und das Echo seiner Schritte hallte lange nach. Daniel versuchte erneut aufzustehen.

»Soll ich ihm noch eins auf die Nase geben?« fragte der Mann hinter dem Sofa.

»Nein, nein« , widersprach die junge Frau. »Er darf nach der Spritze nicht schlafen. Das ist zu gefährlich.«

»Was für eine Spritze?« brüllte Daniel. »Was ist nun das schon wieder? Was haben Sie mit mir vor?«

»Sie werden eine völlig schmerzlose Spritze bekommen . . .«

»Und danach?«

»Danach werden Sie sich an nichts erinnern«, erklärte Forestier. »Sie werden sogar Ihren Namen vergessen. Zumindest für einige Zeit. Danach wird alles Schritt um Schritt wiederkommen, abgesehen davon, was sich heute abend abspielt. Die letzten Stunden vor der Spritze mit diesem Mittel sind weg, einfach weg! Wir werden Ihnen einen anderen Ausweis, andere Kleider geben und Sie ins HKH bringen. Bis Sie herausgefunden haben, wer Sie sind und dies beweisen können, werden Sie einige Monate beschäftigt sein. Dieses Zeug da, das Produkt, das wir Ihnen einspritzen, kommt vom Garichankar-Hospital. Das müßte sie doch beruhigen, nicht wahr?«

»Dies ist kein besonders wirksames Chronolytikum, es hat jedoch natürlich chronolytische Begleiterscheinungen.«

Daniel zwang sich zur Ruhe.

»Werde ich zurückkehren?'

Forestier grinste.

»Das kommt darauf an, was Sie unter zurückkehren verstehen.«

Die junge Frau drehte sich zu ihm um.

»Ich bitte Sie, sagen Sie es ihm nicht.«

»Ich will die Wahrheit wissen . . . Wenn es eine Wahrheit gibt«, erklärte Daniel.

»Sie sind noch nicht darauf vorbereitet« , meinte die junge Frau.

»Nun Schluß jetzt, gib ihm diese Spritze«, befahl Forestier.

Daniel stand unvermittelt auf. Der Mann, der ihn bewachte, konnte ihn nicht mehr zurückhalten.

»Schwören Sie mir, daß dieses Produkt von Garichankar kommt?«

»Ich schwöre es Ihnen. Es ist völlig ungefährlich, vorausgesetzt, Sie verhalten sich ruhig. Ich bin gezwungen zu gehorchen« , fügte die junge Frau hinzu. »Ich kann nichts tun, um Ihnen zu helfen.«

»Ich kann hier rauskommen wann ich will« , meinte Daniel.

»Wenn Sie einen Fluchtversuch unternehmen, werden sie Sie betäuben, und das steigert die Risiken. Ich muß Ihre Herztätigkeit beobachten und Ihnen eine andere Spritze geben, um Ihren Kreislauf im Fall einer Schwäche zu stützen. Und da ich keine Ärztin bin, wäre es besser, wenn Sie mir sagen könnten, wie Sie sich fühlen. Seien Sie ruhig. Haben Sie Vertrauen.«

Vertrauen haben? Nein, Daniel hatte kein Vertrauen in nichts und niemand in dieser verrückten Welt. »Dann los«, sagte er und zuckte mit den Schultern. Wo war die Realität? Wo der Traum? Wer träumte? Daniel Diersant oder das ganze Universum?

Er trat zurück, setzte sich auf die Bank und streckte der jungen Frau seinen rechten Arm hin. Diese ergriff sein Handgelenk und klemmte das kleine Ebenholz- oder Metallkästchen gegen seinen Ellbogen. Er nahm ihren fruchtigen und leicht säuerlichen Duft wahr: sie roch nach Vitamin C. Etwas kitzelte über seine Haut hinweg und ganz allmählich stieg ein Gefühl intensiver Kälte in seiner Schulter hoch, breitete sich über seinen Hals aus, gelangte in seine Lungen und den ganzen Körper.

»Mir ist kalt« , erklärte er.

»Das ist normal«, beruhigte ihn die junge Frau.

»Ziehen Sie sich an«, befahl Forestier.

Daniel schlüpfte ungeschickt in die petrolblaue Hose, die Forestier vor das Sofa geworfen hatte.

»Ziehen Sie die Weste noch nicht über«, bat die junge Frau. »Falls ich Ihnen noch eine Spritze setzen muß.«

»In Ordnung. Wir haben doch den 31. Juli?«

Forestier beobachtete seinen Gefangenen mit verdutzter Grimasse.

»Den 31. Juli! Sie haben es aber eilig, mein Alter! Nach meiner Kenntnis haben wir immer noch », er warf einen Blick auf seine Armbanduhr, »den 20. Juni.«

»Den 20. Juni 1966?«

Der Sicherheitschef zuckte mit den Schultern.

»Nein, 1914 vor Christi Geburt!«

»Das soll wohl eine besonders geistreiche Art sein zu sagen, daß wir das Jahr 1966 haben.«

»Klar, 'ne geistreiche Art.«

Der 20. Juni . . . Daniel fühlte sich nun zu müde und zu gleichgültig, um alle Konsequenzen dieser Behauptung zu analysieren. Eine recht erschreckende Behauptung. Er war müde, schwach und fiebrig. Er saß zusammengesackt auf der Bank und besaß weder Kraft noch Lust, aufzustehen.

»Na, Diersant, jetzt spielen wir nicht mehr den Schlaukopf!«

Die junge Frau nahm neben Daniel Platz.

»Es wird alles gut werden« , beruhigte sie ihn. »Es gibt für Sie keine andere Lösung, als mit HKH zusammenzuarbeiten. Ich bin von Garichankar und habe mich einverstanden erklärt, für den imperialistischen Vollstrecker zu arbeiten. Das hat seine Vorteile, wissen Sie. Ich kann es freiheraus sagen. Vorher wußte ich gar nicht, was Liebe ist. Ich hatte kein Sexualleben. Sie werden nichts bedauern, ich schwöre es Ihnen. Ja, in sexueller Hinsicht bietet Ihnen HKH alles, was Sie sich wünschen können, alles was Sie sich vorstellen können. Und mehr als das. Darüberhinaus haben Sie eine Chance, die . . . die subjektive Unsterblichkeit zu erlangen. Wenn Sie in der Chronolyse sterben, ist es möglich, die subjektive Dauer Ihrer letzten Lebenssekunden mit 10^{12} zu multiplizieren. HKH besitzt diese Macht. Da das Imperium dem chronolytischen Universum angehört.«

»Nein«, widersprach Forestier. »Es ist genau umgekehrt. Das chronolytische Universum gehört HKH. Und wir sind völlig im Recht, wenn wir es gegen die Ärzte von Garichankar und ihre ekelhaften Versuche verteidigen. Tja, Diersant, in allem übrigen hat sie recht. Aber ich hätte nichts davon erzählt. Dies alles bekommst du nicht umsonst. Du mußt schon ein paar Prüfungen ablegen. Und in der Zwischenzeit . . . schau her, was ich mit deiner falschen Karte mache!«

Der Sicherheitschef packte das kleine braune Rechteck mit der alten Fotografie und hielt es in die Flamme seines Feuerzeugs.

»Wenn die Ärzte glauben, sie könnten uns mit solchen Tricks reinlegen, so täuschen sie sich. Das ist Amateurarbeit. Haben Sie dieses Foto gesehen? Nicht einmal die geringste Ähnlichkeit! Der Kopf ist länger, die Züge markanter, die Augen tieferliegend, die Stirn kahl mit einer langen dunklen Strähne . . . Dieser Typ muß Italiener oder Spanier sein. Sie haben sich einfach keine Mühe gegeben!«

Daniel hatte ein seltsames Stechen in der Herzgegend. Offensichtlich hatte er diesen Ausweis irgendeinen gefühlsmäßigen Wert verliehen. Er war fast stolz gewesen, diese Karte zu besitzen. Dank ihr hatte er ein wenig das Gefühl gehabt, der Herrenrasse anzugehören . . .

»Da schauen Sie sich an, was ich mit dem Ding mache, mein

Alter!« sagte Forestier. Dann ergriff er den Brief der Nerek, las ihn und hielt ihn Daniel hin.

»Erklären Sie mir mal dieses Datum: 19. September 1966? Was soll das heißen? Was haben Sie eigentlich vor? Was wollen Sie mir vorgaukeln? Machen Sie sich über mich lustig?«

»Was haben Sie eigentlich vor?« fragte das Echo.

»Was haben Sie eigentlich vor?«

»Was haben Sie eigentlich vor?«

»Was haben Sie eigentlich vor, Diersant, in Gottes Namen, Sie machen sich über mich lustig am 19. September 1966!«

Ganz automatisch nahm Daniel das Blatt entgegen. Er hatte große Schwierigkeiten, seine Augen auf die paar Linien zu fixieren, er glaubte, den Text schon auswendig zu können.

*

Unsere Freunde, die Herren Defner und Robert Sarthès haben uns informiert, daß Sie nach dem 30. September 1966 verfügbar sind. Sie haben uns gleichermaßen darauf hingewiesen, daß Ihre berufliche Erfahrung im Büro für Technische Dokumentation Der Sèac und in den Laboratorien des Cerba ebenso wie Ihre Ausbildung in literarischer und wissenschaftlicher Hinsicht recht genau den geforderten Qualifikationen entsprechen, die für einen zu besetzenden Posten in Wilmington (Delaware) dem Sitz unserer gemeinsamen Filiale mit Du Pont von Nemours verlangt werden . . .

*

Dummkopf! Solche Träume wünscht du dir also . . . Denn selbstverständlich existiert dieser Brief nicht. Niemals haben die Nerek und Frobacher geschrieben, um mir einen Posten in Amerika anzubieten. Und sie werden dir niemals schreiben. In der wirklichen Welt gibt es solche Dinge nicht . . . Er hob den Blick, um das Datum zu überprüfen – dieses sinnlose und unerklärliche Datum. Voller Überraschung las er jedoch: 29.–31. Juli, Garichankar-Hospital.

Vorsicht, Daniel Diersant. Sie sind in eine Falle des HKH geraten. Wir glauben, daß Sie sich in Gefahr befinden. Man möchte Sie glauben machen, daß der Zeitunfall am 22. Juni eingetreten ist, um Ihr Urteilvermögen zu untergraben und Sie zu zerrütten. Ihr Bewußtseinsniveau hat sich bereits drastisch gesenkt. Sie weichen in die Ungläubigkeit aus, genau wie das HKH das wünscht: Es dient ihren Zwecken, wenn Sie passiv bleiben . . . Wir werden Sie bald befreien. Bleiben Sie ruhig. Zwingen Sie sich vorläufig, nicht einzuschlafen. Dies ist sehr wichtig. Sie müssen wach sein, damit wir Sie erreichen können. Rühren Sie sich nicht. Zeigen Sie keinerlei Überraschung. Vorsicht, wir kommen!

Ihre Nationalität ist kein Hindernis, vorausgesetzt, Sie sind bereit, sich für mindestens fünf Jahre in die USA zu verpflichten.

Achtung, Wir kommen!

Wenn unser Vorschlag Sie interessiert, so wenden Sie sich bitte an Monsieur Distelbarth an die unten beigefügte Adresse . . .

*

Seltsam, diese Warnung des Garichankar-Hospitals im Brief der Nerek. Daniel fragte sich, ob er das Blatt Papier Forestier zurückgeben sollte, der ihn wütend beobachtete. Nerek und Frobacher Laboratorien an Herrn Diersant. Die Nachricht des Krankenhauses war verschwunden. Blieb der Brief. Er hatte genug. Er hatte Lust zu schlafen oder aufzuwachen. Es war fast das gleiche. Beides bedeutete herauszukommen. Aber wie sollte man aus einem Traum kommen, der nicht enden wollte?

»Das ist die gröbste Fälschung, die ich jemals gesehen habe !« erklärte Forestier und schnappte wieder das Blatt Papier.

Daniel nahm den Sicherheitschef, die junge Frau und ihre Begleiter durch einen fiebrigen, leicht rosafarbenen Nebel wahr. Seine Augen brannten. Seine Schwäche nahm zu. Trotzdem versuchte er, dem Schlaf zu widerstehen, nicht so sehr wegen der Nachricht von Garichankar, an welche er nicht glaubte, sondern weil er Angst hatte. Was ist der Schlaf jenseits des Schlafs? Der Tod?

Plötzlich drang eine Horde weißer Gespenster mit Chirurgenmasken und tragbaren Mikronebelgeneratoren durch Mauern und Decke und umstellte Forestier und seine Komplizen. Zweifellos die Gesandten vom Garichankar-Hospital. Daniel erkannte Dr. Robert Holzach wieder, der die kleine Truppe anzuführen schien, ebenso wie Larcher, den ehemaligen Ingenieur im abgetragenen Anzug.

»Diersant, mein alter Diersant, wir sind gerettet!« rief dieser letztere.

Forestier und seine Freunde waren nach den ersten Sekunden des Angriffs verschwunden. Die junge Frau war ihnen gefolgt. Oder sie hatten sie mitgeschleppt. Gerettet? Wenn dies wahr wäre, wäre ich gerettet, dachte Daniel. Aber das ist auch nur wieder ein Traum. Larcher stieß ihm lachend in die Rippen und drückte ihm voller Übermut die Hand.

»Was für ein Abenteuer, mein Alter! Achtzehn Monate Arbeitslosigkeit und dann das . . . Eigentlich war es eine Chance für mich, daß ich keinen Job gefunden habe. Wenn ich irgendeine Arbeit gehabt hätte, wäre ich immer ein armseliges Würstchen geblieben . . .«

Er fuhr sich mit seinen Fingern, an denen die Nägel abgebrochen waren, durch die Haare, die in grauen, glatten Strähnen um sein schlecht rasiertes Gesicht fielen. Daniel hörte wieder einmal nicht zu. Zwei Gesandte von Garichankar nahmen ihn unter die Arme und halfen ihm aufzustehen. Mit ihrer Unterstützung tat er ein paar Schritte in den makellosen, endlosen und immer weiter werdenden Flur, der sich mitten in einer Schneewüste verlor . . . Du kehrst in die Kälte zurück! Dann war er müde zuzusehen, zu warten, zu hoffen. Er wollte ohnmächtig werden, verschwinden, nur raus hier, egal wie.

V

Er hupte zwei Mal, worauf der Nachtwächter in der metallgrauen Uniform seine Schildmütze, seine breiten Schultern und einen langen affenartigen Arm, an dessen Ende eine schimmernde Waffe baumelte, sehen ließ.

»Was wollen Sie denn um diese Uhrzeit?«

»Den Patron besuchen, mein Alter.«

»Was für einen Patron?«

»Jetzt langt es aber. Machen Sie keine Geschichten. Hier ist meine Karte.«

Der Nachtwächter trat aus seinem Häuschen, nahm das Papprechteck an, das Daniel ihm durch das Gitter hielt.

»Ich weiß nicht, ob das gültig ist.«

Er machte seine Taschenlampe an und holte die Karte näher an seine Augen.

»Was ist denn?«

»Na, das Foto ist Ihnen nicht sehr ähnlich.«

»Ich bin Daniel Diersant.«

»Auf dem Foto sind Sie ein bißchen kahl und auch magerer.«

»Ein bißchen kahl, Sie machen wohl Scherze!«

»Na, Sie haben 'ne ganz schöne Stirnglatze.«

»Unfug, ich habe eine andere Frisur.«

»Und nicht nur das. Die Stirn, die Nase, das Kinn, das sind nicht Sie.«

»Ich bin eben ein wenig aufgegangen.«

»Das ist komisch, denn trotzdem wirken Sie auf dem Foto älter als in Wirklichkeit.«

»Hören Sie, man sieht überhaupt nichts. Lassen Sie es sein.«

»Na gut, ich werde telefonieren.«

»Der Große Drache erwartet mich.«

»Es ist nach Mitternacht. Ich muß anrufen. Das ist Vorschrift.«

Nach Mitternacht! Unmöglich, daß es so spät war . . . Daniel empfand eine Mischung aus Müdigkeit und Ekel. Es war noch kein Widerstand: er war zu müde, um aufzubegehren. Eines

Tages, später, würde er Widerstand leisten. das wußte er – er hatte es immer gewußt . . . Er ließ die Wagentür halb offen und las im Schein der Deckenlampe Ellens Brief.

*

Mein lieber Daniel,
ich freue mich dir mitteilen zu können, daß wir uns bald wiedersehen werden. Du kannst dir denken, daß eine derartige Begegnung nicht leicht zu organisieren ist. Aber alles geht in Ordnung. Du mußt dich nur auf einen Schock vorbereiten. Die Umgebung und die Umstände werden dich überraschen. Dies ist unvermeidlich aus Gründen, die du später erfahren wirst. Ich bitte dich, egal was geschieht, ruhig zu bleiben. Das chronolytische Universum hat noch Überraschungen für uns bereit . . . Viel Glück und auf bald.
Ellen

*

»Monsieur Diersant, kommen Sie schnell!« rief der Nachtwächter und öffnete die Gittertür. »Sie werden am Telefon verlangt. Es muß sehr wichtig sein, daß man Sie hier anruft und daß die das Gespräch hierhergelegt haben!«

Daniel zerknüllte wütend den Brief und stopfte ihn in die Tasche seiner petrolblauen Jacke. Er sprang aus dem Wagen und taumelte gegen die Mauer. Seine Beine trugen ihn kaum. Sein linker Arm war immer noch eiskalt, und er hatte Salzkristalle auf den Lippen.

»Sie sind erschöpft, wie?« erkundigte sich der Nachtwächter und stützte ihn. »Entschuldigen Sie wegen der Karte. Ich habe nicht gewußt, daß Sie so ein bedeutender Mann sind.«

»Warum so bedeutend?'

»Na, daß man Sie hier anruft«

»Wer will mich denn sprechen?«

»Das Sekretariat vom Chefarzt, glaube ich.«

Das Wachhäuschen war ein winziges quadratisches Zimmer mit grünen Metallmöbeln und einer riesenhaften Telefonzentrale. Daniel stützte sich gegen den Tisch und nahm den an die Seite gelegten Hörer.

»Diersant? Hier ist Holzach. Wo sind Sie?«

Daniel warf einen müden und abwesenden Blick um sich. Lieber Gott, werde ich denn hier niemals rauskommen?

»Das wüßte ich auch gerne! Irgendwo . . . Offensichtlich im Unbestimmten.«

»Sind Sie denn nicht im Werk in Choisy?«

»Wenn man so will. Ich bin an einem Ort, der Choisy ähnelt.«

»Vorsicht. Das Werk von Choisy befindet sich in einer chronolytischen Zone, die mehr oder weniger von HKH kontrolliert wird. Die Männer des Imperiums versuchen, Sie in die Enge zu treiben. Sie wollen Ihnen alle Wege in die Zukunft sperren, dann sind Sie ihnen auf Gedeih und Verderb ausgeliefert.«

»Was kümmert sie das, ob ich hier oder anderswo bin? Was wollen die von mir, lieber Gott?«

»Ich habe keine Ahnung.«

»Und die Phorden von Garichankar haben es Ihnen nicht erklärt?«

»Ich stehe nicht mehr in Kontakt mit den Phorden von Garichankar.«

»Also können Sie mir auch keine große Hilfe leisten.«

»Nun, ich kenne das chronolytische Universum und seine Fallen.«

»Allmählich gewöhne ich mich daran. Haben Sie mir die Nachricht in dem Brief der Nerek zukommen lassen?«

»Ich übermittle Ihnen ständig Nachrichten. Bewußt oder unbewußt. Eine von hundert kommt vielleicht an.«

»Das ist vermutlich auch ein Gesetz des chronolytischen Universums.«

»Die Kommunikationen sind schwierig im Unbestimmten und wenig sicher. HKH nutzt dies aus, um alles zu vernebeln und überall Zweifel und Mißtrauen zu säen.«

»Ich wüßte gerne, welche Rolle ich in all dem spiele.«

»Ich glaube, es ist eine bedeutende Rolle.«

»Aber bin ich nun Bauer oder Spieler?«

»Vielleicht sind Sie ein Bauer. Sie müssen aber zum Spieler werden. Jedenfalls kann ich Ihnen nicht helfen, wenn Sie mir ständig zwischen den Fingern hindurchgleiten. Ich würde gerne ein festes Band zwischen uns herstellen, aber Sie laufen die ganze Zeit davon, mein Alter. Ich . . .«

»In Wirklichkeit versuchen Sie doch, mich zu benutzen, nicht wahr?«

»Nein, das schwöre ich Ihnen. Wir sind Verbündete. Zwangsläufig. Das müssen Sie begreifen, Diersant.«

»Hol Sie doch der Teufel. Lassen Sie mich in Ruhe verrecken.«

Robert Holzach stieß ein spitzes verzweifeltes Lachen aus.

»Man stirbt niemals in Ruhe, mein Alter. Nicht mal das, tut mir leid . . . Wir werden noch einmal versuchen, den Kontakt mit Garichankar zu simulieren.«

Daniel holte tief Luft. In seinen Ohren dröhnte es.

»Also gut«, sagte er. »Allmählich werde ich Ihre Geschichten leid und frage mich, ob HKH nicht recht hat. Was muß ich tun?«

»Aber gar nichts. Absolut gar nichts. Gehen Sie einfach die Szene ruhig durch. Rühren Sie sich nicht, ergreifen Sie keine Initiativen. Ich komme und werde Ihnen beweisen, daß HKH Ihr Feind ist.«

»In Ordnung. Ich warte auf Sie.«

Daniel machte einen leichten Sprung nach vorne und rollte wohlkalkuliert langsam inmitten der Hauptallee. Er war immer noch müde und zerstreut. Er trat so wenig wie möglich auf das Gaspedal, sobald ihm jedoch die Gewalt über seine Muskeln ein wenig entglitt, tat der VW einen Satz nach vorne. Ein kurzer Tritt auf die Bremse zügelte ihn wieder. Der Mondschein ertränkte den Hof unter funkelnden Staubpartikeln. Die riesenhaften Gebäude des Werks schoben ihre Schatten wie bleierne Klippen in den Himmel. Langsam. Eine graue Form näherte sich zur Linken. Drei von vorne. Zwei von vorne rechts, zwei links, drei, vier! Insgesamt acht oder neun Wagen, die dem

Forestiers glichen. Und ein anderer hinterdrein. Das war symbolisch: die Bullen vermehrten sich, um die Straße in die Zukunft zu versperren. Abwarten. Keinerlei Fluchtversuch . . . Die Peugeots verlangsamten ihre Fahrt. Plötzlich war ein merkwürdiger Lärm zu vernehmen: das spöttische Pizzicato über dem Dröhnen der Trommeln. Und ab und zu das kreischende Lachen der Becken. Dieser Lärm erinnerte Daniel an etwas, das er nicht beschreiben konnte. Etwas, was sich zu dieser Musik am Grunde der Zeit abgespielt hatte. Mein Gott, wenn ich in Choisy einen Unfall gehabt hätte! Wenn mich dieser Verbrecher im Hof zerquetscht hat , als ich den Großen Drachen besuchen wollte? Und der andere, der elende Arzt, worauf wartet der noch, um sich zu zeigen?

Nun hielt der 404, der von vorne kam direkt und mit erschreckender Gemächlichkeit auf den VW zu. Instinktmäßig und entgegen seinen Vorsätzen trat Daniel leicht auf die Bremse. Seine Gesten hatten eine Auswirkung auf die Zeit, als wartete sie nur darauf. Der VW und der 404 wichen sich ein wenig aus, behielten jedoch ihren ursprünglichen Kurs im wesentlichen bei. Die anderen 404 stießen im gleichen Augenblick zurück. Daniel ließ die Bremse los. Und erneut machten sie sich zum Ansturm bereit. Der 404, der hinten aus dem Hof kam, schien im Sturzflug auf den VW herabzustürzen. Ein blasser Lichtschein zeigte zwei verschwommene Köpfe hinter der Windschutzscheibe. Der eine trug einen auf die Augen herabgezogenen Hut, der andere eine Schirmmütze. Der Kühlergrill erinnerte an das Gebiß eines Ungeheuers. Die zwei Fahrzeuge waren nur noch ein paar Meter voneinander entfernt, ein paar Zentimeter . . . Daniel trat wieder auf die Bremse und sogleich vergrößerte sich der Abstand wieder auf dreißig bis vierzig Meter. Er blies laut die Luft aus. Seine Hände und Knie zitterten. Sein Druck aufs Pedal wurde immer unregelmäßiger. Die zehn 404 und der VW tanzten nach vorne und zurück und näherten sich manchmal auf gefährliche Weise.

Daniel war wie berauscht vor Müdigkeit. Seine außergewöhnliche Erschöpfung betäubte in ihm jegliche Angst. Er sagte sich: dies ist nur ein unangenehmer Augenblick, den es durchzustehen gilt. So oder so werde ich aus der Sache herauskommen. Aufwachen, lieber Gott, aufwachen! Nun wünschte er nur noch eines: aufzuwachen. Er kreuzte die Arme vor dem Gesicht, er ließ den Kopf aufs Steuer sinken und gab mit einem Seufzer unvermittelt die Bremse frei. Er sah nicht, wie der 404 sich auf den VW stürzte. Der Aufprall warf ihn heftig zurück und drückte ihn gegen den Sitz. Er hörte einen Gongschlag und das heftige Pizzicato zwischen den Beckenklängen. Daniel nahm die Arme weg und hob den Kopf. Jenseits der Windschutzscheibe stieß die zermalmte Schnauze des grauen 404 in die Luft. Er wunderte sich, daß er nicht tot war, daß er nicht einmal ohnmächtig war. Ein merkwürdiger, fast angenehmer Schmerz bebte sanft in seiner Brust. Du vertrautes Tier, du zärtlicher Begleiter. Du bist in mir, meine Liebe, wie das Leben, der Tod. Er wollte die Hand heben, um das Tier zu streicheln, das ihm so zärtlich das Herz leckte, doch nichts tat sich. Weder Gefühl noch Bewegung. Seine Muskeln gehorchten nicht mehr. Gut, ich bin gelähmt. Darauf mußte ich mich gefaßt machen.

Ein Schwarm von weißen Gespenstern tanzte um die verunglückten Wagen: die Männer von Garichankar. Alles war in Ordnung. Daniel dachte: diesmal bin ich herausgekommen. Eine laue Flüssigkeit sickerte seine Kehle hinab. Blut? Aber ich bin doch nicht verletzt . . . Es war köstlich. Niemals hätte er geglaubt, daß Blut so gut schmecken konnte. Ein aufreizender Geruch nach frischem Brot zog durch den VW. Er lächelte. Dann standen die weißen Gespenster um ihn und beugten sich über ihn. Langsam verlor er die Besinnung.

*

Er lief auf der Straße. Es war eine gerade Straße, welche nur spärlich von barocken Laternen beleuchtet wurde. Die Luft war feucht und warm. Daniels Haut war staubig: seine feuchten Haare klebten auf Stirn und Nacken. Seine Weste trug er über dem Arm. Sein Hemd war völlig durchtränkt. Trotzdem schwitzte er nicht. Er schwitzte nicht wirklich. Er hob die Augen, aber der verschleierte Himmel ließ keinen Stern erkennen. Zwischen den Straßenlaternen erstreckte sich zur ebener Erde eine Art Rauch oder Nebel. Dem Geruch nach handelte es sich eher um Rauch. Ein bleierner Schleier schien die Stadt zu bedecken. Dichter Nebel, ohne Ende, hatte den Himmel verschlungen. War das der Sommer? 29. oder 31. Juli? Er lehnte sich an eine Laterne. Er war erschöpft. Raus hier, lieber Gott, nur raus hier. Was ist das für eine unbekannte Stadt? Was habe ich hier zu suchen? Er erinnerte sich an Forestiers Worte: »Wir werden Ihnen einen anderen Ausweis, andere Kleider geben und sie ins HKH bringen. Bis Sie herausgefunden haben, wer Sie sind und dies beweisen können, werden Sie einige Monate lang beschäftigt sein . . . Doch irgend etwas war nicht nach dem Plan dieser Verbrecher gelaufen. Er war Daniel Diersant, und er wußte es. Zumindest wenn dies nicht auch eine Illusion war. Vielleicht bin ich gar nicht Daniel Diersant. Vielleicht bin ich Renato Rizzi, der Matrose mit der verkrüppelten Hand. Oder Jean Larcher, der Ingenieur im abgetragenen Anzug. Oder Robert Holzach, der Psychronaut von Garichankar . . . Und ich habe mich in einer Stadt des industriellen Imperiums verirrt. So ist also die Zukunft? Diese Luft, die kaum zu atmen ist, diese Feuchtigkeit, diese Schwüle, die mit einer Art innerer Kälte einhergeht . . . Diese verlassene, schlechtbeleuchtete Stadt . . . Nein, das ist nicht wahr. Das ist ein Alptraum. Ich bin krank oder verletzt. Ich liege im Delirium. Und plötzlich erinnerte er sich: das Werk von Choisy, die grauen Peugeot 404 und der Unfall. Er wagte es nicht, die Hand zur Brust zu führen, wo seine Verletzung sein mußte. Er träumte also und lag in einem Krankenhausbett. Er würde davonkommen. Alles war in Ordnung. Die unbekannte Stadt mit den engen Straßen und den barocken Laternen existierte nicht. Er verwarf sie. HKH und Garichankar existierten ebenfalls nicht. Und entschlossen verwarf er auch sie.

*

Er trug einen alten, zerrissenen Umhang und eine Pumphose. Sein einziges Gepäck bestand in einem Ballondraht. Er reiste mit der Gratbahn, der Eisenbahn der Armen und Vagabunden: es ging nicht besonders schnell, aber es kostete nichts. Er saß auf einer schmierigen Matte und sah die fast wüstenhafte Ebene hinter den gesprungenen Scheiben des Waggons vorbeiziehen. In seiner Nähe saß eine Gruppe von Glücklichen, die völlig nackt waren, in ein Nagoam-Spiel vertieft waren und Hanfzigaretten von Berg rauchten. (Berg war dieser Phantasieplanet, der die Menschen für ihre Niederlagen in der Raumfahrt entschädigte.) Er sah auch ein paar bewaffnete Bauern – was verboten war – und einen Hausierer, der seinen Trödelkram in einem durchsichtigen Koffer mit sich trug. Die Ventilatoren bliesen stinkende und wenig frische Luft durch den Wagen. Die Temperatur mußte knapp unter dreißig Grad liegen. Draußen briet eine eiserne Sonne das tote Land. Das industrielle Europa verwandelte sich in eine Wüste zurück. Das war nur gerecht.

Rob stand auf und machte ein paar Schritte auf dem Gang. Eine junge Frau stieß ihn an und bot ihm ein Mebsitaldragée an. Sie war sehr groß und ihre weiten Kleider konnten nicht verheimlichen, wie schlank sie war. Eine Art von hohem und halb aufgeschlagenem Kragen bedeckte ihren Nacken und verbarg den größten Teil ihres Gesichts. Er konnte kaum ihre strahlenden, schmalen, grünblauen Augen sehen. Ihr kupferfarbenes Haar fiel ihr in die Stirn und lag dicht um ihren Hals. Rob konnte kaum ihre Brauen, ihre Nasenwurzel erkennen und konnte die Gestalt ihres Körpers nur erraten. Trotzdem bezweifelte er nicht, daß sie sehr schön war. Ihre Kleidung wies sie als staatliche Prostituierte aus, und diese Mädchen waren immer schön. Rob nahm die Tablette an, die sie ihm entgegenhielt.

»Kanastiwa« , sagte sie.

»Choisy« , erwiderte er. Das waren die ausgemachten Parolen. Sie bat ihn, mit ihr zu kommen und er gehorchte. Sie sollte ihn zu Ellen führen, irgendwo in diesen Gratbahn. Er hätte eine weniger auffällige Mittlerin bevorzugt, er kannte jedoch den seltsamen Geschmack von Dr. Laumer. Er folgte der jungen Frau durch fünf oder sechs Waggons. Sie erklärte ihm, daß sie Monika hieß. Monika mit einem k, fragte er. Ja, mit einem k, sagte sie. Sie gelangten an ein Abteil, das sich eine Sektengruppe des Blauen Elefanten, die so mager waren wie Skelette, und vier zerlumpte Milizleute teilten, die sich um eine Reisschale niedergelassen hatten. In einer Ecke hinter den Sektenleuten saß eine Frau in einem Schleier nebelweißen Rauchs. Sie trug ein kurzes mauvefarbenes Kleid, war klein, schlank, wirkte fälschlicherweise zerbrechlich, hatte eine starke Brust und ein helles, fast weißes Gesicht unter rabenschwarzen Haaren, riesenhafte, eindeutig asiatische Augen mit langen, samtenen Wimpern. Ellen.

Er ließ sich neben sie auf die Matte fallen. Lieber Gott, was war er müde! Er hatte das Mebsitaldragée in seine Tasche gesteckt: für diese Begegnung benötigte er einen klaren Kopf. Monika hob das rote Seidenkleid und setzte sich zwischen den beiden in einer leicht yogaartigen Pose (ihre Beine waren jedoch nicht zu sehen). Sollte sie also an diesem Gespräch teilhaben, ihnen zuhören? Vielleicht schlief sie mit Ellen. Dr. Holzach seufzte. Das Garichankar-Hospital müßte von seinen Psychronauten ein etwas keuscheres Leben fordern. Ellen gab Rob Zeichen, näher zu rücken. Sie änderte ihre Stellung, um ihm ein wenig Platz zu machen. Der Rock öffnete sich wie eine Blumenkrone auf schwarzen Spitzenblättern und zeigte ihre langen, goldenen Schenkel. Dann begann sie, Robs Kleidung aufzuknöpfen.

»Falls der Sicherheitsdienst uns überrascht«, erklärte sie lächelnd.

Der Sicherheitsdienst war präsent. Hier, anderswo. Überall. Er hatte ihn fast vergessen. Und vielleicht verfolgte ihn Forestier.

»Einverstanden, ich will gerne mitspielen« , sagte er. »Aber bitte nicht zu heftig, ich bin wie tot. Und du, bleibst du hier?« erkundigte er sich bei Monika.

»So ist es geplant. Ich bin professionelle Voyeurin. Ich kann dir meine Karte zeigen.«

»Ich glaube dir, versicherte Rob.

Ellen streichelte ihn vorsichtig. Ein unruhiges Licht flackerte in ihren hellbraunen Augen. Er dachte, daß sie Angst hatte.

Aber wovor? Sie rieb ihre Stiefel aneinander und schlug die Beine mit provozierender Grazie übereinander. Dann machte sie sich wieder energischer daran, ihn zu streicheln, wie sie es zuvor begonnen hatte. Wollte sie ernst machen oder amüsiert sie sich nur auf meine Kosten? Er schlüpfte vorsichtig aber entschlossen aus ihren Händen. Der Duft der beiden Frauen wogte grausam über ihm hinweg. Der von Ellen heiß, säuerlich, würzig, ein weniq exotisch und der von Monika: ein Duft nach Fleisch und Milch, nach längst verlorenen Blumen . . .

»Du kannst vor Monika offen sprechen, sie ist eine Freundin aus Garichankar« , sagte Ellen leise.

Sie legte eine kleine Hand mit goldenen Fingernägeln auf Robs Schenkel, da, wo die Pumphose zerrissen war und nackte Haut sehen ließ. Monika verteilte Berg-Zigaretten. Ellen fuhr sich mit dem Zeigefinger langsam über die Wange, sie wirkte nachdenklich und ernst.

»Nun denn, Rob, wir hören.«

»Wir hören . . .«

»Wir hören!«

»Wir hören . . .«

Er sah sie an. Aus ihrem festgebundenen Haar schlüpften da und dort kleine luftige Löckchen, die das schmale Oval ihres Gesichts unterstrichen. Dieses Gesicht erweckte in ihm, er wußte nicht welche geheimnisvollen Erinnerungen jenseits der Zeit.

»Du hast dieses Treffen herbeigeführt«, sagte er. »Du mußt anfangen.«

»Es wäre mir lieber, wenn du zuerst sprichst. Ich glaube, das wird mir helfen, dir das beizubringen, was ich dir saqen muß.«

»Hilf mir«, bat Rob. Sag mir, was ich hier tun sollte.«

»Willst du sagen, daß du deinen Auftrag vergessen hast?«

»Meine Erinnerungen sind umnebelt. Ich bin mir meiner Identität nicht mehr gewiß.«

Du bist Dr. Holzach vom Garichankar-Hospital. Du hast von den Phorden den Auftrag, eine Studie im Jahr 1966 durchzuführen. Unsere Begegnung findet deshalb in der ungewissen Zeit statt. Du befindest dich in der Tiefenchronolyse und ich nur in der mittleren. Wir trefen uns auf halbem Weg.«

»Warum das Jahr 1966?'

»1966 wurde nicht direkt ausgewählt. Es handelte sich um ein systematisches Studienprogramm zur Erforschung der Periode 1966 bis 1985, eine entscheidende Periode unserer Geschichte. Die darauf folgende von 1985 bis 1998 ist noch bedeutender, noch entscheidender, aber auch besser bekannt.«

»Ja, daran erinnere ich mich. Aber . . . Hat mein Auftrag etwas mit HKH zu tun?«

»Vielleicht indirekt. Man glaubt, daß die industriellen Imperien im Keim bereits in der Gesellschaft von 1965 bis 1970 vorhanden waren.«

»Die HKH-Geschichte hatte ich vergessen. Für mich war es eine völlige Überraschung, als ich . . . als Daniel Diersant im Unbestimmten den Männern des Imperiums begegnet ist.«

»Das ist normal. In diesem Augenblick waren deine Erinnerungen und Vorstellungen jene von Daniel Diersant.«

»Aber ich habe immer noch nicht begriffen, was die Gespenster von Hans Karl Hauser und Harry Krupp Hitler wollten.«

»Ich weiß es auch nicht. Ich werde meinen Bericht ans Phordalnetz geben. Ursprünglich betraf dein Auftrag nicht HKH speziell, doch gewisse Ereignisse sind eingetreten, die die Situation verändert haben. Davon werde ich dir später erzählen.«

»Hat HKH nicht mehrmals versucht, mich von Daniel Diersant zu trennen . . . Und hat er Erfolg gehabt? oder hat Garichankar versucht, mich zu wecken, um Kontakt mit mir aufzunehmen? Um unser Treffen zu organisieren?«

»Wir haben unseren Kontakt bei unserem ersten Versuch herstellen können. Wir haben dich also nicht gestört. Doch der Bruch der Verbindung zwischen Diersant und dir ist vielleicht zwangsläufig eingetreten. Das kommt häufig vor.«

»Und mein Halbschlaf?«

»Ja . . . Tatsächlich kann das ein Einschreiten von HKH bedeuten. Ich werde meinen Bericht machen.«

»Sag mir doch noch mal die Daten des Imperiums.«

»1985 bis 1998. Wie du weißt, haben die Ereignisse des Jahres

1998 zum Verschwinden aller Privatimperien in Europa und Amerika geführt. Nur das Imperium Leso, das Japan beherrschte, hat überlebt.«

»Wie haben sich denn diese Imperien bilden können?«

»So ungefähr um 1980 befanden sich die sogenannten entwickelten Länder im folgenden Dilemma: entweder das industrielle Wachstum zu stoppen oder den Planeten zu zerstören. Dies war 1970 absehbar, doch die öffentliche Meinung stand für das Wachstum. Ins Schwanken geriet sie erst um 1980. Damals gerieten dann die großen kapitalistischen Gesellschaften und mit ihnen die fanatischen Befürworter der wilden Industrialisation in die Minderheit. Dies brachte eine Reaktion faschistischen Typus mit sich. Um sich zu halten, mußten die Gesellschaften mit den Regierungen brechen, die sich unter dem Druck der Massen als immer störrischer erwiesen. Dies führte zwischen 1985 und 90 zur Gründung der privaten Industrieimperien. In Europa war HKH der bedeutenste und hat bald alle anderen aufgesogen, wie es dem Monopolgesetz entspricht. Bis zu dem Aufstand von 98 . . .«

Sie warf Rob einen ruhigen aber leidenschaftlichen Blick aus ihren nußbraunen Augen zu. Und Rob spürte einen Freudenschwall in seinen Kopf emporsteigen. Heftige Begierde spannte seinen Penis. Auf bald, Ellen.

»So, nun hören wir dir zu«, sagte sie.

Rob seufzte ausgiebig voller Unbehagen.

Nichts ist schwieriger, als ein psychronautisches Erlebnis zu erzählen. Was ist in Garichankar vorgefallen?

»Nicht nur in Garichankar. Ich werde dir das später erklären.«

»Etwas Ernstes?«

»Ja.«

»Etwas, was mich betrifft?«

»Das uns alle betrifft. Aber zuerst wollen wir dich hören.«

»Nun gut . . . Ich . . . Ich werde im Namen von Daniel Diersant sprechen. Ich bin . . . sehr erschöpft. Ich empfinde eine Menge bizarrer Eindrücke. Ich nehme an, daß das normal ist. Diese Vermischung der Persönlichkeiten. Es ist, als hätte ich die Gewißheit, bald zu sterben. Irgend etwas stimmt nicht. Diese Epoche bringt eine erstickende Atmosphäre mit sich. Vor allem auf geistigem Gebiet, denn die Luft ist noch einigermaßen zu atmen, trotz der Wagen und der vielen Fabriken. Noch ist nichts verloren 1966. Doch die Leute machen sich keine Gedanken. Es ist erschreckend. Und ihre Wagen . . . unglaublich. Sie sind überall. Schon im Jahre 1966. Die Bullen übrigens auch, das geht auch schon los. Man ahnt schon sehr wohl, was die Periode 70 bis 90 mit sich bringt: Umweltverschmutzung und Repressionen . . . Die Wagen, die Pharmaka, die Polizeigewalt, das Geld: das sind die vier Pfeiler ihrer Zivilisation. Und darüber eine kleinliche, unfähige, irrationale Bürokratie. Darüberhinaus üben die großen Monopole ihre Macht bereits ganz offen, manchmal auch noch insgeheim aus, doch sie übersteigt bereits die Macht des Staates.«

»Das wissen wir, Rob. Du wußtest es auch, ehe du ins Jahr 1966 zurückgetaucht bist. Es ist eine nützliche Bestätigung. Wir hätten nun jedoch gerne präzise Details.«

»In meiner Erinnerung verwischt sich alles. Stell mir Fragen.«

»Ist es sehr schwierig?«

»Nein . . . Nicht sehr schwierig. Zumindest nicht für mich. Ich stehe nicht ganz unten auf der Leiter. Wenigstens zuerst nicht. Allerdings haben sie mich inzwischen gefeuert. Auf der untersten Sprosse ist es sicherlich sehr hart. Das Elend und die Not im Überfluß der Industriegesellschaften, das ist das Schlimmste, was es gibt. Die kalifornischen Forscher haben das bewiesen. Was mich in dieser Welt, im Frankreich des Jahres 1966 frappiert hat, ist die extreme Ungleichheit, die Kluft zwischen den obersten und den untersten Klassen. Nach genauer Erwägung frage ich mich, ob es im Laufe der Geschichte jemals größere Gegensätze gegeben hat. Und außerdem herrscht diese Traurigkeit, diese Schlaffheit, diese . . . dieser Geschmack am Tod, den ich kaum definieren kann. Die Ungleichheit ist einer der Mechanismen ihrer Gesellschaft. Doch die Traurigkeit und die Schlaffheit entspringen nicht nur der Ungerechtigkeit. Oft hat man den Eindruck, daß HKH sich bereits ankündigt. Vielleicht ist das auch nur ein Vorurteil. Ich weiß nicht . . . Ich habe ganz vage den Eindruck, daß mein Leben nicht wert war, gelebt zu werden. Ich war nicht einmal sicher, überhaupt zu leben. Es ist möglich, daß ich versucht habe, mir das Leben zu nehmen.«

»Wie das?«

»Vielleicht habe ich ein Röhrchen Mebsital geschluckt. Oder meinen Wagen an einen Baum gefahren. Pharmaka oder Wagen. Ich weiß es nicht. Ich mache ziemlich schlimme Phasen chronolytischen Deliriums durch, und es fällt mir schwer, mich in meinen Erinnerungcn zurecht zu finden.«

»Man hat dich von deinem Posten verjagt? Warum? War dies häufig zu jener Zeit?«

»Oh ja, ganz und gar normal. Sie haben mich rausgeschmissen, obwohl ich nicht genau verstehe, warum eigentlich. Es gelingt mir nicht, die Folge der Ereignisse zu rekonstruieren. Ich habe in der pharmazeutischen Branche einer Chemiegesellschaft, der Sèac, gearbeitet. Der Generaldirektor dieser Gesellschaft stand kurz vor seiner Pensionierung und die hohen Leiter haben sich um die Nachfolge geschlagen. Die Situation ist äußerst komplex, ich bin weit davon entfernt, sie wirklich zu begreifen. Es ist möglich, daß ich ohne mein Wollen – oder vielleicht auch willentlich – zu einem gewissen Zeitpunkt in diesen Krieg verwickelt wurde. Eines Abends habe ich mich zum Werk von Choisy begeben, um Direktor Robert Sarthès, mit Übernamen der Große Drache (warum, weiß ich auch nicht mehr) zu sprechen. Es war spät abends. Es sieht so aus, als bliebe Sarthès manchmal bis Mitternacht in seinem Büro. Vielleicht ist das auch nur eine chronolytische Allegorie. Ich weiß es nicht. Ich fahre also bei Einbruch der Dunkelheit nach Choisy (wir sind Ende Juli, es ist so ungefähr neun, halb zehn). Ich habe Übersetzungen bei mir. Denn ich bin technischer Übersetzer bei der Séac, und mein hoher Chef, der Geschäftsführer Max Roland, hat mir daraus einen Vorwurf gemacht und meine Entlassung unterschrieben (aber ich bezweifle, daß diese Szene real ist). Ich war Chemiker, aber da ich auch eine gute literarische Ausbildung genossen habe, hat man mich ganz allmählich aufs Abstellgleis von Archiv und Übersetzung geschoben. Und jetzt benutzt man dies als Vorwand, um mich auszuschalten.

Ich verstehe es nicht gut, jedenfalls nicht besser. Ich komme also ans Werk von Choisy. Der Nachtwächter reagiert auf mein Hupen. Ich gebe ihm meine Séac-Karte . . . In der chronolytischen Version dieser Szene wird die Séac-Karte häufig zu einer HKH-Karte.«

»Du setzt also HKH mit der Séac gleich?«

»Mehr oder weniger. Und Forestier, der Sicherheitschef der Séac hat mir erklärt, diese Karte sei eine plumpe Fälschung. kurz gesagt, ich komme durch. Ich fahre in den Hof des Werks. Da schlägt Forestier zu. Sein 404 stürzt sich auf meinen Volkswagen, es gelingt uns gerade noch, einen Unfall zu vermeiden. Doch der Hausbulle macht seinen Bericht, am nächsten Morgen werde ich zum Sitz der Gesellschaft vorgeladen, wo man mir meine Kündigung aushändigt. Vorsicht, dies ist jedoch keine sichere Tatsache. Dies ist ein Strang der Wahrscheinlichkeit. Apropos, wie groß ist denn die Wahrscheinlichkeit der Information, die du mir lieferst?«

»Sehr hoch. Unser Treffen ist eine ganz und gar außergewöhnliche Operation, die die Phorden von Garichankar in die Wege geleitet haben und kontrollieren. Ich glaube nicht, daß eine größere Fehlerquote als zwanzig Prozent möglich ist. Es ist die höchste Wahrscheinlichkeitsstufe, die im Unbewußten jemals erreicht wurde. Zumindest meiner Meinung nach.«

»Und weshalb kommt mir diese außergewöhnliche Maßnahme zugute?«

»Nicht nur dir. Es wurde beschlossen, alle Psychronauten die in einer Mission auf diesem Planeten unterwegs sind, zu warnen, ohne sie zurückzurufen.«

»Also ist es sehr ernst.«

»Es ist noch zu früh, das Ausmaß der Ereignisse abzuschätzen. Bitte fahr doch fort.«

»Vor ein paar Tagen wurde ich zum Direktor der Cerba-Laboratorien gerufen. Cerba ist eine gemeinsame Filiale der Séac und der deutschen Gruppe Nerek und Frobacher. Sie haben mich provisorisch versetzt, vielleicht um mich loszuwerden. Dann hat Defner, der Direktor, mir vorgeschlagen, mich endgültig zum Cerba zu übernehmen und aus gewissen Gründen habe ich abgelehnt. Darüberhinaus besitzt der Geschäftsführer Roland einen Brief, den die Nerek an mich gerichtet hat und in diesem Brief bieten mir die Deutschen einen Posten in Amerika an. Dies kommt mir wenig wahrscheinlich vor. In einer anderen chronolytischen Version bin ich im Besitz dieses Briefes. Kein Rauch ohne Feuer. Dies ist also ein anderer Wahrscheinlichkeitsstrang.«

»Ich möchte dich auch daran erinnern, daß du einen Unfall hattest, oder daß man versucht hat, dich umzubringen, oder daß du einen Selbstmordversuch unternommen hast. Du mußt herausfinden, was wirklich geschehen ist. Das ist ein wichtiger Aspekt deines Auftrags, zumindest war dies so zu Beginn. Die letzten Ereignisse haben dies allerdings auf den zweiten Platz verwiesen. Trotzdem rate ich dir, deine Forschungen in diesem Sinn weiterzuführen. Ich würde gerne noch ein paar Fragen stellen.«

»Ich höre.«

»Wie hast du meine Nachrichten erhalten?«

»In Form von Briefen, die ich vor dem Werk in Choisy lese, während ich darauf warte, daß der Nachtwächter mir aufmacht. Insgesamt bestehen viele Irrtümer und Ungewißheiten, ich bin jedoch froh, sie zu lesen, und es hilft mit moralisch sehr.«

»Du hast mir zwei Wahrscheinlichkeitsstränge genannt. Gibt es andere?«

»Ja, mindestens zwei weitere.«

»Wie erklärst du dir die Anwesenheit von HKH in dieser chronolytischen Zone?«

»Ich kann nichts erklären.«

»Glaubst du, daß sie dich suchen?«

»Mich . . . Robert Holzach? Oder Daniel Diersant?«

»Nun, den einen wie den anderen.«

»Sie haben vielleicht entdeckt, daß Dr. Holzach sich in der Persönlichkeit von Daniel Diersant versteckt. Und sie versuchen über Diersant, Kontakt mit mir aufzunehmen.«

»Und das fällt ihnen schwer. Sie verfügen nicht über die von Garichankar.«

»Ja, doch das Unbestimmte ist ihre Welt.«

Das zunehmende Dämmerlicht verhüllte Ellens Blick für Rob. Trotzdem machte es den Eindruck, als beobachte die junge Frau ihren Begleiter mit einem gewissen Mißtrauen. Als habe er sich in der ungewissen Zeit eine merkwürdige Krankheit zuziehen können . . . Oder als sei er HKH-Agent geworden. Ihr pechschwarzes Haar verschleierte das marmorne Gesicht. Sie war schön, ein wenig schöner noch als in Wirklichkeit, so, wie er sie geliebt hatte, so, wie er sie sah, oder so, wie die Phorden von Garichankar sie sich in ihren kalten Herzen vorstellten. Er hatte nur noch Augen für sie. Ein chronolytischer Schatten strich nun über sie hinweg. Die simulierte Umgebung löste sich nach und nach in graue Nebelfetzen auf. Sogar die Geräusche wurden leiser. Das Zischen des Triebwagens, das Knirschen der Waggons, der Gesang der Fanties. Die Milizleute waren völlig verschwunden. Durch die gesprungene Scheibe sah man nur noch einen rötlichen Fleck. Die langen, rotblonden Haare Monikas fielen auf Ellens Schulter herab, der Nebel hatte jedoch bereits ihr Gesicht verschlungen.

»Ich habe nun genug Einzelheiten für meinen Bericht«, erklärte Ellen. »Ich hoffe, daß wir nicht allzuschnell unterbrochen werden. Du mußt erfahren was geschehen ist.«

Ihre Stimme war leise, wie aus der Ferne. Ein schwaches Echo verdoppelte einige Silben. Rob glaubte, daß der Kontakt bald unterbrochen würde. Er tastete nach Ellens Hand, fand sie und drückte sie fest und zärtlich in der seinen. Ellen, lieber Gott, verlaß mich nicht!

»Es begann in Kalifornien, wahrscheinlich kurz vor deiner Abreise. Palo Alto, San Louis . . . Ein Phänomen, das man für völlig ausgeschlossen gehalten hätte. Vielleicht hat man deshalb so lange nicht verstanden. Inzwischen sind auch die autonomen Hospitäler in Peking, Oslo, Lusaka, Lausanne und Algier betroffen . . . Und Garichankar. Alle möglichen Hypothesen wurden vorgetragen. Man sprach von einem Erdrutsch im chronolytischen Universum, von einer Invasion, wenn nicht gar von einer Aggression. Einige glaubten an einen Versuch HKHs, die Erde zu erobern. Man beschuldigt uns. Man sagt, unsere Experimente seien schuld. Ein Unfall . . . Was ist geschehen? Eine große Anzahl von Personen in den Hospitälern der ganzen Welt – und eben auch in gewissen Städten von Utopie 01 – verfielen mehr oder weniger in den Zustand der Tiefenchronolyse. Man weiß nicht, ob sie per Zufall Chronolytika zu sich genommen haben, oder ob die Chronolyse plötzlich ansteckend . . . oder natürlich wurde. Zuerst hatte man beschlossen, alle Psychronauten zusammenzurufen, doch die Phorden aller Welt haben dagegen Widerstand geleistet. Dann hat man versucht, eine Verbindung mit euch herzustellen, die so sicher wie möglich ist. Deshalb haben wir uns getroffen. Und viele andere Kontakte dieser Art werden im Augenblick geknüpft. Es sieht so aus, als breite sich die Krankheit in ganz Kalifornien aus. Eine Vergiftung, eine Epidemie? Man weiß es nicht. In Garichankar ist die Lage weit weniger ernst. Die Krise ist noch nicht übers Hospital hinausgegangen. Sie ist sogar bis auf einige Ausnahmen auf die engsten Kreise beschränkt. Eine Krankheit . . . oder ein Angriff. Ja, es ähnelt eher einem Angriff. Wir sind jedoch in der Lage, uns zu verteidigen. Wir haben die Phorden und äußerst starke chronostatische Drogen, wie du weißt. Das Wesentliche besteht nun darin, den Feind zu identifizieren, falls es sich tatsächlich um einen Angriff handelt. Das Phordennetz rechnet mit den Psychronauten, die unterwegs sind, um uns zu helfen. Nein, im Augenblick steht nichts zu befürchten. Außer in Kalifornien. In den Städten gibt es bereits einige Opfer. In Palo Alto sollen drei Personen in einem Fahrstuhl umgekommen sein . . . Dem einzigen der Stadt. Die Passagiere verfielen in die Chronolyse und mußten ein völlig falsches Manöver vorgenommen haben. Glücklicherweise gibt es in Utopie 01 weder viele Maschinen noch Straßenverkehr. Hoffen wir, daß das Phänomen sich nicht in hochmechanisierten Städten ausbreitet. In Peking, Algier und Lusaka wäre es verheerend. Ich fürchte, daß man die autonomen Hospitäler verantwortlich machen wird und uns zwingt, unsere Forschungen einzustellen. Ja, die Psychronautik läuft Gefahr, unter der ganzen Sache zu leiden . . . Oder aber Nutzen daraus ziehen, wer weiß, da jedermann nun Psychronaut werden kann mit dem Einsatz seines eigenen Körpers. Wir werden es später erfahren. Auf jeden Fall hat das Katastrophenkomitee den autonomen Hospitäler es für notwendig erachtet, daß alle Reisenden gewarnt werden. Du weißt nun Bescheid. Wenn die Situation sich verschlimmern sollte, werdet ihr bald zurückgerufen. Aber du weißt ebenfalls, daß ein vorzeitiger Rückruf äußerst gefährlich ist. Auf jeden Fall kann das Phordalnetz von Garichankar, wenn notwendig, ohne jede menschliche Mitwirkung gut funktionieren. Im äußersten Fall riskiert du, das Hospital bei deiner Rückkehr völlig desorganisiert vorzufinden. Und da eine Chance besteht, daß du dann immun bist gegen die Ansteckung, müßtest du zu unserer eigenen Rettung mit Hilfe der Phorden arbeiten . . . Allerdings stehen die Chancen eins zu tausend, daß dieser Fall eintritt.

Für dich hat sich, bis neue Befehle kommen, nichts verändert. Du fährst mit deiner Untersuchung über die Ereignisse des Jahres 1966 fort. Die psychronautische Forschung muß intensiver denn je weiterbetrieben werden. Man wird uns gewiß angreifen und versuchen, uns auszuschalten. Wir müssen ein Höchstmaß an vernünftigen Resultaten liefern und zwar so schnell wie möglich.

In einigen Augenblicken wird der Kontakt zwischen uns unterbrochen werden. Ich habe dir die Nachricht fast unverändert zukommen lassen. Einen großen Teil davon wirst du nun vergessen. Das hat keine Bedeutung. Im Augenblick, da man dich zurückruft, wirst du dich erinnern. Und es war ein phantastisches Erlebnis . . . Unsere Begegnung war für dich sicher schmerzlich. Du sollst wissen, daß es für mich nicht anders ist. Aber ich hatte auch die Freude, dich wiederzusehen. Ich glaube, daß alles gut wird und die Phorden uns die Operation zu Ende führen lassen. Dann sind wir mit Gewißheit wieder zusammen und haben viel Zeit.

Viel Glück, Dr. Holzach!

»Ellen, so höre mich doch an!«

»Rob, ich kann nicht . . .«

»Auf . . .«

VI

Die Straße folgte einem leichten Abhang. Das Pflaster war schleimig und glatt. Die Häuser ähnelten sich alle: hoch, bullig, grau, streng, mit schmalen Türen, metallenen Fensterläden und ohne Erker oder Balkone. Wegen des Rauchs oder des Nebels sah man nicht weiter als fünfzehn Meter. Daniel gelangte an eine Kreuzung, die er vorher gar nicht gesehen hatte. Sie war jedoch ein wenig besser beleuchtet, als die Straßen. In ihrer Mitte erhob sich eine Art Hinweistafel mit vier Pfeilen. Daniel trat vom Gehweg herunter, panschte durch den Straßenschmutz und machte eine Runde um den Wegweiser. Der Pfeil nach links von Hang aus gesehen besagte: Garichankar-Hospital. Der nach rechts: HKH. Der geradeaus: Perte en Ruaba. Der vierte, der in die Richtung wies, aus der Daniel kam: Werk von Choisy.

Wie sollte er den Ablauf dieses Alptraums durchbrechen? Er war gar nicht mehr sicher, ob er es überhaupt noch wollte. Die Wirklichkeit hieß wahrscheinlich, daß sein geschundener, blutiger Körper auf einem Krankenhausbett lag – im Garichankar-Hospital vielleicht, falls es existierte, oder in irgendeinem anderen. Alles in allem war der Alptraum, so beklemmend und düster er sein mochte, immer noch besser als das. Sicher, es bestand ein Risiko. Er vergaß Ellens Warnung nicht: einige Minuten können dem Schlafenden als Tage oder Monate erscheinen, der Traum kann die Wirklichkeit so weit ersetzen, daß er die Rückkehr in den Wachzustand vereitelt . . . Wie hatte Ellen dies wissen können? Vielleicht war sie eine Mittlerin, ebenso wie Renato, Larcher und Robert Holzach zu diesen mysteriösen Wesen, die mit mir sprechen wollen. Denn man versucht, mit mir in Verbindung zu treten, da bin ich sicher, so tief ich auch schlafe. Vielleicht werde ich ihnen begegnen, wer immer sie sein mögen.

Er begann einen Bogen um den Wegweiser zu machen, seine Weste trug er unter dem Arm. Er schwitzte immer noch. Das Atmen fiel ihm immer noch schwer. Was mache ich nur hier, lieber Gott? Diese verlassene, düstere, stinkende Stadt, war dies das Bild der Zukunft oder ein Warnbild seines Unterbewußtseins? Dem Traum zu entkommen, schien unmöglich. Welche Richtung sollte er also einschlagen? Zum Krankenhaus oder zum Imperium? Zum Werk von Choisy oder La Perte en Ruaba (aber was war noch mal gleich Perte en Ruaba?). Er beschloß, seinen Geist mit seinem Körper wieder zu vereinigen, das heißt, ins Hospital zurückzukehren, wo er sich zweifellos wirklich befand. Ihm tat es leid um das unbekannte Ziel – La Perte en Ruaba – er besaß jedoch nicht den Mut, sich in ein Abenteuer zu stürzen. Vor dem Alptraum war es genauso gewesen. Er ging in einem Labyrinth im Kreis und träumte von einem Ausweg, in Wirklichkeit bemühte er sich jedoch nicht darum. Sein Leben war ja bereits ein Alptraum gewesen. Er sagte sich: ich träume. Er unternahm jedoch keinerlei Anstrengungen zu erwachen. Er wußte, wenn er erwachte, mußte er eine Entscheidung treffen. Also akzeptierte er den Dämmerschlaf.

Er schlug den Weg zu seiner Linken ein, der zum Hospital führte. Seine Schritte hallten auf dem Trottoir wieder, trotzdem fühlte er sich leicht, luftiq, wie vom Wind getragen. Er mußte dem Impuls widerstehen, nicht zu hüpfen. Ja, das mußte die richtige Richtung sein. Er beglückwünschte sich zu seiner Wahl. Seine Erschöpfung war ihm immer noch bewußt, doch sein Gewicht reduzierte sich um so stärker, je näher er zum Hospital kam. Gott, was war er leicht! Er hätte fast davonfliegen können. Im Grunde genommcn gefiel ihm das überhaupt nicht. Er wollte wohl zurückkehren, sich mit seinem Körper wiedervereinen, hatte jedoch keine Eile. Er hatte genügend Zeit, um Einsamkeit und Leiden wiederzuerlangen. Denn sicherlich litt er und vielleicht hatte er diese Reise nur erfunden, um seinem Schmerz zu entfliehen. Ja, er würde bald zurückkehren . . . Später. Er suchte eine Zerstreuung, ein unvorhergesehenes Ereignis, etwas Unmögliches, etwas, das ihn einen Augenblick länger von der Realität fernhielt. (Sieh an, das ist neu: darauf habe ich immer gewartet . . .) Er fühlte sich nicht in dcr Lage, dieses Ereignis zu provozieren und herbeizuführen. Er erwartete, daß dies andere unternahmen, die Gesellschaft, die Welt oder Gott.

Voller Hoffnung betrachtete er die Straße. Er hatte Durst. Sein Blick suchte einen Brunnen, einen Wasserhahn, egal was: nur einen Ort, wo er etwas zu trinken bekam. Würde das Wasser, das er im Traum tränke, seinen Durst stillen? Es war wenig wahrscheinlich . . . Er ging weiter durch Rauch oder Nebel oder Gott weiß was ins Unbekannte, die Zukunft oder irgendein geheimnisvolles inneres Universum. Der Himmel blieb düster, die Nacht undurchdringlich, die Luft wie heißes Zuckerwasser. Er hatte den Eindruck, süße Dämpfe einzuatmen. Eine Art Punschgeruch. Nein. Er berichtigte sich: ein Geruch nach zermalmten Äpfeln. Plötzlich sah er zu seiner Rechten eine beleuchtete Fassade. Ein offenes Lokal? Er ging über die Straße. Vielleicht war das das gewünschte Ereignis. Er war ärgerlich auf sich, nichts Besseres erfunden zu haben. Er blieb vor der Tür stehen und fragte sich, ob er nicht doch den Weg zurück nach Choisy einschlagen sollte, oder zu HKH oder La Perte en Ruaba. Seine Hand klebte auf der schmutzigen Klinke. Endlich rang er sich durch, stieß die Tür auf und betrat die Bar. Auf Anhieb verabscheute er die exotische, naive Aufmachung: Bambuswandschirme, Matten, Muschelketten, Lanzen, Felle, Bilder im Kolonialstil. Und gleichzeitig fühlte er sich wider seinen Willen angezogen, von einer abstoßenden Nostalgie ergriffen, einem Gemisch aus Müdigkeit und Ablehnung. Außerdem gefiel ihm die Atmosphäre in dem Raum, in der sengende Stille herrschte, eine Atmosphäre geschwängert aus Abenteuern und Komplizenschaft. Einige Stammgäste warfen mit langsamen und leicht zittrigen Handbewegungen Karten auf den Tisch. Leise Gespräche wurden geführt. Zwischen den trockenen Bambuswänden wurde geflüstert. Der Barkeeper, ein junger, vierschrötiger Kerl, arbeitete hinter seiner Theke, einen Lappen in der einen, ein Glas in der anderen Hand.

»Na, was gibt's Neues?«

Daniel zuckte mit den Schultern. Viel Neues, ich habe es aber vergessen. Irgend etwas war in Kalifornien los: ich weiß es nicht mehr. Übrigens bin ich niemals in Kalifornien gewesen.

»Sagen Sie, würde es Ihnen gefallen, Ratte in einem Labyrinth zu sein?«

»Ach, wir sind doch alle Ratten, das habe ich gerade vor fünf Minuten einer völlig ausgeflippten Mietze erklärt« , erklärte der Barkeeper schulmeisterhaft. »Alle nur Ratten! Allerdings wird sich das bald ändern . . .«

»Wird sich ändern?«

»Na, haben Sie denn keinen Blick auf den Kalender geworfen? Mai 1998: ist doch höchste Zeit, oder?«

»Ich bin nicht auf dem Laufenden«, erklärte Daniel.

»Tja, ich sehe schon: Sie kommen gerade von Bord. Die Ereignisse von 98, erinnert Sie das an gar nichts?«

»Nein. Ich komme von '66.«

»Alle Achtung, mein Alter. Mai 1998, das ist das Ende von HKH« Alle industriellen Imperien von der Geschichte hinweggefegt!«

»Ich dachte, HKH hielt sich bis 2021.«

»Tja, das beweist nur, daß Sie sehr schlecht informiert waren.«

»Vielleicht. Und du, was machst du da hinter der Theke mit deinem fettigen Lappen? Wartest du auf die Révolution?«

»Ich bin auf der Durchreise, mein Alter. Ich . . . Ich warte auf eine Überfahrt zu La Perte. Wenn du ein Schiff weißt . . .«

»Ich weiß kein Schiff« , entgegnete Daniel.

Er bestellte einen Whisky, trank ihn, bestellte einen zweiten. Er mochte diese leichte, insgeheime Euphorie, die er nach zwei oder drei Gläsern empfand. Seine Sorgen und seine Zweifel lösten sich in Rauch auf. Er sah sie sozusagen sich vor seinem geistigen Augen verfliegen. Er wünschte, er könnte sich auf die gleiche Art in freie Gasmoleküle auflösen und so nach dem Mariottegesetz das Nirwana erreichen. Eine prickelnde Ruhe bemächtigte sich seiner. Sein Blut pochte kräftiger. Lieber Gott! Wenn man immer so sein könnte! Warum war das nicht möglich? Er trank: nichts war verändert und doch war alles anders. Er fühlte sich ganz er selbst und doch ein völlig anderer. Kraft durchströmte seinen Körper. Er fühlte Nerven und Muskeln und manchmal gar ein neues Gesicht. Er lauschte in seinem Kopf auf die Brandung eines ruhigen und tollen Glücks. Glück, Friede, Kraft, das waren die Dinge, die durch seinen Kopf gingen; dies hing nicht so sehr von den objektiven Lebensbedingungen ab. Es genügte, gewisse Nervenzentren auf bestimmte Weise anzuregen. Gewaltige Freude, ein optimistischer und zugleich verzweifelter Blickpunkt, eine zynische und wachsame Position, wie sie der Alkohol verlieh, das müßte der Normalzustand des Menschen sein. Der Zustand der Gnade, welchen die Vorfahren durch die Erbsünde eingebüßt haben. Adam und Eva lebten zweifellos im chronolytischen Universum. Das sie unschuldig waren, hatten sie keine Alpträume, nur schöne Träume, die aus dem Unbestimmten ein Paradies machten . . . Merkwürdiger Einfall für einen Ungläubigen wie mich, sagte sich Daniel. Auf jeden Fall brachte der Alkohol ihn Gott näher. Halb betrunken sah er sich so, wie er war: ein kleines Würstchen und ein mieser Typ – alles in allem ein Sünder . . . Und er empfand gleichzeitig die Großmut Gottes für den Sünder, der er war. Gott steht auf der Seite der Armen, der Unterdrückten, der Besiegten. Er liebt ebenso die kleinen Würstchen und die miesen Typen. Die anständigen Leute und die Leute von Stand können ihn nicht interessieren. Aber die kleinen Würstchen und die miesen Typen sind das Salz der Erde. Danke, daß du mich zu beidem gemacht hast.

»Garcon . . . Vielmehr: Barkeeper! Einen Whisky. Pur.«

Er kehrte aus seiner bittersüßen Meditation zurück, um eine große Blondine zu bewundern, die sich auf den Barhocker direkt neben dem seinen gesetzt hatte. Er grinste. Keine Versuchung sollte ihm also erspart bleiben! Sie hatte ihren engen, hellbraunen Rock über ihre langen Schenkel zurückrutschen lassen, und eine schwarze Spitzenbordüre wagte sich offen über einen kurzen, strammgefüllten Strumpf. Ihre Brüste wogten frei unter einer grünen Bluse, die ihren Oberkörper abzeichnete. Dieses Bild oder ein völlig übereinstimmendes fand er hundertfach in seiner Erinnerung wieder. Es übertraf in seiner Einfachheit die ausgeklügelsten erotischen Phantasien. Er lächelte die junge Frau automatisch an und legte seine verstümmelte rechte Hand auf den Tresen. Mittelfinger und Ringfinger fehlten ihm. Die Augen der Unbekannten blinzelten und schweiften ab, dann sah sie wieder hin, wie unwiderstehlich angezogen und betrachtete diese Hand. Einen Augenblick lang wirkte sie wie ein kleines, aus dem Nest geflohenes Tier, das von einer Schlange fasziniert ist. Sie drehte sich zu Daniel um und spreizte die Knie. Ihre rotblonden Haare – vielleicht waren sie auch rotbraun – lagen eng um ihren Kopf und waren tief in ihrem Nacken zu einem Knoten geschlungen, so daß Stirn und Ohren völlig freilagen. Ihr Gesicht war vollkommen oval, hatte eine kleine, gerade Nase und blaue Augen, mit einem etwas kalten Schimmer; ihre Wangenknochen waren hoch, auf Wangen und Schläfen stand eine kleine Innenwölbung, die Konturen ihrer Lippen waren unglaublich sinnlich. Ihr schlanker, fester Hals erhob sich graziös von runden, ein wenig fleischigen Schultern.

»Sie sind nicht von hier?« fragte sie mit leiser Stimme.

»Ich? Ich bin von nirgendwo.«

»Ja, Sie sind Seemann.«

»Vielleicht: ist das so gut zu erkennen?«

»Für mich wohl. Ich mag die Seeleute.«

Ihre Stimme hatte den samtweichen Dunkelton eines nordischen Akzents.

»Ich kannte einen Seemann namens Renato. Er sah dir ein bißchen ähnlich. Er hat mir zum ersten Mal vom Oradak-Ozean und den Vodrans vom Meer erzählt . . .«

»Die Vodrans vom Meer? Was ist das?«

»Ach, eine Art merkwürdiger Abenteurer. Er sagte, sie seien ihm im Südpazifik begegnet, aber sie kämen von einer anderen Welt. Und sie hatten ihn überreden wollen, einer der ihren zu werden und ihnen zum Oradak-Ozean zu folgen. Zu Beginn glaubte ich, daß er dies alles erfand, trotzdem hat es mir gut gefallen. Ich brauche eine kleine Begleitmusik, neben dem Vergnügen her. Ich leide in diesen Augenblicken an Platzangst. Man muß mir dann Geschichten erzählen, die ein bißchen verrückt sind. Dies wirkt, als ob es die Mauern meines Gefängnisses einrisse.«

»Was hast du denn früher gemacht?«

Die junge Frau lachte heraus. Sie ließ sich die Zeit, ihr Glas zu leeren, ehe sie antwortete.

»Ich habe ein Philologieexamen, konnte aber keine Arbeit finden. Dann habe ich mich halt entschlossen, mich zu arrangieren. In Hamburg. Mit einer Ein-Zimmer-Wohnung und Telefon!«

»Was ist denn passiert? Wieso bist du hier?«

»Ich ging auf Partys. Äh . . . Beruflich sozusagen. Einmal haben ein paar Typen etwas von mir verlangt, was ich nicht tun wollte. Ich habe nein gesagt. Dann haben sie mir irgendein Zeug eingegeben, daß ich ja gesagt habe. Und scheinbar habe ich mich dann sogar gut amüsiert. Trotzdem hatte ich den Eindruck zu schlafen. Ich erinnere mich, daß ein schöner, junger, blonder Mann – er war nackt und gut gebaut – im Schlaf zu mir gesprochen hat. Er sagte: ›Ich bin ein Gott.‹ – ›Ah, ein Gott?‹ – ›Der Gott der Fischer.‹ – ›Ja und?‹ – ›Ich bin gekommen, dich zu fischen . . .‹ Hör zu, Matrose, du gefällst mir nicht übel und ich . . .«

»Aber hast du das gesehen?« fragte Daniel und zeigte ihr seine Hand.

Sie holte tief Luft, streckte ihre muskulösen Beine und schüttelte den Kopf mit nachsichtiger, souveräner, selbstsicherer und geflissener Miene.

»Deine Hand? Das hindert einen doch nicht, miteinander ins Bett zu gehen. Renato hat auch . . .«

»Laß mich bloß mit deinem Renato in Ruhe.«

Daniel ging quer durch die Bar. Die junge Frau winkte ihm hinterdrein und rief ihm zu: »Viel Glück!« Er trat aus der Hintertür und befand sich auf einer schmalen, düsteren Straße irgendwo in der unbekannten Stadt. Nicht einmal eine Laterne. Er machte fünfzig oder hundert Schritte an den rauhen Betonmauern entlang. Gedämpfter Mondschein fiel auf die Flachdächer und umriß die Schießscharten oben in den Häusern. Hier gab es keinen Gehweg mehr. Daniel ging weiter einen rutschigen Abhang hinab und stapfte durch die Abfälle. Endlich sah er eine beleuchtete Kreuzung, an der Straßenecke konnte er menschliche Umrisse erkennen. Er blieb stehen und zögerte einmal mehr. Dann hörte er Schritte hinter sich und fühlte sogleich, wie ihm jemand eine Hand auf die Schulter legte. Er zuckte zusammen und wirbelte herum. Eine gedrungene Gestalt stand im Dunkeln direkt hinter ihm.

»Bist du es, Diersant?«

Er erkannte Larchers Stimme.

»Ja. Immer noch arbeitslos, Kumpel?«

Der Ingenieur im abgetragenen Anzug erwiderte gespreizt: »Ich werde nie wieder arbeitslos sein, teurer Gefährte schwerer Zeiten. Ich habe mich arrangiert.«

Daniel feixte.

»Mit einer Ein-Zimmer-Wohnung und Telefon?«

»Nein, mit einem Universum!«

Sie gingen zusammen ein paar Schritte. Die Straße führte immer noch leicht abwärts zum . . . zum Meer? Ein kleiner, rötlicher, schmutziger Mond stand über dem Hafen. Zwischen den flachen, bulligen Häusern, die Bunkern ähnelten, machte Daniel ein paar leuchtende Flecken aus. Man hätte glauben können große Pfützen. Als sie näher kamen, wurden sie gewahr, daß das Meer zu einem Großteil ausgetrocknet und der Hafen verlassen war. Lange, düstere Formen häuften sich zwischen den Pfützen und wirkten wie aufgelaufene Schiffe. Larcher legte eine Hand auf seinen Arm.

»Warte einen Augenblick auf mich. Rühr dich nicht von der Stelle. Der HKH-Typen streifen in diesen Grenzgebieten herum. Man muß vorsichtig sein. . . «

Nun waren zwei weibliche Silhouetten auf der Kreuzung, nicht weit von einer Laterne in Form eines Seeungeheuers, auf dem Kai zu erkennen. Der Ingenieur im abgetragenen Anzug ging auf sie zu und begann mit der nächststehenden zu sprechen. Daniel mißachtete die Warnung und machte ein paar Schritte, um das Gespräch mitzubekommen. Er konnte jedoch nicht einmal die Sprache definieren, die Larcher benutzte. Eine der Silhouetten stellte sich unter die Lampe, als wollte sie besser gesehen werden. Die Frau trug eine langen, ärmellosen Umhang, der vorne offenstand, ein Schleier bedeckte den unteren Teil ihres Gesichts. Dunkle Haare fielen bis zu ihrer außergewöhnlich schmalen Taille herab. Ihre Haut hatte einen leichten Schimmer und ihre Augen reflektierten den Laternenschein. Ein feines Netz von kupferartigen Äderchen überzog den oberen Teil ihres Gesichts, ihre Hände, ihre Arme, die Beine, die die Öffnung des Kleides sehen ließ. Daniel war zu weit entfernt, um ihre Gesichtszüge erkennen zu können, die ja auch halb verschleiert waren. Da es jedoch zweifelsohne ein Bild seines eigenen Gehirns war, konnte er sie sich nach seinen Wünschen vorstellen. Fremdartig und schön. Eine Traumgestalt für einen Traum außer der Reihe.

Ihre Begleiterin stand reglos an eine Tür gelehnt. Daniel begriff nun ihren Auftritt. Larcher und er befanden sich in einem unbekannten Hafen einer ungewissen, wunderbaren Welt, die ein Phantasieprodukt, Alptraum oder Gott weiß was war, dies spielte keine Rolle. Die beiden Silhouetten unter der Laterne waren Matrosenhuren. Und sie warteten auf Kunden, die niemals kämen, da das Meer ausgetrocknet war. Trotzdem, so erinnerte er sich, hat mich das Mädchen in der Bar für einen Matrosen gehalten. Er betrachtete sich im Zwielicht der Kreuzung, auf die nun der Mond herabschien. Er trug einen verschliessenen, altmodischen, petrolblauen Anzug. Seine rechte Hand war verstümmelt. . . Vielleicht war er wirklich ein Matrose auf Landurlaub. Er trat ein wenig näher, um die zweite Schöne der Nacht zu betrachten. In diesem Augenblick kam Larcher zurück und zog ihn auf den Kai.

»Entschuldige, daß ich dich habe warten lassen. Ich glaube, wir können weiter. Die Ecke hier wirkt ganz ruhig.«

»Wohin können wir weiter?«

»Du wirst schon sehen. Vermutlich bist du hier völlig aufgeworfen wie? Dieses verdammte Land ist ein Müllhaufen. Ich muß dir wohl einiges erklären, es wird nicht leicht sein. Ich sage dir, ein richtiger Müllhaufen. Dieser Meeresarm ist völlig ausgetrocknet, da hinten (er streckte den Arm in die Ferne) ist der Ozean Oradak. Und dahinter liegt Ruaba, dessen eine Küste La Perte en Ruaba, von den Psychronauten unseres Universums mehr oder weniger erforscht worden ist. Wenn du willst, ist dies das Land jenseits des Spiegels. Und hier (er wies mit dem Linken Arm auf die Stadt etwa in der Richtung, wo der Wegweiser Choisy angegeben hatte), hier hinten sind die subjektiven Welten, die chronolytischen Alpträume oder soetwas ähnliches. Wir befinden uns also in einem Grenzgebiet zwischen Träumen und Inseln der Wirklichkeit. Es existiert eine Art mehr oder weniger flexible Grundmauer, die vielleicht zu Ruaba-Oradak gehört. Sie ist von einem Haufen Müll der Erde zugeschüttet. Ja, die Lumpen unserer Geschichte. Diese Zone hat die Krise von 1980 bis 2020 (ein bißchen früher, ein bißchen später) übel mitgenommen. Jeder sieht es auf seine Art: der subjektive Maßstab ist wichtig. Für uns, die wir vor der Krise gelebt haben, ist das alles ein bißchen verworren, die Haupttendenzen sind jedoch erkennbar: die Hitze, der Wassermangel, der Gestank, die ölige, beklemmende Luft, die Baracken, die Festungen ähneln, die Leute, die sich bei Nacht verbarrikadieren und tagsüber die wimmelnden, stinkenden Massen, das Elend, die Überbevölkerung, die Abfälle. . . Und hinter jedem Scheißhaufen ein Bulle! Männer in Schwarz, in Rot, in Khaki, in Leopard, in Braun oder in Grün. . . Das ganze Spektrum von Uniformen und auch in Zivil. . . Mit Pistolen, Sprühdosen, Lasern oder giftigen Dolchen. . . Was auch immer, ganz nach der Besessenheit jedes einzelnen!«

»Das überrascht mich aber«, sagte Daniel. »Die Gegend hier ist doch eher vereinsamt. Es ist Jahrhunderte her, daß ich keinen Polizisten mehr gesehen habe.«

»Erstens bis du ein Wildbret, das für die HKH-Bande reserviert ist, die anderen halten sich da raus. Außerdem gibt es Augenblicke, wo auch die Polizei sich rar macht. Deshalb habe ich auch mit den Frauen gesprochen: ich habe nichts Wichtiges erfahren. Es sieht so aus, als trieben sich die Vodrans hier in der Gegend herum. Und die Phantombullen haben verdammte Angst vor den Männern unter der schwarzen Fahne . . .«

»Die Meeresvodrans. Vielleicht die Söldner der Herren von La Perte.«

»Wer sind die Herren von La Perte?«

»Zum Teufel, ich weiß es nicht. Ich weiß nicht einmal, ob es sie gibt. Jedenfalls sind sie mir niemals begegnet. Die Vodrans auch nicht. Du wirst es schon noch erfahren. Ich, ich habe mir ein kleines Königreich in diesem Puff eingerichtet. Ich verlange nicht mehr, als das man mich in Ruhe läßt. Im Grunde genommen hatte ich mehr Glück als du. Ich war disponibel. Ich hatte keine große Bindung mehr an dieses Hurenleben. Ich war zu allem bereit. Ich habe beschlossen, mir eine Kugel in den Kopf zu schießen und habe mich verfehlt – um ein wenig. Bei dir war es wohl ein Autounfall, wie?

Es gibt nichts Schlimmeres als einen Autounfall. Da erwischt es dich ohne jede Vorwarnung, und danach macht dein Gehirn Riesensprünge. Du käust wieder und wieder! Wenn man den Arzt von Garichankar glauben kann, ist das deine größte Gefahr: ewig in der Vergangenheit im Kreis zu gehen wie ein Bär im Käfig. Du mußt schnell versuchen, da rauszukommen. Vielleicht hast du dir in den Kopf gesetzt, daß du unbedingt erfahren mußt, was geschehen ist. Mein Alter, du wirst es niemals erfahren. Ein guter Rat: laß es sein. Und ich will dir noch einen Rat geben: hüte dich vor den HKH-Typen. Mich lassen sie jetzt in Ruhe. Ich habe mir eine kleine Festung direkt auf der Grenze gebaut. An die sie sich nicht heranwagen. Zumindest glaube ich das. Aber sie sind auf deiner Spur. Ich weiß es.«

»Ich hüte mich also vor ihnen. . . Und dann? Was soll ich tun?«

»Du mußt vermeiden, ewig in deiner Vergangenheit im Kreis zu laufen, mein Alter. Ich habe auch Schwierigkeiten, da rauszukommen. Kümmere dich nicht darum, was geschehen ist. Sag dir einfach, daß es dir scheißegal ist. Jetzt kannst du doch nichts mehr ändern. Verstehst du, wenn du dich in einen winzigen Zeitbereich um deinen Unfall einschließt, wirst du ihnen niemals entkommen. Ich weiß nicht, was sie von dir wollen, aber du kannst sicher sein, daß sie dich schließlich doch erwischen. Ich sehe nur eine Lösung: du versuchst auf der Grenze eine Art Phantasiewelt zu errichten und dann haust du nach La Perte ab, sobald du kannst.«

»Und warum nicht gleich nach La Perte abhauen?«

»Du mußt erst einmal eine Überfahrt bekommen.«

»Was für eine Überfahrt?«

»Das kann ich dir nicht sagen. Ich glaube, daß das nur eine

geistige Konvention ist. Niemand hindert dich daran, dein Glück zu versuchen. Mir ist es egal. Ich fühle mich hier sehr wohl. Ich bin zu Hause. Als ich mir die Pistole an die Stirn gesetzt habe, war ich ganz und gar von der Gesellschaft abgeschnitten. Sie stand mir bis zum Hals. Ich konnte nicht mehr und wollte verrecken. Als ich dann in der Chronolyse zu mir kam, habe ich erst gar nicht versucht, mich daran zu klammern. . . «

»Aber als wir uns begegnet sind, da hast du dich doch noch dran geklammert, oder nicht? Du hielst dich doch in den Büros deiner Firma auf.«

»Ja, einige Zeit lang fand ich das ganz lustig, aber ich habe mich nicht lange daran festgehalten.«

»Eines verwirrt mich noch. Zu jener Zeit kannten wir uns doch schon. Du warst es doch, der mich in Choisy abgeholt hat. Und ich frage mich, wann wir uns eigentlich zum ersten Mal begegnet sind.«

Larcher lachte ein wenig bitter.

»Das erste Mal, das letzte Mal. . . Im chronolytischen Universum hat das keine große Bedeutung. Vielleicht sind wir uns seinerzeit mal begegnet. Ich weiß es nicht. Meiner Ansicht nach hat es keinen Sinn, solche Fragen zu stellen. Es steht dir natürlich frei, dir darüber den Kopf zu zerbrechen.«

Larcher und Daniel hatten nun die Stadt hinter sich gelassen. Sie gingen langsam am Ufer entlang. Fünkchen tanzten um sie her. Die Gischt funkelte auf den bläulichen Kieseln am Rande eines schlammigen, brodelnden Tümpels. Ein Geruch nach Rauch und verbranntem Plastikmaterial mischte sich in den faden Fäulnisgestank der Stadt. Daniel beugte sich hinab, nahm eine handvoll Sand und ließ ihn langsam zwischen seinen Fingern hindurchrinnen. Sand, der zugleich zart und knirschend war, feucht, schwer, intensiv real.

»Du scheinst über diese Welt gut Bescheid zu wissen«, meinte Daniel.

»Du wirst auch schnelle Fortschritte machen, sobald du aus dir herausgehst. Alles, was ich über das Unbestimmte weiß, habe ich hier in der Grenzzone erfahren.«

»Welche Rolle spielt das Garichankar-Hospital?«

»Die Ärzte von Garichankar haben die künstliche Chronolyse ermöglicht«, erklärte der Ingenieur. »Sie haben eine Methode, um sich mit den Wesen, die sich im natürlichen Chronolysenzustand wie wir befinden in Phase – so nennen sie es – zu setzen, und ihnen zu helfen. Im Prinzip sind es unsere Freunde. Ich finde sie allerdings ein wenig vereinnahmend und traue ihnen fast genausowenig wie den anderen.«

»Einen Augenblick. Bist du sicher, daß unser Zustand natürlich ist?«

»Ja und nein. Das Wort natürlich ist nicht ganz zutreffend. Sagen wir: durch einen Unfall.«

»Wir sind also nicht unter der Wirkung einer Droge hier – irgendeiner Pille wie Mebsital, eines Halluzinogens oder Gott weiß was?«

»Vor 1980 oder 85 existierten noch keine Chronolytika.«

»Ich weiß. Aber. . . Wurden wir nicht. . . in gewisser Weise. . . von den Phorden von Garichanker an Land gezogen?«

»Wie kommst du denn auf diese Idee?«

»Ich habe keine Ahnung.«

»Tja. Sie behaupten, daß sie da sind, um uns zu helfen, und in Wirklichkeit bedienten sie sich unserer für ihre Experimente. Tja, das ist möglich. Aber es sieht so aus, als ob alle Schwerverletzten – zumindest solche mit Kopfverletzungen – auf natürliche Weise in die Chronolyse eintreten.«

»Wer behauptet das? Garichankar?«

»Oh, es ist unmöglich, die Herkunft der Information auszumachen, die im chronolytischen Universum zirkuliert. Vielleicht Garichankar, vielleicht HKH, vielleicht irgendwer.«

»Eine Kopfverletzung könnte also die Ursache dieses Phänomens sein?«

»Ja, sieht so aus.«

»Und was geschieht nach einer Genesung? Hat man dann alles vergessen?«

»Zweifellos. In dieser Frage weiß ich nicht mehr als du, mein Alter. Auf jeden Fall glaube ich, daß die Einmischung von

Garichankar für uns alles verändert hat. Ob zum Guten oder zum Schlechten, bleibt abzuwarten. Die Ärzte haben uns geweckt. Vielleicht ist geweckt nicht das richtige Wort. Sie haben uns geholfen, uns unseres Zustandes bewußt zu werden. Sie haben uns eine Art Unschuld verlieren helfen, die ziemlich angenehm sein mußte. Ich glaube, daß wir aus der ganzen Angelegenheit einen gewissen Nutzen ziehen können. . . «

»Und für sie ist es ein einfaches Experiment?«

»Sagen wir, es ist Teil ihrer Forschung.«

»Wo befindet sich denn das Garichankar-Hospital?«

»Meiner Kenntnis nach zwischen 2021 und 2100. Wir befinden uns in Verbindung mit der Phase 2060.«

»In der Zukunft. . . Ich versuche es zu begreifen«, sagte Daniel.

Er drehte sich einmal um sich selbst, betrachtete den schwarzen Himmel, das ausgetrocknete Meer, den grauen Strand, der von Abfällen übersät war, die Stadt, die einer Zitadelle glich unter dem rötlichen Mond. Er lauschte. Er atmete die ätzende, lauwarme Luft ein.

»Hier ist es etwas weniger beklemmend als in der Stadt.«

»Komm mit zu mir: ich habe eine Klimaanlage.«

Daniel begann zu lachen.

»Diese Welt ist doch nur ein Trugbild!«

»Ich behaupte nicht das Gegenteil. Aber für uns ist sie, zumindest für den Augenblick, Realität. Daran mußt du dich gewöhnen.«

»In Wirklichkeit liege ich im Krankenhaus und träume.«

»Äh, ich auch. Wahrscheinlich. Aber es ist mir egal.«

Sie waren nun an einem flachen Gebäude mit glänzendem Dach angelangt, dessen Front von blauen und roten Glühbirnen erleuchtet wurde. Daniel folgte Larcher zwei oder drei Stufen hinab. Der Ingenieur stieß eine Holztür auf, die von geschnitzten Reptilienköpfen und von krallenbewehrten Pfoten nur so strotzte. Ein schwerer Duft nach Jasmin und Veilchen hüllte sie ein. Sie betraten einen langen, schlechtbeleuchteten Korridor, an dessen Ende gleichgültig ein

Mädchen mit geschlitztem Kleid und nackten Brüsten stand.

»Ich warne dich gleich, daß du nicht schockiert bist«, sagte Larcher ernst. »Mein kleines Königreich wird von Nutten, Ungeheuern und elenden Typen bevölkert. Mit den Nutten kenne ich mich aus. Es ist eine Weile her, daß ich mir nichts Besseres unter den Nagel reißen konnte. Achtzehn Monate Arbeitslosigkeit. Ha! Und meine Frau, die abgehauen ist! Es war übrigens nicht das Schlechteste. Du kannst nicht wissen, wie blöde sie war. Man muß allerdings sagen, daß ich auch kein besonderer Schlaukopf war. Die jämmerlichen Typen, die mag ich auch gerne. Du wirst ein paar davon kennenlernen. Da, nimm nur den Barkeeper. . . Salue, Lakaienseele!«

Der Mann legte zwei große, mit roten Haaren überzogene Hände auf die Theke. Ein einfältiges Lächeln verzerrte sein pferdeartiges Gesicht und sein herabhängender Schnurrbart verlieh ihm ein trauriges und beschränktes Aussehen. Gemütlich setzte sich der Ingenieur auf einen Barhocker.

»Sag mal, gefällt dir diese Maloche etwa, du Dummkopf?«

Dann an Daniel:

»Reg dich nicht auf. Wenn es diesen Typ wirklich gäbe, würde ich nicht so mit ihm reden. Ich bin kein Schweinehund.«

»Was wollen Sie, Monsieur Larcher«, sagte der Barkeeper, »man muß ja leben.«

»Lieber Gott!« rief der Ingenieur. »Ich wußte, daß er das antworten würde. Es ist gar nicht sicher, daß man leben muß, Arschloch. Ich hätte Barkeeper oder Straßenfeger oder Chauffeur oder Kammerdiener oder irgendsonst so einen Mist machen können. Ich habe es vorgezogen, mich umzubringen. Hörst du, hörst du, was ich dir sage: ich habe es vorgezogen, mich umzubringen! Ich bin ein Typ. Ja, es ist mir nicht geglückt, das stimmt. Aber es fehlte nur sehr wenig, mein Alter, nur sehr wenig. . . . Und wenn ich dir ein ordentliches Paket Kies geben würde, würdest du dann hier abhauen?«

Der Barkeeper legte seinen Lappen weg und schaukelte interessiert von einer Seite auf die andere.

»Das hängt von der Menge ab, Monsieur Larcher.«

»Na, schauen wir mal.«

Der Ingenieur holte aus seinen Taschen mehrere Bündel und legte sie auf den Tresen.

»Da, das ist doch schon ein anständiges Sümmchen, was? Wenn ich das da unten gehabt hätte, was hätte ich mir da an Miezen genehmigen können, von den Ferien auf den Balearen ganz zu schweigen! Aber unter einer Bedingung.«

»Ja, Monsieur?«

»Du mußt mir die Schuhe ablecken und mich Herr Direktor nennen. Das ist doch nicht schlimm, oder?«

»Ja, Monsieur! Nein, Monsieur! Denken Sie, für das viele Geld! Ich komme sofort.«

»Für diesen Preis würde ich Ihnen noch ganz andere Sachen machen«, sagte eine junge Frau und nahm Platz.

Ihr geschnürtes Mieder öffnete sich über der Brust. Mit eleganter Geste hob sie den Saum ihres weiten, scharlachroten Seidenrocks, so daß gerade die Spitze eines schwarzen Schuhs zu sehen war. Nach einigem Nachdenken erkannte sie Daniel. Es war das blonde Mädchen, das ihn für einen Seemann gehalten hatte. Aber damals trug sie einen kurzen, hellbraunen Rock und eine grüne Bluse. Langsam hob er seine geballte Faust, welche durch die Verstümmelung wie ein Stück zersäbeltes Holz aussah.

Das Mädchen lächelte.

»Hallo, Matrose!«

»Ich stelle dir Monika vor«, erklärte der Ingenieur. »Mein Meisterwerk. Die wirkliche Arbeit eines Ingenieurs. Fast möchte ich sagen, eines Künstlers. Na? Ich frage mich, wie mir das gelingen konnte. Ich hatte nur selten die Gelegenheit zur schöpferischen Arbeit in meinem Leben. Es ist Zeit, daß ich mich damit befasse. Wie du siehst, tut mir die Arbeitslosigkeit nur gut. Sieh dir doch nur die Fresse von der Kleinen an, Diersant!«

»Ein Engel« stimmte Daniel zu.

»Und trotzdem eine richtige Hure. Sag es ihm, Monika. Sag dem Herrn, daß du eine Hure bist.«

Monika hielt den linken Arm auf halber Höhe, das Handgelenk in der Höhe des Herzens angewinkelt, ihre Finger schienen eine freundschaftliche Geste zu umreißen.«

»Ich bin eine Hure«, sagte sie überzeugend. »Gib mir den Kies!«

Der Ingenieur legte die Hand auf die Bündel und streichelte sie begierig.

»Aber sicher, mein Herzchen. Das Geld ist für die Huren gemacht.«

»Monsieur Larcher, Sie hatten doch gesagt. . . «, begann der Barkeeper.

»Halt die Schnauze, elender Dummkopf! Du hast doch wohl nicht geglaubt, daß ich das ganze gute Geld einem Gespenst wie dir geben würde? Weißt du, daß du ein Gespenst bist? Erstens, wenn ich dir das Geld gäbe, was würdest du denn damit anfangen? Hast du eine Idee? Wo würdest du hingehen, du Schnecke? Du wüßtest es gar nicht. Für dich gibt es keinen Platz außer hier. Und du bist nicht in der Lage, die ein eigenes Universum zu entwerfen, wie, crétin?«

»Ja, Monsieur. Nein, Monsieur«, sagte der Barkeeper. »Alles was Sie sagen, stimmt. Bitte um Entschuldigung. Ich werde Ihnen trotzdem die Füße ablecken, wenn Sie wollen.«

»Laß es sein, Chéri«, sagte Monika zu Larcher. Sie stopfte die Scheine in ihre Tasche, der Ingenieur legte sich die Hände vors Gesicht.

»Wenn man sich vorstellt, daß ich mich deshalb umbringen wollte! Ach, lieber Gott, ich hatte mir geschworen, eine Welt ohne Geld zu schaffen, aber es will mir nicht gelingen. Es ist stärker als ich. Ich bin gezeichnet. Ich höre nicht auf, fünfhundert Franc – Scheine zu produzieren und Miezen zu entwerfen, die sich für die Hälfte, ein Viertel oder egal wie wenig verkaufen. Was soll man machen, es amüsiert mich. Es ist scheußlich, ja, das sehe ich auch. Und doch erregt mich nichts mehr, als mir ein schönes Mädchen vorzustellen, das bereit wäre, für ein Franc-Stück mit einem zu bumsen. Was für eine Rache, mein Alter! Oder auch das Gegenteil. Sich Millionen vorzustellen und sie einer Hure vorzuwerfen in dem Gedanken an all die jämmerlichen Typen, die sich für weniger als Nichts abrackern.

Es ist scheußlich, zugegeben. Jedenfalls bedaure ich es nicht, einen Selbstmordversuch unternommen zu haben.«

Er streichelte abwesend den Kopf eines Ungeheuers, das halb Raubtier, halb Kröte war und ein wenig an Woda, den Marshund von John Carter erinnerte. Er lachte glucksend. Daniel trank seinen Whisky und besah sich die Kulisse. Das Innere der Bar, die Larcher entworfen hatte, war von erstickender Banalität. Banal trotz der Wandschirme, der Vorhänge, der Tapeten und der Mädchen, die mittendrin umherliefen, die einen in pompösen Abendkleidern, die anderen völlig nackt. Banal trotz der jämmerlichen Typen und der Matrosenhuren, banal, obwohl Monika ihre provozierende Schönheit feilbot und Woola mit seiner gespaltenen Zunge züngelte. Er sagte sich, daß er vielleicht eine durch die Art, wie er Larchers Werk begutachtete, persönlich negative Note beigetragen hatte. Oder aber er erfand dies alles selbst, einschließlich des Ingenieurs im abgetragenen Anzug. Dies war das neue Theater von Clara Gazul, ein Werk einer Clara Gazul, die ihrerseits Mérimée geschaffen hatte, bevor er sie selbst ersann.

Daniel schwankte zwischen zwei widersprüchlichen Empfindungen. Einerseits ein scharfes Gefühl der Wahrheit. Alles war fest, klar, präzise. Er fühlte seinen Körper, und er begehrte Monika. Fleisch war Fleisch, Holz war Holz, Stoff war Stoff. Er hatte den Eindruck, daß er bei klarem Verstand war (aber er war fast überzeugt, die wichtigen Fragen nicht stellen zu können; er hatte immer geglaubt, daß er, indem er jemandem eine einfache Frage stellte,das Schlüsselwort der Geschichte oder das Geheimnis des Universums erfahren müßte – nur war es ihm nie gelungen, diese Frage zu finden). Er war präsent. Seine Sinne verboten ihm, daran zu zweifeln. Allem Anschein nach war sein Abenteuer kein Traum. Darüberhinaus schien eine gewisse, leichte Trunkenheit zusammen mit seiner großen Erschöpfung eine Art Leinwand zwischen ihn und die Realität zu ziehen. Außerdem hatte er nur rein intellektuell die Überzeugung zu träumen, obwohl gleichzeitig die wirkliche Welt sehr nahe war,so fantastisch nahe, daß es sich kaum in Angströms oder Picosekunden messen ließ, da selbst diese Maßeinheiten noch zu grob waren, die Welt war nahe, so nahe und doch unerreichbar (und dies in einem Sinn, wie sie es immer gewesen war: schon früher hatte er sich nur auf einer Asymptote der wirklichen Welt bewegt). Ja, die Welt mußte da sein, ganz nahe, und es war erschreckend, das Trugbild nicht mit einem Schlag durchstoßen zu können, um die Wirklichkeit wiederzuerlangen und nach Hause zurückzukehren. Vielleicht gelänge es ihm, wenn er genügend Kraft besäße. Es mußte eine Möglichkeit bestehen, eine sehr einfache Möglichkeit, an die er einfach nicht dachte. Und er dachte nicht daran, weil er schlief. Denn so ist der Schlaf: ein Zustand, in welchem man über Fragen und Antworten verfügt, es gelingt einem jedoch nicht, sie zueinander zufügen. Das Leben, das Daniel bislang geführt hatte, ähnelte ebenfalls dem Schlaf, und vielleicht gab es für die lebenden Toten der Welt ein Mittel, das sie aufwachen ließ, an das nur keiner dachte.

Er konzentrierte sich, um so viel wie möglich Sinneswahrnehmungen aufzunehmen. Er atmete Monikas Duft: säuerlich, leicht bitter – ein Geruch nach mit den Schalen gepreßter Orangen. Er lauschte auf die spitzen Töne aus den Lautsprechern und die schrillen Stimmen der Mädchen. Dann streichelte er Monikas Handgelenk zwischen Handfläche und Ärmelsaum. Da drehte sich der Ingenieur im abgetragenen Anzug mit glühendem, freundschaftlichem und zugleich grausamen Blick zu ihm um.

»Du zweifelst, Diersant, mein Alter? Sie haben dir also erzählt, daß im Unbestimmten nichts mehr sicher, daß alles halb Illusion und halb Lüge sei? Das ist reine Propaganda, mein Alter. HKH behauptet das. Doch die Lügner, das sind sie, diese Bande von Fossilien. Du darfst nicht auf sie hören. Die Dinge hier sind auf ihre Art reell. Wenn du aus dem Krankenhaus entlassen wirst, wirst du dich danach sehnen – falls du entlassen wirst. Vielleicht ist dies tatsächlich nur ein Trugbild, und was wir für die Wirklichkeit halten, ist vielleicht nur eine andere. Was kann uns das ausmachen? Zum Leben muß man so tun als ob. Nach dem Anschein gehen, da es nichts anderes gibt. Ich stellte mir schon lange keine Fragen mehr. Was zählt, ist die Erfahrung. Du wirst sehen. Monika, heb dein Kleid hoch.«

Die junge Frau stieg gehorsam von ihrem Hocker, stellte sich zwischen Larcher und Daniel, dann hob sie mit beiden Händen den Saum ihres langen, roten Rockes und hob ihn in einer ersten Bewegung bis zu den Knien. Dann riß sie ihn bis zu den Hüften hoch. Sogleich begann Musik aus einer Musikbox zu plärren und Gelächter ertönte, als habe der souveräne Blick Larchers das alles in Szene gesetzt.

»Na, los streichle sie«, befahl der Ingenieur fast wütend.

Daniel streckte seine rechte, verstümmelte Hand aus. Eine kräftige, große und harte Hand, der Mittel- und Ringfinger fehlten. Es war scheußlich. Er zog sie zurück und streckte die linke aus. Seine Finger legten sich auf das nackte Fleisch oberhalb eines engen schwarzen Strumpfs, der mit einem Spitzenband befestigt war. Monika senkte den Kopf, um seinen Bewegungen zu folgen.

»Na los, faß sie an!« schrie der Ingenieur. »Wovor hast du denn Angst? Hier sind weder dein Chef noch deine Mutter!«

Das Fleisch der jungen Frau war warm, seidig, elastisch, genauso wie seine Erinnerung an das Fleisch junger Frauen. Dann fuhr er mit der offenen Handfläche über den Strumpf oberhalb des Knies. Er erhielt einen unerwarteten Schock. Der Kontakt mit der spröden Seide und dem angespannten Gewebe, das zugleich glatt und rauh war, rief ein einzigartiges, undefinierbares und auf fantastische Weise wirkliches Gefühl in ihm hervor. Ein Gefühl, das er ein wenig vergessen hatte. Eine Botschaft, in die sich wilde Freude und entsetzliche Verzweiflung mischten, fuhr seinen Arm empor, löste in seiner Wirbelsäule eine Vibration aus und bohrte sich durch seinen Nacken ins Gehirn. Freude und Angst mischten sich auf furchterregende Weise. Ich lebe, dachte Daniel, und etwas ist geschehen. Vielleicht ist dies der Grund für diese Angst. Man weiß nicht, daß man lebt, und es gibt nichts Erschreckenderes, als sich dessen bewußt zu werden, denn einzig und allein der nahe Tod macht diese Bewußtwerdung möglich. Ich werde sterben! Und er fuhr weiter mit der Hand über das schwarze Nylongewebe des Strumpfs und stürzte sich begierig und entzückt in eine Empfindung, die schärfer und verwirrender war, als alle, an die er sich jemals erinnern konnte. Die Botschaft, die die Nervenenden seiner Finger aufnahmen, pfiff heulend durch seinen Körper: ich lebe, ich lebe! Und dann: irgend etwas ist geschehen, aber ich lebe. Und schließlich: irgend etwas ist geschehen, aber ich sterbe!

»Ich glaube, daß unsere Sinne abgestumpft waren«, erklärte der Ingenieur mit seltsam ruhiger Stimme. »Es sieht so aus, als habe die Chronolyse sie wieder geschärft, findest du nicht? Dies ist kein Traum, mein Alter, dies ist das Erwachen!«

Daniel hob den Kopf. Monikas gerötetes Gesicht leuchtete mit unvergleichlicher Zartheit. Die blauen Augen der jungen Frau strahlten heller als alle, die er jemals gesehen hatte.

Seine Kehle schnürte sich zu, er glaubte, sein Herz wollte aufhören zu schlagen. Er glaubte, sein Blut hatte aufgehört zu pulsieren. Verwandelte sich in goldenen Sand, in geschmolzenes Platin, in reines Licht. Er war atemlos, am Ende seiner Kräfte, am Ende von Hoffnungen und Schrecken.

»Ich möchte ins Krankenhaus zurück«, sagte er.

VII

Das Krankenhaus, geheime Zuflucht, unverletzlich. Daniel drehte sich auf den Rücken und schlug die Augen auf. Licht drang in den Raum, nicht plötzlich, als habe man eine Lampe eingeschaltet, einen Fensterladen geöffnet, einen Vorhang zur Seite geschoben, ganz allmählich, als sei eine große Wolkenmasse weitergezogen und habe die Sonne umschleiert. Dies war das Tageslicht, oder aber es ähnelte ihm sehr. Daniel hielt einen Augenblick seinen Blick zur merkwürdig niedrigen Decke gerichtet, die metallisch weiß war. Das Zimmer war groß, trotzdem war er allein. Dies war eher eine Nobelklinik als ein Krankenhaus. Doch Garichankar war gewiß kein Krankenhaus wie die anderen. Nein, das ergab keinen Sinn. Garichankar war Teil eines Traums, der zu Ende gegangen war. Versuchen wir die Sache klar zu sehen, sagte er sich.

Er war müde, er hatte Durst, er hatte jedoch keine Schmerzen und fühlte sich in der Lage, seine Glieder normal zu bewegen. Er zog seine rechte Hand unter dem Arm hervor und stellte mit Erleichertung fest, daß sie ihr normales Aussehen wieder angenommen hatte. Die Verstümmelung war Teil des Alptraums und nicht der Wirklichkeit. Ja, ich muß eine Kopfverletzung erlitten haben. Dies erklärt die Chronolyse und all die Halluzinationen, die so erschreckend wirklich waren. . . Er versuchte, sich zu erinnern. Er sah genau, wie die 404 im Hof von Choisy auf ihn zurasten, den Aufprall, der ihn in den Sitz gedrückt hatte, während die Gongschläge und Becken ertönten und die weißen Gespenster aus dem chronolytischen Universum auftauchten. Er erinnerte sich an den Traum, und er hatte die Wirklichkeit vergessen. Ebenso war ihm die Szene aus dem Krankenwagen völlig gegenwärtig: Forestier und seine Begleiter als Pfleger verkleidet und mit durchsichtigem Helm, ein paar Meter entfernt davon der zerquetschte VW. Gongschläge und Becken. . . Sehen sie sich Ihren Wagen an, Diersant! Der Unfall hat irgendwo auf der Nationalstraße 20 stattfinden können – aber er hatte es vergessen.

Er schloß wieder die Augen, um sich zu konzentrieren. Ergaben die Alpträume und Halluzinationen einen Sinn? Er fragte sich, ob er nicht mehr oder weniger das Gespräch von Ärzten an seinem Krankenbett mitbekommen hatte und daraus den Stoff für seine Träume geschöpft hatte. Dies war plausibel. Die Chronolyse war zweifellos ein Phänomen, das man 1966 bereits kannte, so daß ein Arzt dies vielleicht angesichts seines Zustands erwähnt hatte. Dies erklärte natürlich nicht alles. Angst stieg wieder in ihm auf. Sein Fall mußte ernster sein, als der Anschein dies erwarten ließ. Er hatte eine Schädelverletzung erlitten und etwas Merkwürdiges ging in seinem Gehirn vor sich. Ein Trauma, gefolgt von einer Art Amnesie, die ihn die Erinnerungen an den Traum mit den Erinnerungen des Lebens vermischen ließ. Wer war der Ingenieur im abgetragenen Anzug? Kannte er Ellen wirklich oder hatte er sie ersonnen? Befehligte Forestier tatsächlich die Privatpolizei der Seac oder gehörte er lediglich dem Reich der Wahnbilder an? Ist das, was gewöhnlich in einem Gehirn vorgeht, nicht ebenfalls sehr merkwürdig?

Er sprach seinen Namen laut aus:

»Ich bin Daniel Diersant.«

Er hob einen Arm und schlug mit der Handkante an die Mauer hinter sich. Das Geräusch war deutlich zu hören. Er war nicht taub. Er überprüfte seine übrigen Gefühle. Keinerlei Schmerz. Dies war ermutigend, doch gleichzeitig ein wenig beunruhigend. Ein leichter Metallgeschmack in seinem Mund. Darüberhinaus nichts Ungewöhnliches. Doch, vielleicht: sein Nacken war etwas steif. Er hatte jedoch stets die Tendenz zu Gelenkversteifungen im Halswirbelbereich gehabt. Und. . . ein leicht schwindelartiges Wohlgefühl, wie wenn man sich sehr müde hinlegt oder zu Beginn einer Fiebererkrankung. Ein unbestimmtes Wohlgefühl oder ein diffuses Unbehagen? Die Grenze zwischen den beiden schien sehr verschwommen. Er erinnerte sich, etwas Ähnliches in seiner Kindheit empfunden zu haben. Seine Mutter sagte damals, daß er eine Bronchitis, die Masern oder irgend so etwas ausbrütete. Die drohende Gefahr, die er ahnte, hielt sich hartnäckig in ihm, er konnte sie jedoch weder benennen noch begreifen. Er konnte sich ihr nicht einmal kaltblütig entgegenstellen. Sobald er sein Denken auf diesen Punkt fixierte, betäubte der Wunsch zu schlafen seine Anstrengungen. Er flüchtete sich an die Grenze zum Schlaf, ohne jedoch völlig ins Unbewußte hinüberzudämmern. Und er wagte es noch nicht, eine entscheidende Bewegung zu unternehmen, etwa aufzustehen und zu rufen. Er sagte sich: das ist lächerlich. Aber er hatte Angst.

Er war allein und machtlos. Das Leben hatte ihn stets eine gewisse Illusion von Macht und Freiheit gelassen. Und in einem Krankenhauszimmer war diese Illusion nicht aufrechtzuerhalten. Das Krankenhaus ist der Ort, wo der Mensch normalerweise Ohnmacht und Einsamkeit gegenübersteht – manchmal selbst in überbelegten Zimmern – aber vielleicht war es auch ein Hafen der Gnade, eine friedliche Festung, ein Ort, wo man nach der Feststellung, daß man nur noch ein kranker Körper, isoliert, beschützt, von allen Seiten gepflegt war, so daß das menschliche Wesen die Sicherheit der Mutterbrust wiederfand. Und doch fühlte Daniel sich in diesem riesigen, unbekannten Raum nicht sicher. Er hatte Angst davor, was sich in ihm verbarg, und Angst vor der Welt, die ihn umgab. Ihm schien, als sei ein logisches Band, das fest und stabil war, und immer zwischen ihm und der Welt bestanden hatte, plötzlich zerrissen. Und daher auch das Gefühl einer unmittelbaren Bedrohung.

Er mußte handeln. Zumindest sich überzeugen, ob ein Handeln möglich war. Aber was tun? Nun, da er Durst hatte, sollte er versuchen aufzustehen, um etwas zu trinken. Sobald er diesen Entschluß gefaßt hatte, strömte unvermittelt Schwäche in seine Beine, als sollte sie ihm die Ausführung verweigern. Es ist nur die Angst, dachte er. Aber welche Angst? Jene, etwas Gefährliches, Unvorsichtiges zu unternehmen? Ja, zweifellos. Und auch die Angst, etwas zu entdecken. . . Etwas, er wußte nicht was. . . Und er zog es vor, es nicht zu wissen. Er schlug die Augen auf und betrachtete einen Augenblick lang die metallische Decke, dann die Fensternische gegenüber dem Bett zu seiner Linken.

Er war fast überzeugt, daß dieses Fenster den Blick auf einen See freigab, um den Berge lagen. Woher wußte er das? Irgendwie kannte er die Gegend. Ein Bergsee – das bedeutete, daß er sehr weit von Paris entfernt war. Das Zentralmassiv oder die Alpen? Aber was hatte er in den Alpen, dem Zentralmassiv oder anderswo zu schaffen? Diese Spekulationen brachten nichts. Er seufzte laut, es war fast ein Stöhnen. Aufstehen und nachsehen. Erstens hatte er Durst. Er schien seit Jahrhunderten zu verdursten. Er stützte sich auf die Ellbogen, hob die Beine und lauschte auf das beschleunigte Schlagen seines Herzens. Er mußte stehen können. Er warf das hellblaue Leintuch und die karrierte Decke zurück. Er trug einen weiß-rot-gestreiften Pyjama, auf dem er vergeblich ein Wäschezeichen suchte. Er setzte sich auf sein Bett, ließ die Beine herabbaumeln und betrachtete das Zimmer. Es war groß und zu drei Vierteln leer. Die Wände graublau, ein Schrank, ein Tisch, zwei Stühle, ein

Regal, alle Möbel aus Metall mit recht derber Holztönung. Auf dem Regal Bücher. Auf dem Tisch ein Strauß künstlicher Blumen, die recht schlecht imitiert waren. In einer Ecke ein winziger Heizungskörper und neben dem Bett ein Nachttisch mit Lampe und Telefon. Gegenüber dem Fenster eine Tür, die halb offen stand, zu einem gekachelten Raum, dem Badezimmer. Ein Krankenhauszimmer mit Bad und Telefon! Er feixte. Ich lebe unter der 36. Republik! Und wenn er sich nur in einem Hotel befand? Er war nicht verletzt, es gab keinerlei Grund, weshalb er in einem Krankenhaus sein mußte. Er hob die Hand und sah sich sein nacktes Handgelenk an, auf dem er nicht die gewohnten Abdrücke seiner Armbanduhr erkennen konnte. Es hätte ihn nicht viel weiter gebracht, die Uhrzeit zu wissen, solange er das Datum nicht kannte. Und nicht der kleinste Kalender in Sicht. Also stand er vorsichtig auf und prüfte die Festigkeit seiner Beine. Er schwankte nicht. Seine Augen suchten nach seinen Kleidern, sie waren nicht zu sehen. Sehr wahrscheinlich hatte man sie in den Schrank geräumt. Wer man? Er machte zwei oder drei Schritte, dann blieb er zögernd stehen. Er konnte zum Schrank gehen und sich überzeugen, daß seine Kleider da waren. Oder aber er konnte ins Badezimmer, um etwas zu trinken. Irgend etwas in der Szenerie stimmte nicht. Was, wußte er nicht. Er konnte das Außergewöhnliche nicht definieren. Außer dem Telefon, was ja nicht völlig außergewöhnlich war. Da überlegte er es sich anders und marschierte entschlossen zum Fenster. Ein See inmitten hoher Berge. Ich wußte es! Er hatte sich also nicht getäuscht. Eine typische Alpenlandschaft. Und das Zimmer befand sich in einer höheren Etage eines großen Gebäudes, das durchaus nach einem Krankenhaus aussah. Er versuchte nicht, zu verstehen; er legte jede Vorsicht ab. Er drehte dem Fenster den Rücken zu und ging mit großen Schritten zum Badezimmer. Lieber Gott, was habe ich Durst! Er fand einen schweren, undurchsichtigen Plastikbecher und öffnete den rechten Wasserhahn. Einige Sekunden lang tat sich gar nichts. Daniel drehte den Hahn bis zum Anschlag nach links, dann nach rechts und wieder nach links. Eine maßlose Panik überflutete ihn. Kein Wasser. Er probierte den anderen Wasserhahn, hatte auch da keinen Erfolg. Ein Schwindelgefühl bohrte sich in seinen Magen. Er war entsetzt. Kein Wasser!

Dann pfiff ein kleiner Dampfstrahl aus dem linken Wasserhahn und ein winziges Rinnsal Flüssigkeit begann aus dem rechten zu laufen. Daniel mußte zwei oder drei Sekunden warten, bis sein Glas gefüllt war. Er spürte, wie Schweiß eisig auf seinem Nacken stand. Er hatte geschwitzt. Er schloß den linken Wasserhahn, der entsetzlich pfiff. Und er setzte das Glas an seine Lippen. Er sog einen Schluck ein, den er fast wieder ausgespuckt hätte. Das Wasser war lauwarm und hatte einen ausgeprägten Metallgeschmack. Mein Gott! sagte er und schloß die Augen. Er hatte solchen Durst! Er überwand seinen Widerwillen, trank ein Viertel des Glases, atmete laut und schüttelte sich. Ihm schien, als sei die Temperatur im Badezimmer plötzlich zurückgegangen. Er kehrte ins Zimmer zurück. wo der Fußboden unter seinen nackten Füßen lauwarm war. Er hatte immer noch den Eindruck, auf Eisenspänen zu kauen. Vor dem Schrank blieb er stehen, fand jedoch keine Möglichkeit, ihn zu öffnen, weder Schlüssel noch Knauf. Er legte seine Hand auf das glatte, kalte Metall und suchte nach einer unebenen Stelle, in die er hätte seine Fingernägel schieben können, um die Tür aufzuziehen. Vergeblich. Im übrigen sah er auch nirgends einen Spalt. Man hätte glauben können, daß er überhaupt keine Tür besaß. Entmutigt ging er wieder ans Fenster, das ebenfalls weder Knauf noch Schlüsselloch besaß. Es bestand aus vier quadratischen Scheiben mit Metallrahmen. Unmöglich, es zu öffnen. Daniel betrachtete den See. Das Licht war düster. Die Sonne war nicht zu sehen, sie mußte auf der anderen Seite des Hospitals stehen. Es war mit großer Gewißheit Abend, vielleicht kurz vor der Dämmerung. In der Ferne sah man verschneite Gipfel. Ewiger Schnee? Oder aber es war Winter? Er überzeugte sich, daß die Zentralheizung nicht lief. Logisch, mitten im Sommer, zwischen Ende Juni und Anfang August. Die Landschaft um den See wirkte verlassen. Es stimmte, daß das Fenster nur einen recht mittelmäßigen Beobachtungsposten lieferte. Daniel blieb einen Augenblick stehen, die Stirn gegen die Scheibe gedrückt und hoffte, irgendwo eine menschliche Gestalt wahrnehmen zu können. Ohne Erfolg. Zum Fuß der Gebäude erstreckte sich ein weiter Vorplatz: weder Autos noch Fußgänger ließen sich mal sehen. Bedauernd trat er zurück und ging langsam durch das Zimmer, wobei er alle Gegenstände betastete. Die Heizung war aus, die Temperatur schien für ein Krankenhauszimmer sehr niedrig. Vor einem mit Büchern beladenen Regal blieb er stehen: englische Kriminalromane. Er schlug eines auf. Eine Attrappe: ein leerer Umschlag. Er kehrte zurück zum Bett und setzte sich. Nirgendwo war die geringste Inschrift zu erkennen. Nicht einmal ein Etikett oder eine Nummer.

Daniel widmete sich einige Zeit lang der Betrachtung des Telefons: ein weißer Hörer auf einem Sockel ohne Wählscheibe. Und plötzlich steigerte sich seine Furcht in Panik. Er wußte nun, was seiner Umgebung fehlte. Das Zimmer besaß keine Tür. Er stand auf, lief an die nächste Wand und begann sie stöhnend mit den Fäusten zu hämmern. Der Schmerz tat ihm wohl. Im Reflex führte er seine aufgeschürften Handkanten an die Lippen. Ich leide, also bin ich. Ein nur halb bewußter Gedanke, den er zweifellos abgelehnt hätte, denn er zweifelte nicht mehr an seiner Existenz. Er schob sich mit den Schultern an der Mauer entlang durch Zimmer und Badezimmer. Irgendeine Öffnung mußte doch existieren, nichts verriet jedoch die entsprechende Stelle. Außerdem schloß das Fenster hermetisch und man sah keinerlei Anzeichen einer Entlüftungsanlage.

Daniel ließ sich auf einen Stuhl fallen und schnüffelte lange. Die Luft wirkte frisch, ziemlich rein, mit einem Duft, den er kannte, jedoch nicht sogleich identifizieren konnte: ein Duft nach grünen Äpfeln. Ein Duft, der ihn heftig an seine Kindheit erinnerte, an den Herbst und die Obstgärten seines Geburtslandes. Plötzlich rebellierte er. Er mußte sich täuschen. Warum sollte ein Krankenhauszimmer nach grünen Äpfeln riechen? Warum auch nicht? Wieder ein Wunder aus der Air-Wick-Sprühdose. Was auch immer die Natur und der Ursprung des Duftes war, er hatte jedenfalls genügend Luft in seinem Zimmer. Er stützte die Ellbogen auf den Tisch, legte den Kopf zwischen die Hände und stützte seine Fingerspitzen gegen die Ohren. Eine andere Besonderheit fiel ihm auf, so daß er sich unvermittelt erhob, nur keuchend atmete, in seinen Schläfen dröhnte es: diese Stille! Diese erschreckende Stille! Nach der seltsamen Klimaanlage nun diese völlige Geräuschlosigkeit. Nein, dies war kein gewöhnliches Krankenhaus. Die Alpenlandschaft erinnerte natürlich an die Schweiz, und zweifellos existierten in diesem Land recht geheimnisvolle experimentelle Kliniken. Garichankar. Dieser Name mit dem leicht indischen Klang hätte zur Not auch deutsch sein können. Und dieses Zimmer ohne erkennbare Tür hing womöglich von einem Forschungszentrum ab, von einem Beobachtungsteam. . . Aber warum hat man mich hier hereingestopft? Was habe ich? Eine Kopfverletzung? Er fuhr sich mit beiden Händen über den Schädel. Seine Haare erschienen ihm länger, als er sie gewöhnlich trug, seine Stirn dagegen ein wenig zu kahl. Keinerlei Spur einer Narbe, keinerlei besonders schmerzhafte Stelle. Er stand erneut auf in der Absicht, sich im Spiegel im Badezimmer zu betrachten. Der Geruch der grünen Äpfel, dieser wunderbare Geruch nach Gesundheit und Glück hatte eine besonders beruhigende Wirkung auf ihn ausgeübt und war perfekt dosiert. Er sagte sich: alles ist in Ordnung, alles ist in Ordnung. Und gleichzeitig gewöhnte er sich an den Gedanken, daß das Schlimmste nicht auszuschließen war. Das Schlimmste – was immer es sein mochte. Das Entsetzen schwappte manchmal über ihn hinweg und trocknete seinen Mund aus. Dann aber trug ihn der Duft der grünen Äpfel davon und verwischte alles, was nicht Erinnerung und Hoffnung war. Er besann sich anders, ehe er das Badezimmer betrat. Er kehrte zum Bett zurück und nahm den Telefonhörer ab. Es rauschte leicht in der Hörmuschel. Mehrere Gespräche überschnitten sich in der Leitung. Vielleicht zehn Gespräche oder hundert. Eine Vielzahl. Daniel schloß die Augen und lauschte verzückt, ohne ein einziges Wort zu verstehen. Er war gerettet. Das Krankenhaus lebte. Wie hatte er im übrigen daran zweifeln können? Er lachte nervös. Was sagten die Stimmen? Sie waren zu weit entfernt, und es waren zu viele. Er fühlte sich jedoch völlig beruhigt, ja sogar von einer kindlichen Freude erfüllt. Er wagte nicht, dieses fremdartige Konzert von Flüstertönen, Ausrufen, Seufzern und Befehlen zu unterbrechen. Nachdem er mehrere Minuten gewartet hatte, rief er ein schüchternes und heiseres Hallo in das Gerät. Unvermittelt verstummten die Stimmen. Vielleicht existierte in der Telefonzentrale des Krankenhauses eine computergesteuerte, automatische Kommunikation oder etwas Ähnliches. Daniel wiederholte in die Stille hinein mit fast flehentlichem Ton:

»Hallo! Hallo!«

Warum antworten die denn nicht, lieber Gott? Plötzlich wieder von Furcht gepackt fügte er hinzu:

»Ich heiße Daniel Diersant. Ich glaube, ich bin bei einem Autounfall verletzt worden. Ich bin hier in meinem Zimmer in der. . . Ich weiß nicht, in welcher Etage, eingeschlossen. . . Ich glaube, es ist sehr hoch. . . Ich weiß nicht, was mit mir geschehen ist.«

Die Stille hielt noch eine Minute oder zwei an, dann begannen die Stimmen wieder gleichgültig fortzufahren. Daniel rief noch drei Mal ohne irgendein Resultat. Und jedesmal nahm seine Überzeugung und seine Hoffnung ab. Eine schweißgetränkte Strähne fiel ihm auf die Stirn. Mit automatischer Geste warf er sie zurück. Der Kragen seines Pyjamas war schweißgetränkt. Ihm schauderte vor Kälte und Ekel. Nun schien aus dem Badezimmer ein eisiger Luftzug zu wehen. Vorsichtig beäugte er den kleinen, weißen Raum, der schmaler und höher war als das Zimmer. Warum höher? Das war absurd. Zuerst hatte er geglaubt, daß nur das Zimmerfenster ihn erhellte. Er schloß die Verbindungstür und bemerkte, daß eine runde Deckenlampe über der Badewanne brannte. Sie gab ein fast taghell wirkendes Licht. Faszinierend. Niemals hatte er eine Beleuchtung gesehen, die das Sonnenlicht so gut imitierte.

Dagegen konnte er weder den Luftabzug noch die Herkunft der Zugluft finden. Seine Aufmerksamkeit wurde daraufhin von einem kleinen, in die Ward gemauerten Schrank angezogen. Beim ersten Mal hatte er ihn nicht gesehen. Die Tür ließ sich leicht mit einem Knauf öffnen. Es handelte sich um einen

Medikamentenschrank. Seltsam in einem Krankenhauszimmer. Er zählte ein Dutzend Medikamente, die er fast alle kannte. Alles, bis auf eines. Ein einfaches Fläschchen mit Dragées mit der Nummer 1 auf dem winzigen Etikett. Die anderen stammten von Cerba, von Nerek und Laurent-Duvernois. Nostalgie und Schrecken. Da stand D-Aminogel, Euquietal, Equigyn, Nidopan, Mebsital. . . Die kleine, graue Mebsitalröhre von Nerek! Aber, lieber Gott, warum nur? Warum hier Mebsital? Er versuchte, den schrecklichsten Hypothesen ins Auge zu sehen. Beispielsweise Wahnsinn. Übertrugen nicht gewisse Irre den Wirrwarr in ihrem Geist auf die Welt? Trotzdem hatte er den Eindruck bei klarem Verstand zu sein. So klar, daß er den Gedanken, vielleicht verrückt zu sein, mit Interesse, ja fast mit Hoffnung erwog. Und das Schlimmste war vielleicht nicht der Wahnsinn, sondern die Einsamkeit. War er nicht immer einsam gewesen? Er dachte an den seltsamen Begleiter seines Alptraums, den Ingenieur im abgetragenen Anzug. Wo waren Larcher und die schöne Monika? Und Ellen Laumer. Und die andere Monika – Monika Gersten? Gab es all diese Wesen wirklich? Er war sich nicht mehr sicher. Der Traum hatte die Vergangenheit zersetzt.

Er beschloß, der Wahrheit ins Gesicht zu sehen – zumindest dem, was seine Sinne ihm als Wahrheit vorspiegelten. Er betrachtete sich im Spiegel über dem Waschbecken. Sein Bild wirkte auf ihn außerordentlich verschwommen. Vielleicht war dies eine Folge der seltsamen Beleuchtung. Je länger er sich betrachtete, um so verschwommener wurde das Bild. Oder aber irgend etwas mit seiner Sehfähigkeit oder seinem Gehirn stimmte nicht. Dies war zumindest beruhigend: Dann gab es gute Gründe, daß er in einem Krankenhaus lag. Es gab aber auch Schlimmeres. In dem Spiegel überlagerte ein fremdes Gesicht sein eigenes. Dann vermischten sich die beiden um ein drittes zu ergeben. Halluzinationspsychose, Persönlichkeitsspaltung oder Gehirnverletzung? Das Symptom war entsetzlich, Daniel zog es jedoch auf jeden Fall vor, in einer gesunden Welt krank zu sein, als gesund zu sein in einer kranken Welt.

Er strich die lange feuchte Strähne, die wieder über seine

Stirn fiel, zurück, die Geste wurde von seinen Doppelgängern im Spiegel mitvollzogen. Nur der erste, der Daniel ähnelte, hatte kurzes Haar und die schwarze, glatte Strähne, die über eine rechte kahle Stirn fiel, gehörte dem zweiten. Er mußte es akzeptieren, das Schlimmste war gewiß. Er litt an schwerwiegenden Geistesstörungen, die die Wirklichkeit völlig deformierten. Die Zeugenschaft seiner Sinne war wertlos, da sie in seinem Gehirn verfälscht ankamen, vorausgesetzt, daß das Gehirn nicht selbst der Verantwortliche der Fälschung war. Die Fähigkeiten seines Verstandes schienen ihm intakt, doch auch dies war zweifellos eine Illusion. Eine von vielen. Er konnte an die Stimmigkeit seiner Gedanken nicht mehr glauben, als an die Exaktheit seiner Wahrnehmungen. Er war also völlig von der Welt abgeschlossen. Unmöglich, sich eine radikalere Form der Schizophrenie. . . und der Einsamkeit vorzustellen.

Er kehrte langsam in das Zimmer zurück. Ein Zimmer, das zweifellos nicht existierte. Vielleicht befand er sich in Wirklichkeit in irgendeinem schmierigen, engen Gemeinschaftszimmer. Und um dem Zusammensein mit vielen anderen zu entgehen, hatte er diese innere Festung errichtet. . . Er trat ans Fenster und blickte auf den See hinab. Er glaubte, dort eine Berglandschaft zu erkennen, wo vielleicht in Wirklichkeit nur ein eingemauerter, finsterer, schmaler Krankenhaushof lag mit einer Armee von Polizisten-Pflegern hinter überfüllten Mülltonnen. Zweifellos betrat niemand den Vorplatz, da der Vorplatz nicht existierte.

Und aus dem gleichen Grund war auch kein Wagen auf der Straße um den See zu sehen. In gewissem Sinn konnte Daniel sich glücklich schätzen: lieber die Stille als den Tumult, lieber die Einsamkeit als das Gedränge.

Er begann durch sein Zimmer zu kreisen, versetzte von Zeit zu Zeit der Mauer einen Fausthieb, trat gegen ein Möbelstück oder streichelte einen Hohlraum, der, er wußte nicht welche Wahrheit er verbarg, die seinen Augen nicht zugänglich war. Erneut hob er den Telefonhörer ab und lauschte. Plötzlich erhob sich eine Stimme aus dem ewigen Flüsterkonzert. Eine ängstliche und fast flehentliche Stimme:

»Lieber Gott, warum halten Sie mich hier gefangen, was wollen Sie denn von mir?«

Eine andere, ernste, weit entfernte und kaum hörbare Stimme erwiderte:

»Sie sind Gefangener der Ärzte von Garichankar, die sich für ihre Chronolyseexperimente Ihrer Person bedienen. Ich bin der imperialistische Vollstrecker, der Feind von Garichankar. Wir werden versuchen, Ihnen zu helfen. Versuchen Sie, Vertrauen zu uns zu haben: das ist Ihre einzige Chance. Denn Sie befinden sich in großer Gefahr. . . «

»Was für ein imperialistischer Vollstrecker? Was für ein Imperium?« fragte die erste Stimme voller Aufregung, Panik ließ sie immer schriller werden.

»Das industrielle Imperium HKH. Das Garichankar-Hospital ist von seiner Majestät Hermann Kahn Hindenburg III, dem Herrscher der freien Welt entbunden. Wir haben jedoch gewaltige Schwierigkeiten, gegen die autonomen Hospitäler vorzugehen, die in ihrer Zone sehr mächtig sind, und durch den Vertrag von Lausanne geschützt werden.«

»Werden Sie mich befreien?«

»Wir versuchen gerade in diesem Augenblick, zu Ihnen vorzudringen. Wir benötigen Ihr Vertrauen und Ihre Mitarbeit.«

»Was muß ich tun?«

»Sie müssen sofort darangehen, mit uns gemeinsam gegen die verrückten Ärzte vorzugehen.«

»Wer sind die verrückten Ärzte?«

»Die Psychronauten der autonomen Hopsitäler. . . «

Wütend hängte Daniel ein. Der Alptraum ging weiter. Die erste Stimme ähnelte der seinen, so wie er sie häufig auf Tonband gehört hatte. Die zweite mußte die von Sarthès sein, obwohl der Akzent kaum hörbar war. Er kam also nie mehr raus!

Warum halfen ihm die Ärzte – natürlich die der wirklichen Welt – nicht, anstatt ihn seinen Wahnbildern zu überlassen? Er befand sich in einem Krankenhauszimmer und ein ungeheures Phänomen entwickelte sich in seinem Hirn. Warum unternahmen die Ärzte nichts?

Er lief ins Badezimmer, holte das Röhrchen Mebsital heraus und ließ in seine Handfläche eine kleine, weiße, fast farbene Pille kullern. Dann öffnete er weit den Wasserhahn. Frisches Wasser spritzte heraus. Er keuchte angesichts der glücklichen Überraschung. Soweit klappte es also besser. Die Leitungen waren wieder frei! Vielleicht kam auch das übrige wieder klar. Er seufzte vor Freude, trank in großen Zügen mit geschlossenen Augen, das Wasser war klar, fast kalt und hatte einen leichten Geschmack nach grünen Äpfeln. Und mit den letzten Tropfen schluckte er ohne zu zögern ein Mebsital-Dragée hinab. Die Würfel waren gefallen.

Plötzlich fühlte er sich viel besser, nicht nur, weil er seinen Durst gestillt hatte, sondern weil er auch große Hoffnung in die Droge setzte. Er war bereits viel entspannter und seine Furcht begann sich zu zerstreuen. Vielleicht hätte er sich gleich hinlegen sollen. Er zog es vor, ein wenig zu warten. Man würde schon sehen. Er trat ans Fenster, plötzlicher Zorn packte ihn. Warum gab es hier weder Knauf noch Schlüsselloch? Warum konnte er dieses jämmerliche Fenster nicht öffnen, um klare Bergluft einzuatmen?

Natürlich, so dachte er, existieren das Fenster und die Berge nur in meinem Kopf. Dies ist eine geistige Falle – nichtsdestotrotz eine Falle. Er hob die Faust in Richtung der Scheibe und bemerkte im Augenblick, da er zuschlagen wollte, daß ein fremder Wille seine Handlung anleitete. Der Wille seines alten ego, der Seemann mit der schwarzen Haarsträhne und der verstümmelten Hand. Er wollte den Arm senken, doch seine geballte Faust entglitt ihm und schlug gegen eine der vier Glasscheiben.

VIII

Der Hafen sah aus wie alle Häfen der Welt. Das ölige Meer brachte keine Frische mehr auf die Kais. Die staubige, süßliche Luft dickte einem den Speichel an. Man hätte sich auf dem Jonathan-Pier in Singapur glauben können. Oder war dies nur eine psychologische Reaktion? War dieser fade, süßliche Geschmack, der Renato auf der Zunge lag, nicht der von Freude, die sich mit Traurigkeit mischte? Und Hitze? Ihm war immer zu heiß, sobald ihm der Wind von offener See fehlte. Er hatte stets diesen Geschmack nach verbrannter Erde im Mund. Die Luft der Städte war ihm niemals rein genug.

Er war das letzte Mal von Bord gegangen. Er trug einen Koffer in der Hand und einen Sack auf dem Rücken. Er trug einen abgetragenen, petrolblauen Anzug. Er hob seine krumme Südfranzosennase und sog die schmierige Atmosphäre der Stadt ein. Seine Augen blinzelten vor Müdigkeit. Eine lange, schweißfeuchte Strähne klatschte ihm auf der etwas kahlen Stirn. Mit den drei Fingern seiner rechten Hand schob er sie auf die Schläfe zurück. Er war fünfunddreißig. Er hoffte, nicht zu sehr wie ein Matrose auf Urlaub auszusehen, denn er wollte nun stets unter den Menschen an Land leben.

Er haßte die quergestreiften Pullover, die flachen Kappen, die Meeresvodrans, die Geschichten von Sturm und Breitseiten, den Akzent des Midi, der der seine war, die Mädchen aus den Absteigen und seine verstümmelte rechte Hand. Was er liebte, er wußte es kaum noch. Zu viele Dinge – vielleicht gar die gleichen. Sein Herz schlug wild, sein Blut pochte heftig. Für alles, das an das Leben erinnerte, dem er den Rücken gekehrt und an die Welt, aus der er entflohen war erinnerte, wahrte er eine schmerzliche Zärtlichkeit. Nichts im Leben war jemals einfach. Philosophie der Wachräume, Leitmotiv der ruhigen Glasen während der die Meditation zu einer Art Pakt mit der Zeit und manchmal zu einem Schachspiel mit dem ganzen versteckten Universum wurde.

Er drehte sich um und warf einen letzten Blick auf die Brücke. Ein Bild aus Azurblau und Schmieröl! Es erinnerte an ein altes Poster der Maritim- und Kolonialliga. Die Schiffe hatten sich seit zwanzig Jahren kaum verändert. Sie schienen weder Alter noch Geschichte zu haben. Und doch hatten viele die sagenhafte Zeit von *Mer und Colonies* erlebt und ihren kurzatmigen Ruhm an die letzten Ufer des Imperiums getragen, zu Zeiten, da noch Unschuld und gutes Gewissen vorherrschten. Dann hörte man die Kanonenboote nicht mehr donnern. Auf der leuchtenden Brücke der Zerstörer antwortete die schrille Musik der Flottenangehörigen auf das Tamtam der befriedeten Stämme, die säuberlich aufgereiht am Ufer warteten. Magere, bartlose, junge Männer, die die Sehnsucht nach Abenteuern wie ein Gewicht auf dem Magen mit sich herumtrugen, gingen sich an den Kais ein paar Zigaretten kaufen und machten sich auf hunderttausend Jahre davon.

Renato Rizzi war einer von ihnen gewesen. Mit achtzehn hatte er sich einige Monate vor dem Krieg zur Marine verpflichtet. Als Franzose italienischer Abstammung hatte er fast immer zwischen Dauphine und Languedoc gelebt. Das Mittelmeer erschien ihm als Teich für brave Kinder. Er träumte vom Schnark, von den weißen Klippen und den Meuteren der Elseneur. Er wollte Kap Horn sehen, den Riesenvogel der australischen Berge und die schönen Mestizen von Panama. Das Meer nahm für ihn einen Duft von Freiheit und Ruhm an. Von 1939 bis '45 hatte er als Matrose auf der Brücke oder im Frachtraum auf braven, friedlichen Frachtern Dienst getan, ohne jemals die Gelegenheit zu finden, den Helden zu spielen. Niemals hatte er den düsteren Schatten des Panzerkreuzers Potemkin gesehen, niemals war sein Schiff von einem deutschen Unterseeboot torpediert worden. Niemals hatte er die *Bansai! Bansai!* der japanischen Soldaten im Angriff erlebt. Nichtsdestotrotz hatte er den Krieg hassen gelernt. Mit zwanzig Jahren hatte er bereits keinerlei Lust mehr, ein Held zu werden.

Das Abenteuer hatte ihn ein einziges Mal in einer Kneipe in Abluna in Gestalt eines großen, blonden Mädchens gestreift, die nicht sehr schön, aber erstaunlich gut gebaut war; sie behauptete Schwedin zu sein und ließ sich Sigrid nennen. Er erinnerte sich noch an ihren einzigartigen Busen, der aus einem rotgeschnürten Mieder schwappte und an ein Hinterteil, daß der Rock kaum fassen konnte. Sie trug geknüpfte Stiefeletten und hatte den jungen Matrosen gebeten, ihr zu helfen, sie auszuziehen. Ein Trick, so alt wie die Welt, um ihm zu zeigen, daß sie unter dem Kleid nichts trug. Trotzdem hatte er sie für eine Hafenhure für zu schlau gehalten. Später konnte er sich zu seiner Vorahnung gratulieren, als er erfuhr, daß sie nicht Schwedin, sondern Deutsche war und die Matrosen der Alliierten aushorchte. Er war übrigens kein großes Risiko eingegangen: er kannte kein einziges Geheimnis, das es wert war, auf dem schmierigen Kopfkissen einer Absteige weitererzählt zu werden.

Er kostete diese alten, bittersüßen Sehnsüchte aus. Sehnsüchte nach Abenteuern, die er niemals gekannt, nach Gefechten, die er niemals geliefert, nach einer Karriere, die er vielleicht verpatzt hatte. Es ist später, als du denkst, Renato Rizzi. Jenseits der Nostalgie, jenseits der Sehnsüchte empörte ihn ein dumpfer Zorn gegen das Leben, die Welt, die Menschen. Sie werden es mir büßen!

Er mochte die blonden Mädchen vom deutschen oder schwedischen Schlag, er hatte jedoch eine dunkelhaarige mit sehr heller Haut geheiratet, eine Italienerin wie er, Monica. Er wußte, daß sie ihn betrog, er nahm sein Schicksal jedoch nicht tragisch, um so mehr, als sie ihn niemals ganz die Ingrids, Sigrids, Gretes, Olgas oder Mauderanes der Bordelle in aller Welt vergessen ließ. Siebzehn Jahre bei der Marine und bald zehn Jahre mit Monica! Und nun kehrte er nach Hause zurück. Er würde sich ins Geschäftsleben oder die Landwirtschaft oder Gott weiß was stürzen.

Er haßte das Geld, er besaß jedoch Ersparnisse. Jeden Monat schickte er seine Heuer auf die Bank. Und manchmal auch etwas mehr. Er kam gut zurecht. Zu gut sogar. Das war einer der Gründe, die er vorschob, um das Meer aufzugeben. Er wollte kein mieser Schieber, kein Schmuggler oder Vodran werden – oder irgend etwas ähnliches.

Er konnte ohne ein Darlehen einen kleinen Bauernhof kaufen, vorausgesetzt, die Preise waren seit dem letzten Mal nicht so sehr gestiegen. Mit diesem beschissenen Algerienkrieg! Und für eine Bar oder eine Herberge – falls er sich doch für die leichtere Lösung entschied – benötigte er nur einen mittleren Kredit.

Monica würde natürlich eine Bar vorziehen. Und er konnte

sie sich kaum als Bäuerin vorstellen, sie, die so sehr die aufreizenden Kleider, schwarze Strümpfe, hohe Absätze und phantastische Spitzen und kunstvolle Frisuren schätzte, letztendlich alles, das den Bürgern der Städte gefällt. Es war schon schade. Renato wünschte sich Schafe und Pferde aufzuziehen und in der Nähe eines Waldes zu wohnen, wo er im Herbst Ringeltauben schießen und im Winter Holz schlagen konnte. Das Meer war für ihn Symbol einer unwiederbringlichen Niederlage. Er zog es vor, im Landesinneren zu leben, um nicht mehr daran zu denken, was er verpaßt hatte, was er versäumt hatte, um die maßlosen Träume zu vergessen, die sich niemals realisieren ließen. Er war es leid, umherzuirren und zu fliehen. Eine unwiderstehliche Gewalt zwang ihn aufzuhören, sich irgendwo festzusetzen, seine Wurzeln in den Boden zu schlagen, Teil der Vegetation zu werden, nachdem er so lange Zugvogel gewesen war.

Die Wohnung der Rizzis befand sich in einem sympathischen und armen Viertel von Tregabo: ein paar graue Betonblöcke mit bunter Wäsche beflaggt inmitten unbebauten Landes. Zwischen den Häusern spielten lustlos ein paar schlechtgewaschene Kinder. Es waren Ferien, dachte Renato. Natürlich. Man schrieb den 30. oder 31. Juli. Den 31. Juli 1956. Auf der Treppe musterten ihn zwei sehr junge Mädchen mit heimlichen Blicken. Sie trugen lange Röcke, wie es der Mode entsprach, hatten sie doch auf dem Bauch versteckt geöffnet, vielleicht aufgeknöpft. Sie brauchten sich nur hinzusetzen und ein wenig die Beine zu spreizen, um breite Streifen milchiger Haut und hübsches, dunkles Schamhaar sehen zu lassen. Renato kannte sie nicht. Er nahm das Schaupsiel mit der ihm angeborenen Nachsicht auf, die er für diese Dinge empfand.

»Ich wohne hier«, sagte er. »Ich bin der Mann von Monica, ich komme nach Hause zurück. Wir werden uns sicher noch sehen.«

Dritte Etage ohne Aufzug. Glücklicherweise brauchte Renato keinen Aufzug. Ich, ein alter Seemann! Er feixte, um Haltung anzunehmen, seine Kehle zog sich jedoch zusammen, sein Mund war ein wenig trocken. Monica!

Die Fenster gaben den Blick auf das unbebaute Gelände frei, das sich ein wenig zur öffentlichen Müllhalde entwickelt hatte. Wenn man sich ein wenig vorbeugte, konnte man die Wasserflugzeuge auf dem Lazare-See erkennen. Billige Träume und ein unverbaubarer Blick auf das Glück der anderen!

Monica wußte, wann der Frachter *Océanie* am Kai anlegen sollte. Dieses billige Flittchen hätte zumindest ihren Herrn und Meister abholen können. Aber, ba, sie machte sich selten die Mühe. Er war es gewohnt. Er stellte seinen Koffer auf dem Treppenflur ab, der ein wenig dem Eingang einer Verkaufsbude ähnelte mit all den Gerüchen und den gedämpften Geräuschen. Er glaubte aus Richtung seiner Wohnung den Lärm einer Unterhaltung oder eines Streits zu vernehmen. Keinerlei Privatsphäre in diesen Armenkäfigen. Die Nachbarn mußten über alles auf dem laufenden sein. Und die Polizei gleichermaßen. Im Flur stolperte er beinahe über eine Palmmatte und fluchte laut, um Monicas Aufmerksamkeit zu erregen. Das Gespräch verstummte, niemand trat ihm jedoch entgegen.

»In drei Teufels Namen!« brüllte er. »Habe ich mich in der Baracke geirrt oder was?«

Nein. Er begann zu lachen. Er war ganz zu Hause. Diese mittelmäßige Einrichtung kannte er nur zu gut. Fotografien von Schiffen und weit entfernten Häfen, die nackte Negerin unter Glas, die Jalousien und Matten aus Palmfaser, die eine wenig überzeugende, exotische Note verleihen sollten. Eine Mittelmäßigkeit, die zum Kotzen war. Aber das sollte sich ändern. Er schwor sich, all diesen Mist bei der ersten Gelegenheit hinauszuwerfen. Er warf seinen Koffer und seinen Sack hin und trat in die Küche. Dort blieb er sprachlos und mit geballten Fäusten stehen. Drei schwarzuniformierte Männer standen um seine halbnackte Frau, die mit zerrissenem Kleid keuchend auf dem Fußboden lag. Monica versuchte aufzustehen, einer der Männer trat sie jedoch mit dem Stiefel, so daß sie stöhnend zurückfiel. Der zweite richtete eine langläufige Pistole auf Renato und sagte mit rauher, fremdartiger Stimme:

»Rühren Sie sich nicht!«

Das Glas brach nicht, vielmehr teilte es sich, zerriß wie ein

Blatt gespanntes Papier. Daniel empfand intensive Kälte und zog sogleich seine Hand zurück. Ein eisiger Luftzug fegte durch das Zimmer, die Scheibe wurde allmählich braun, dann schwarz wie ein Blatt weißes Papier, an dem die Flammen emporlecken. Das Fenster begann zu vibrieren. Die drei unversehrten Scheiben beschlugen. Die Landschaft verschwand. Ein seltsames Geräusch ertönte von jenseits der Scheibe und verwandelte sich in eine gleichermaßen vertraute wie bedrohliche Musik: das kreischende Pizzicato, das Röhren der Trommeln, das Scheppern der Becken. Verdutzt betrachtete Daniel seine verstümmelte Rechte und heulte auf.

Er lief ins Badezimmer, um sich zu übergeben. Nein, ich will nicht. Ich bin nicht Renato. Ich bin Daniel Diersant. Ich habe ein Examen in Naturwissenschaften, ich will nicht zu einem ungebildeten Seemann werden! Diese Mischung aus Ekel und Entsetzen erinnerte er sich bereits einmal im Traum empfunden zu haben. Er war schwer verletzt und die Ärzte besprachen sich: »Wir werden ihm eine Seelentransfusion machen!« Die Kraft seines Widerstandes hatte ihn schließlich geweckt. Aber vielleicht benötigte er wirklich eine Seelentransfusion. Kalter Schweiß rann ihm über Gesicht, Nacken und Arme. Die Verzweiflung bildete einen Eisblock in ihm. Keine Einsamkeit schien der seinen gleichzukommen. Er war nur noch ein krankes, verletztes Ding, aufgegeben von den Menschen. Er erhob sich, verstört und schäumend. Das Zimmer war nun fast völlig dunkel. Die Lampe im Badezimmer lieferte nur noch ein Dämmerlicht, in dem dunkle Höhlen sich abzeichneten. Mit der Nacht kam die Kälte. Daniel lehnte sich an die Wand und schauderte. Lieber Gott, was habe ich getan! Er wollte sterben, verschwinden, niemals existiert haben. Er hatte ein Bewußtseinsloch bis er wieder zu sich kam, wie er in der Atmosphäre einer modrigen Höhle auf sein Bett zukroch. Unter seinem zerfetzten Pyjama löste sich seine Haut in gräulichen, dickgeronnenen, blutigen Placken ab. Der Boden zersetzte sich in eine braune, klebrige Materie, die an seinen Händen, seinem Bauch und seinen Beinen haftete. Nun herrschte völlige Dunkelheit. Er kroch auf dem schmierigen Boden, da er nicht mehr in der

Lage war, sich aufrecht zu halten. Er kämpfte um etwas Geringeres als das Leben selbst und fühlte sich ganz miserabel.

»Hilfe!« keuchte er. »Dr. Holzach, Dr. Carson, Larcher, Ellen, Monika! Helft mir, ich bitte euch. Helfen Sie mir, Doktor. Sehen Sie denn nicht, daß ich krank bin? Lieber Gott, Sie verstehen nicht, daß ich verrecke, wenn Sie mir nicht helfen!«

Er zog sich an dem Nachttisch hoch, der zu schaukeln begann, er konnte jedoch den Telefonhörer fassen und zog ihn unter Schmerzen an sein Gesicht.

»Garichankar-Hospital«, sagte er. »Dr. Carson, antworten Sie mir!«

Einige Sekunden lang herrschte Stille, dann ertönte eine ruhige, entfernte und klare Stimme.

»Hier Dr. Kellim Carson. Wer ist am Apparat?«

»Daniel Diersant. Ich bitte Sie, Doktor, helfen Sie mir.«

»Worum geht es denn?«

»Sie haben mich aufgegeben. Dr. Holzach kam mich abholen, um mich ins Garichankar-Hospital zu bringen. Dann hat er mich allein gelassen. Ich bin krank, Doktor. Ich benötige Pflege. Ich habe den Eindruck, daß mein Körper sich zersetzt, und daß alles ringsumher sich auflöst. Es ist äußerst schmerzlich. Ich glaube, ich habe eine Dummheit begannen. Ich bin in einem Zimmer ohne Tür aufgewacht. Und keinerlei Möglichkeit, das Fenster zu öffnen. Dann habe ich eine Scheibe zerschlagen, worauf ringsumher alles dunkel und kalt wurde. Und nun sind meine Hände nicht mehr die meinen. Die rechte ist verstümmelt. Es fehlen zwei Finger. . . «

Er verstummte, und wieder trat Stille ein, die von unzähligen Geräuschen unterbrochen wurde.

»Doktor, hören Sie mich? Sind Sie wirklich Dr. Carson?«

Stille.

»Dies ist natürlich nur eine Simulation«, erwiderte die Stimme.

»Ich stehe also nicht in Verbindung mit dem Garichankar-Hospital?«

»Doch. Auf sehr indirekte Weise. Über Dr. Laumer und das Phordalnetz.«

»Doktor. . . Kann ich Sie Doktor nennen? Helfen Sie mir. Wer immer Sie sind, helfen Sie mir.«

»Das geschlossene Fenster, die Zersetzung der Dinge rings um Sie her, die Zersetzung Ihres Körpers, Ihre verstümmelte Hand, dies alles sind klassische Symptome der Chronolyse. Sie werden sich daran gewöhnen. Dies sind Gebilde ihres eigenen Geistes. Ihres Unterbewußtseins, wenn Sie so wollen. Aber einige dieser Schöpfungen können eine fortgeschrittene Wirklichkeitsebene erreichen. Und Sie wissen nicht, wie Sie sich dagegen wehren können. Sie müssen eine ganze Lehre durchmachen, die Psychronauten selbst sind häufig hilflos. Sie müssen diese Welt annehmen und das Wahnbild des Traums ablehnen. Sie träumen nicht. Und um so mehr Sie insgeheim überzeugt sind zu träumen, um so mehr sind Sie verletztlich für Ihre eigenen Wahnbilder. In der ungewissen Zeit macht Sie die idealistische Illusion unfähig, sich dem Leben und der Geschichte zu stellen. Hier ist das anders. Die Materie ist eine Darstellung, man muß jedoch Materialist sein. . . Unglücklicherweise gestatten uns die Umstände nicht, Ihnen so zu helfen, wie wir das gerne tun würden. Garichankar und die meisten autonomen Hospitäler unserer Epoche erleiden gerade einen heftigen Angriff aus dem chronolytischen Universum. Was eingetreten ist, schien zuvor mehr als unwahrscheinlich. Ich leugne nicht, daß wir einen Teil der Verantwortung an dieser Situation tragen, aber wie dem auch sei, wir müssen die Erde verteidigen.«

Daniel stieß ein bitteres Lachen aus.

»Meine persönlichen Probleme haben also keinerlei Bedeutung mehr!«

»Glauben Sie das nicht. Zum einen sind Sie wahrscheinlich in diese Auseinandersetzung verwickelt.«

»Ich?«

»Gewiß. Sie stehen in geistiger Symbiose mit einem Psychronauten von Garichankar. . . «

»Warum tritt er dann nicht auf, um mir zu helfen?«

»Er tritt auf, so gut er kann. Gerade in diesem Augenblick. . . «

»Dr. Holzach, dann sind Sie das, die mit mir reden?«

»In gewisser Weise spricht Dr. Holzach mit Ihnen. Aber er ist nicht bei Bewußtsein. Seine Persönlichkeit ist hinter der Ihren völlig zurückgetreten.«

»Er versteckt sich hinter mir, um Ihre Feinde auszuspionieren!«

»Nein, so ist das nicht. Zumindest nicht ganz so. In Wahrheit sind Sie besser gewappnet, als er, um dem Einfluß von HKH zu widerstehen.«

»Ihr Feind ist HKH?«

»Und der Ihre.«

»Da bin ich nicht überzeugt.«

»Die Männer des Imperiums sind es aber.«

»Warum befinde ich mich im chronolytischen Universum?«

»Ich glaube, Sie haben einen Unfall gehabt, und eine recht schwerwiegende Schädelverletzung davongetragen.«

»Also haben mich nicht die Phorden von Garichankar aufgegriffen?«

»Aber nein! Sie befanden sich im Zustand der Tiefenanalyse, als die Phorden mit Ihnen Verbindung aufgenommen haben.«

»Trotzdem handelt es sich um ein Experiment. . . dessen Versuchskaninchen ich bin.«

»Kein Experiment. Ein Eingriff. . . der durchaus zu Ihrem Vorteil sein müßte. Wir können Ihnen helfen.«

»Und in der Zwischenzeit nutzen Sie mich aus.«

»Wir sind Verbündete. Ihr instinktiver Widerstand zeigt sehr wohl, daß sie HKH sind.«

Voller Zorn bekam Daniel allmählich wieder Luft und Widerstandswillen.

»Beantworten Sie meine Fragen. Danach werden wir sehen, was ich mag und was ich hasse. . . Lebe ich oder bin ich tot?«

»Sie leben. Deshalb gehören Sie auch dem chronolytischen Universum nicht voll an. Zumindest nicht endgültig. Aber. . . es ist nicht gewiß, daß Sie genesen werden. Unglücklicherweise bestehen gewisse Risiken, daß Sie gelähmt bleiben oder unter Gedächtnisverlust leiden werden. Das Erwachen wird für Sie eine Art von Tod sein. Ich wünsche Ihnen, daß Sie in der

Chronolyse sterben, so werden Sie die subjektive Unsterblichkeit erlangen.«

»HKH hat mir bereits die subjektive Unsterblichkeit versprochen.«

»Mit HKH ist die subjektive Unsterblichkeit die Hölle.«

»Wie kann ich sicher sein, daß Sie mir die Wahrheit sagen?«

»Nun, im Augenblick müssen Sie vor allem Zeit gewinnen, um Ihre Kenntnisse über die Gesetze dieser Welt zu vervollständigen. Bald werden Sie in der Lage sein, die Fallen von HKH zu umgehen. Sie werden begreifen, wer lügt und wer die Wahrheit sagt. . . Bereiten Sie sich auf das Unbestimmte vor. Es geht um Ihr Schicksal. Von nun an ist Ihr Leben hier, in der ungewissen Zeit, wo die besten Waffen des Menschen die Phantasie und die Beweglichkeit sind. Sie kommen aus einer psychisch armseligen Epoche, da die Existenz kaum mehr als ein schlechter, von Alpträumen unterbrochener Schlaf war, und es wird recht schwierig für Sie werden. Ich glaube jedoch, daß Sie sich zurechtfinden werden. Diese Welt ist eine Welt ohne Ruhe, wo alle Gefühle verstärkt und verschlimmert werden, eine Welt des ständigen Kampfes, eine Welt der Fallen und der Leiden. . . Aber auch eine Welt köstlicher Freuden und unwahrscheinlicher Erlebnisse. . . «

»HKH hat mir köstliche Freuden und unwahrscheinliche Erlebnisse versprochen. . . Oder etwas ähnliches dieser Art.«

». . . Falls Sie den Kampf annehmen, die Fallen umgehen und vor allem die Fallen von HKH. Ihr erster Sieg wird sein, völlig Sie selbst zu werden. Sie müssen die Zweitpersönlichkeiten, die Teil Ihrer selbst sind, empfangen und die dank der Chronolyse aus dem Schatten heraustreten, so wie der Matrose mit der verstümmelten Hand. . . «

»Sie kennen also den Matrosen mit der verstümmelten Hand?«

»Durch Dr. Holzach haben wir einige seiner Erlebnisse mitempfunden. Wenn Sie ihn ablehnen, so schwächen Sie sich selbst und liefern sich der Umklammerung von HKH aus.«

»Dr. Carson, Sie lügen!« ertönte eine ernste, langsame Stimme, die jener des Großen Drachen ähnelte.

»Was ist denn nun los?« schrie Daniel. »Wer redet da? Dr. Carson, antworten Sie!«

»Daniel Diersant, entschuldigen Sie, daß ich dem sogenannten Dr. Carson das Wort abgeschnitten habe. Garichankar betrügt Sie.«

»Sind Sie Sarthès?«

»Ich bin Howard Kennedy Hughes vom Imperium.«

»Ja. . . HKH! Kennedy und Howard Hughes. Unter dieser Mischung kann ich mir etwas vorstellen. Was wollen Sie?«

»Sie tun gut daran, sich mit dem Imperium zu arrangieren, Diersant. Wenn Garichankar Sie nicht mehr braucht, werden Sie Dr. Holzach zurückrufen und Sie wachen auf. . . Allerdings nur für kurze Zeit. Man erholt sich nicht von einem chronolytischen Schock. Sie werden kurze Zeit darauf sterben. Und zwar endgültig. Sie müssen sich in der Chronolyse befinden, wenn Ihr Herz zu schlagen aufhört und Ihr Gehirn nicht mehr denken will. So gehen Sie endgültig ins Unbestimmte über, Ihre letzten Lebenssekunden werden auf wunderbare Weise vervielfacht. Sie werden zu einem Jahrhundert oder zwei, zu einem Jahrtausend! Ob es ihnen gefällt oder nicht, wir sitzen im gleichen Boot. Ihre einzige Überlebenschance besteht darin, sich sofort aus der Umklammerung der Phorden von Garichankar zu lösen. Dann sind Sie nicht mehr das Versuchskaninchen verrückter Ärzte und werden zu einem freien Menschen in einer freien Welt!«

»Ich glaube Ihnen nicht.«

»Sie haben Sie getäuscht!« ertönte die ein wenig rauhe Stimme des Großen Drachen . . . oder von Howard Kennedy Hughes, in seinem Ton schwang aufrechtes Bedauern mit. »Warum glauben Sie mir nicht?«

»Das industrielle Imperium HKH steht für alles, das ich früher gehaßt habe.«

»Das industrielle Imperium existiert nicht mehr. Wir sind die letzten Überlebenden im Unbestimmten.«

»Wer spricht denn von Imperium und imperialistischem Vollstrecker? Wer tut denn so, als gehöre das chronolytische Universum HKH? Wer lügt?«

»Wir folgen lediglich einer Tradition. Es stimmt jedoch, daß wir hier zu Hause sind.«

»Glauben Sie ihm nicht«, mischte sich unvermittelt Dr. Carson ein. »Er lügt. HKH ist eine einzige Lüge. Wir sind es, die gesamte Erde, die angegriffen wird. Der Krieg ist nicht mehr auf den geistigen Raum im chronolytischen Universum begrenzt. Sie haben ihn zu uns, in den pysikalischen Raum, getragen. Sie haben begonnen, in unsere Zeit einzudringen.«

»Das ist lächerlich! Glauben Sie ihm nicht. Diersant! Hier im Unbestimmten sind wir sehr stark. Wir haben jedoch keinerlei Mittel, ins entropische Universum einzudringen. Wenn die Erde von jemandem angegriffen wird, dann gewiß nicht von uns.«

»Die Erde wird von HKH angegrfffen, Diersant. Von den Gespenstern des Imperiums! Und die Invasion ist mit äußerster Sorgfalt vorbereitet worden. Schon lange zwang HKH unseren Psychronauten seinen Willen auf, ohne daß wir auf diesen Gedanken gekommen wären. Er machte aus ihnen – aus einer gewissen Zahl von ihnen – seine gefügigen Sklaven. Und die geistige Umklammerung des Imperiums hält beim Menschen weit länger an, als nur bis zu seiner Rückkehr in die physische Welt. Unsere eigenen Psychronauten sind Soldaten von HKH geworden!«

»Das ist doch Wahnsinn«, heulte Howard K. Hughes. »Sie sind verrückt. Es sind verrückte Ärzte!«

»Sie sind die Pest des Universums und müssen vernichtet werden!«

»Dr. Carson«, bat Daniel, »geben Sie mir Einzelheiten über diesen Krieg. Wie verhalten sich die von HKH beherrschten Psychronauten?«

Keinerlei Antwort. Weder von Garichankar noch vom Vertreter des Imperiums. Die Leitung war tot. Der Kontakt unterbrochen. Im gleichen Augenblick löste sich der Hörer in Daniels Hand in Luft auf. Offensichtlich hatte er niemals existiert. Das Gespräch war jedoch Wirklichkeit gewesen.

Daniel beschloß, sich in sein Zimmer in der Rue de Verneuil zu flüchten, um Zeit zu gewinnen – denn es galt Zeit zu gewinnen. Er konzentrierte sich einige Sekunden – oder auch eine Ewigkeit – er fand die Tür, die Fenster, die Möbel, Babar, den rosa Elefanten und überzeugte sich, daß er auf seinem Bett lag, aufwachte und alles in Ordnung war. Er streckte die offene Hand aus, um Babar zu streicheln und. . .

IX

. . . befand sich am Steuer seines Volkswagens irgendwo auf der Nationalstraße 20. Der Motor dröhnte regelmäßig. Die Lichtbündel der Scheinwerfer schnitten die Landschaft in säuberliche Scheiben. Hinter einer Reihe grauer Baumstämme schimmerte die Ebene unter dem Perlmutlicht des Vollmonds. Die Nadel des Geschwindigkeitsanzeigers vibrierte zwischen neunzig und hundert. Die Kilometerstandsanzeige wies 73'444 Kilometer aus. Der Tank war voll. Daniel wunderte sich: er mußte vollgetankt haben und erinnerte sich nicht daran. Er warf einen Blick auf seine Uhr. 23.50 Uhr. Gleich Mitternacht, dachte er zerstreut. Er mußte sich beeilen. . . Wie sollte er glauben, daß all dies eine Illusion war? Der Traum war vielmehr Garichankar und die Chronolyse. Und dennoch stimmte irgend etwas nicht. Was, wußte er nicht. Einen Augenblick dachte er nach, ohne seinen Eindruck präzisieren zu können. Er schnüffelte mehrmals und bemerkte einen leichten Benzingeruch. Einen wirklich kaum registrierbaren Geruch – vielleicht bildete er es sich ein. Er kurbelte die Scheibe hinunter und sog die frische, warme, fast mediterane Luft ein. Und doch war er sehr weit vom Meer entfernt. Er fuhr durch die Sologne und erkannte die Landschaft sehr gut. Er fuhr in Richtung Süden und . . . Er wußte nicht, der wievielte es war. Genau das stimmte nicht. Ganz offensichtlich war es Sommer. Irgendein Sommertag zwischen dem 20. Juni und dem 31. Juli. Das genaue Datum hatte er jedoch vergessen. Dies bewies nichts, aber es war ein wenig verdächtig. Irgend etwas in seiner Erinnerung, irgend etwas mit seinem Gehirn stimmte nicht. Gott weiß was. Unnötig, sich zu quälen. Er wußte sehr wohl, daß er nicht träumte. Er hielt das vertraute Steuerrad fest in der Hand. Der VW kam leicht von seiner Spur ab. Dies alles war wahr, verzweifelt wahr.

Sein Mund wurde trocken, seine Kehle zog sich zusammen, sein Herzschlag beschleunigte sich. Erneut machte sich Angst in ihm breit, verkrampfte seine Muskeln, warf eisige Kristalle in sein Fleisch und verwandelte seine Nerven in vibrierende Fäden. Er war allein auf der Straße. Oh Einsamkeit, alte Begleiterin. Er feixte. Seit einer Ewigkeit irrte er durch eine überbevölkerte Wüste. Und doch war es ein wenig merkwürdig. In dieser Sommernacht müßte die Nationalstraße 20 vor Wagen und LKWs nur so wimmeln. Aber Daniel war so gut wie sicher, niemandem begegnet zu sein, keinen überholt zu haben oder überholt worden zu sein, und das seit mindestens einigen Minuten, vielleicht sogar mehr als einer Viertelstunde. Er fuhr allein auf einer Spur ohne Ende, die der Nationalstraße 20 ähnelte, jedoch nicht die Nationalstraße war. . . Noch eine Auswirkung der Chronolyse? Die Straße grub sich in den Wald wie eine Lanze in einen großen, weichen Leichnam. Das Blattwerk verdeckte den Mond. Der Wagen folgte seinem Lichtstrom wie angetrieben von seinen Scheinwerfern. Die Bäume standen nun so dicht, daß sie zu jeder Straßenseite eine graue, fast lückenlose Mauer bildeten. Doch in einer Kurve verloren sie sich plötzlich, wie ein Blitz fiel der Himmel zur Erde herab. Zu seiner Rechten erhob sich eine von schimmernden Felsen gespickte Böschung. Links waren etwas tiefer die Gipfel von Bäumen zu sehen, die eine dichte Masse oberhalb eines Flusses bildeten, die man nicht sehen, aber hören konnte. Wahrscheinlich ein Wasserfall. Daniel bremste unvermittelt und blieb in der Nähe eines Kieshaufens stehen. Er erstickte. Er hüpfte aus dem VW, den Mund weit aufgerissen. Er sog die Luft tief ein, hob die Augen zum Himmel und fand trotz des Mondes Wega fast im Zenit. Er warf einen Blick auf seine Uhr. Mitternacht. Lieber Gott, wie spät es ist! Die Bäume verdeckten Altair im Süden. Er konnte jedoch den Polarstern finden und orientierte sich. Wega stand leicht östlich. Zweifellos mußte es Ende Juli oder etwas später sein. Er nahm seine Brieftasche in der Hoffnung, einen Kalender zu finden, der die Mondphasen angab. Er mußte lächeln: er erinnerte sich nicht, so viel Geld bei sich gehabt zu haben. Dieses Bündel 500-Franc-Scheine zum Beispiel? Was mache ich eigentlich auf der Nationalstraße 20 mitten in der Nacht mit 5'000 Francs in der Tasche?

Er wandte den Kopf um, ein großer rotweißer Zylinder zog seine Aufmerksamkeit auf sich. Es handelte sich um das Wrack einer Tanksäule, ein niedergemähtes Totem, das die Rasse seiner Anbeter überlebt hatte. Es handelte sich um ein altes Modell vor der Zeit der Mengenanzeiger, verrostet, verbeult, zerschrammt, die Glasscheiben der Anzeigetafeln zerschlagen. Seine Anwesenheit am Rande einer Straße ließ sich nur schwerlich erklären. Aber es stimmt schon, dachte Daniel, was den Verkehr angeht, ist überhaupt nichts los.

Er steckte die Brieftasche wieder in die Innentasche seiner Weste, wo er einen Umschlag fand, den er mit Schrecken wiedererkannte: den Brief der Nerek. Er drehte sich wieder dem Wagen zu, um ihn im Schein der Deckenlampe zu lesen. Zuerst das Datum: 26. Juni 1966. Das war logisch. Er atmete etwas freier. Es mußte ungefähr der 30. Juni oder 1. Juli sein.

Er senkte den Blick, was nun folgte, erschien ihm äußerst verwirrend.

Nerek und Frobacher-Laboratorien

An Herrn Daniel Diersant
auf Forschungsreise im Unbestimmten

Lieber Mitarbeiter und Freund,
schon lange haben wir die Verbindung zu Ihnen verloren, wir hoffen jedoch, daß Ihre chronolytische Reise wie vorhergesehen abläuft.
Wir übermitteln Ihnen diese Nachricht über unseren Freund Larcher. Wir möchten Sie daran erinnern, daß Sie so schnell wie möglich mit HKH Kontakt aufnehmen. Unser Vertreter bei der imperialistischen Exekutive ist, wie Sie wissen, Heinz Kurt Hoffmann. Sie stellen sich dort dem Imperium voll und ganz zur Verfügung, bis wir Sie 1966 wieder

abrufen. Sie werden daraufhin Ihre Lage nützen können, um alle nötigen Informationen über unsere Feinde, die Psychronauten von Garichankar, zu erfahren.
Wir wünschen Ihnen. . .

Daniel knüllte den Brief zu einem Ball zusammen und warf ihn so weit wie möglich in den Graben. Nur raus hier, lieber Gott, nur raus hier.

Das Schauspiel der sternenklaren Nacht, die von fantastischer Reinheit war, half ihm, die Panik, die ihn durchflutete, zu meistern. Er stand also im Dienste der Nerek und des Imperiums!

Nein. Die Anwesenheit der Wega über seinem Kopf beruhigte ihn ein wenig. Wenn man den Brief negierte, so war immer noch eine vernünftige Erklärung möglich. Max Roland hatte ihn vor die Tür gesetzt. Er hatte auf der Bank sein Geld abgehoben, den VW genommen und war in Richtung Süden und Freiheit aufgebrochen. Vorher jedoch hatte er, sei es aus Schlaffheit oder Übermut, ein paar Mebsitaldragées geschluckt. Und sogleich begann er Traum und Wirklichkeit zu vermischen. . . Ja, das war ganz plausibel, auch wenn die Nationalstraße so seltsam verlassen dalag und diese sinnlose, verödete Tankstelle am Straßenrand lag. Er trat in die Mitte der Straße. Wenn ein Wagen auftauchte, hatte er sicherlich noch genügend Zeit, an den Rand zu springen. Jedenfalls würde er rechtzeitig die Scheinwerfer sehen. Kein Licht war weit und breit zu entdecken. Er lief. Seine Schritte klangen laut auf dem harten Teerbelag, der Wald warf ein dumpfes Echo in die Stille zurück. Er trug grobe Stiefel, die er nicht kannte. Die Temperatur war lau, die Luft voller Düfte, (in die sich immer noch dieser starke, klebrige Benzingeruch mischte, den Daniel sich nicht erklären konnte, denn um sich her sah er nur Laubbäume: Buchen, Eichen, Birken. . .). Er marschierte etwa fünf Minuten, dann machte er kehrt. Genau in diesem Augenblick und ohne irgendeinen bestimmten Grund verwarf er die beruhigenden Illusionen, daß es sich um einen Traum handelte. Erwachsen zu sein bedeutet, die Tragik und den Irrsinn des menschlichen

Lebens anzuerkennen und zu akzeptieren. Er erkannte sie an und akzeptierte sie. Er setzte auf die verrückteste Hypothese. Er leugnete, was noch als Wirklichkeit hätte durchgehen können und beschloß an das Unglaubliche zu glauben. Im übrigen waren das Leben und das Bewußtsein für sich genommen nicht weniger phantastische Phänomene als die Chronolyse. Mit gesenktem Kopf, geballten Fäusten und zusammengepreßten Kiefern ging er den Weg zurück, den er gekommen war. Er beschloß, sich ein klares Bild von seiner Lage zu machen und dazu brauchte er den klarsten Verstand. Und das genügte nicht, denn zahlreiche wichtige Fakten blieben ihm unbekannt. Er (das hieß vielmehr, sein Körper) befand sich irgendwo auf einem Krankenhausbett oder vielleicht noch in dem Autowrack. Den Schlag, den er am Kopf erhalten hatte, hatte ihn in einen geistigen Zustand versetzt, der der Neurophysiologie wie der der Psychologie 1966 unbekannt war, gewisse Wissenschaftler sahen ihn bereits voraus: die Chronolyse. Eine phylosophische Schule und keine der schlechtesten hatte behaupten können, daß die Welt nur als Abbild existierte. Zu Beginn des Jahrhunderts faßte Swami Bagavan das hinduistische Denken folgendermaßen zusammen: »Brahma ersann das Universum, die Götter, die Elefanten, die Menschen, das einzelne Ich, das den Weisen auszeichnet. Dann hat der Weise tatsächlich gedacht, ich bin Brahma. Und sogleich wurde ein Teil des Traums aufgehoben.« Und Onkel Boo, der kluge in den Märchen von Borneo, hatte Boong, dem einfachen Bauern erklärt: »Ihr existiert nur in meinem Kopf. Wenn ihr mich tötet, so verschwindet ihr alle.« Und Boong hatte es geglaubt, da der Mensch seiner Sache niemals sicher war. Man muß sich jedoch entscheiden. Daniel hatte sich entschieden, diese neuen Lebensbedingungen zu akzeptieren, die weder besser noch schlechter waren als die alten. Vielleicht sogar ein bißchen besser. Das Leben, das er zuvor geführt hatte, war kaum der Mühe wert, zu diesem Schluß kam er nun. Niemals hatte er die geringste Macht über sein Schicksal besessen. In der ungewissen Zeit konnte er vielleicht sein eigener Herr werden. Die subjektive Unsterblichkeit.

Vorausgesetzt, daß dies nicht ein Übertragungs- oder Druckfehler war! Und die Bedrohung bestand stets in einem scheußlichen Erwachen. Zuvor jedoch lauerte der Tod hinter jeder Sekunde. Bei einer Veränderung würde er nicht den kürzeren ziehen.

Die Psychronautenärzte von Garichankar, waren sie nun seine Freunde oder seine neuen Herren? Welche Rolle spielten die Männer von HKH, die Männer um Hermann Kahn Hindenburg, Heinz Kurz Hoffman, Howard Kennedy Hughes? Man mußte abwarten.

Er blieb stehen, um den Wald zu betrachten. Er wirkte auf ihn trotz des Mondscheins sehr düster. Das Licht durchdrang kaum das Blattwerk. Er stieg auf die rechte Anhöhe, die einen tiefen Graben überstand. Er zuckte zurück. Das Unterholz ihm gegenüber war von einer Schwärze. . . von einer alptraumhaften Dunkelheit! Mit aufgerissenen Augen studierte er vergeblich die Dunkelheit. Was machte diesen Schatten nur so dicht, so schleimig und bösartig? Ganz im Grunde seiner Erinnerung erwachten plötzlich eisige Ängste der Kindheit. Er hatte Lust, davonzulaufen, zu weinen und unter den Lichtern der Stadt Zuflucht zu suchen. Lächerlich. Die Dunkelheit war nur ein Spiegel seiner eigenen Angst. Genausogut konnte er auch in den Wald eindringen. Er käme nicht weit. Der Wald war ein Trugbild. Er würde im Werk von Choisy, auf der Grenzstraße, bei Monika, beim Ingenieur im abgetragenen Anzug oder irgendwo auf der Straße wieder zu sich kommen. Dann war es noch besser, die augenblickliche Szene so weit wie möglich zu erforschen. Vielleicht gelänge es ihm, herauszufinden, wie und wo der Unfall sich ereignet hatte. Er neigte zu der Annahme, daß es die Nationalstraße 20 war. Irgend jemand (Ellen?) hatte ihm gesagt, daß seine Forschung gefährlich war. Er riskierte es, sich in eine Sackgasse treiben zu lassen, wo er den HKH-Gesandten, die ihn suchten, entgehen würde. Und trotzdem mußte er die Wahrheit erfahren. Dr. Holzach hatte ihm das bestätigt. Wo – wann – wie? Den Zustand seines Körpers erfahren. Erfahren, ob ein brutales Erwachen eine Bedrohung darstellte oder ob er vielleicht sterben würde, um in diese subjektive Unsterblichkeit versetzt zu werden, von der der

Chefarzt sprach. . . Wem sollte er glauben? Er nahm seine Brieftasche aus der Innentasche seiner Weste (petrolblauer Anzug des Matrosen. . .), und holte seine Sèac-Karte heraus, die nun das HKH-Siegel trug.

IM NAMEN VON HONEYWELL K. HEYDRICH
DURCHLASSGENEHMIGUNG FÜR DANIEL DIERSANT AUF
DIENSTREISEN IM
UNBESTIMMTEN
der Große Drache von HKH: Sarthès

Er hielt Forestier die Karte hin. Dieser jedoch zerriß sie mit einer verächtlichen Geste und warf die Fetzen auf den Kies.

»Wofür halten Sie mich, Diersant? Das ist die gröbste Fälschung, die ich jemals gesehen habe! Was wollen Sie denn damit anfangen, mein Alter?«

Daniel zuckte mit den Schultern. Diese Szene war eine der geheimnisvollsten des chronolytischen Alptraums. Gewisse Elemente seiner Vergangenheit mußten sich hier auf unentwirrbare Weise mit symbolischen Bildern und Kriegsepisoden zwischen HKH und dem Garichankar-Hospital vermischen. Vielleicht waren die letzten Minuten vor dem Unfall in diesem Psychodrama zu suchen?

Er schloß die Augen und lauschte auf den seltsamen Lärm, in dem er ein Signal für eine Gefahr zu erkennen glaubte. Vielleicht hatte er das Scheppern der Becken und das Dröhnen der Trommeln zum ersten Mal gehört, als er auf einen Baum, die Tanksäule oder einen grauen 404 fuhr. Es erinnerte an ein Tamtam, das jedes Mal kreischender und ohrenbetäubender wurde. Und er hörte auch ein metallisches Knirschen, das dem Pfeifen des Windes ähnelte, der den Sturm ankündete. Schließlich ein abgehacktes und spöttisches Pizzicato, das das kalte Kreischen der Becken von Zeit zu Zeit unterbrach.

»Spielen Sie nicht den Schlaukopf, Diersant«, sagte Forestier. »Wir kennen Sie allmählich. Dieses Mal werden Sie uns nicht entkommen!« Wie konnte er verhindern, daß diese Szene sich auf so dumme Weise wiederholte? Er mußte auf jeden Fall weiterkommen. . . Der Sicherheitschef betrachtete ihn mit seiner üblichen Miene aus Zorn, Verachtung und Zweifel. Der zweite Mann – ebenfalls als Garichankar-Pfleger verkleidet – richtete auf Daniel einen Mikronebelgenerator. Der dritte stand reglos ein paar Schritte abseits zwischen der umgefahrenen Tanksäule und dem grauen 404. . . Der graue 404, der nun den Garichankar-Krankenwagen ersetzte. War dies von Bedeutung?

Forestier lachte heraus und schob sein gewaltiges Kinn vor.

»Sie unterschätzen HKH, mein Alter. Ihre Freunde von Garichankar machen gerade eine schwere Zeit durch, und ich habe nicht den Eindruck, daß Sie in der Lage sein werden, sich alleine durchzuschlagen. Folgen Sie mir!«

Seine beiden Begleiter nahmen den großen Zylinder von etwa einem Meter Länge, der neben dem 404 stand und öffneten ihn: es war ein Antigravitationsbahre, die sich etwa fünfzig Zentimeter über dem Erdboden reglos in der Luft hielt.

Daniel zögerte. Das letzte Mal war er in Panik verfallen, als er seinen zu Schrott gefahrenen VW entdeckte. Er war geflohen und hatte die Szene gewechselt. Doch die Flucht bedeutete keine Lösung.

Forestier und seine Männer stellten sich um ihn, dann erstarrten sie. Er drehte sich um: der VW war rechts eingedellt, das Vorderteil war völlig zusammengequetscht. Keinerlei Zweifel, dachte er, hätte ich hinter dem Steuer gesessen, und wie hätte ich das nicht sollen? . . . jedenfalls hätte ich ganz schön was abbekommen! Aber aus irgendeinem Grund gelang es ihm nicht, sich in die Folge der Ereignisse einzugliedern. Vielleicht versperrten ihm die HKH-Gesandten den Weg? Was waren ihre Mittel und Ziele?

Die Gong-Schläge, das Rollen der Trommeln und das Scheppern der Becken hinderten ihn, sich zu konzentrieren, und parasitäre Gedanken störten ihn. So etwa dieser: »Unnötig, diesem Schweinehund zu erklären, daß ich nicht im Wagen saß, daß ich weder krank noch verletzt bin, und daß ich keinerlei Lust habe, in seinen Krankenwagen zu steigen . . . der keiner ist!« Eine bereits abgelaufene Überlegung. Er besah sich das Wrack des vom Mondschein erhellten VWs. Vorne, oder was davon übrig blieb – erkannte man eine wirre Masse, die zwischen den verkanteten Sitzen und der gesprungenen Windschutzscheibe lehnte. Ein Leichnam. Die düstere Form schien sich jedoch nicht auf der Seite des Fahrersitzes zu befinden. Daniel streckte die Arme aus und stieß Forestier und seine Komplizen heftig zur Seite, die wie aus dem Gleichgewicht geratene Schaufensterpuppen umfielen. Ungehindert marschierte er entschlossenen Schritts auf seinen Wagen zu.

Er fragte sich, ob er seine eigene Leiche zu Gesicht bekäme. Diese Art von Abenteuer ist in phantastischen Erzählungen und okkulten Geschichten häufig. Die Leiche lag jedoch auf der rechten Seite. Es handelte sich um einen Mann. Der Mond beschien sein graues, schmales, vom Tod zu einer ironischen Maske verzerrtes Gesicht. Es war der Ingenieur im abgetragenen Anzug, mit verrenktem Oberkörper und unter der Blechlawine festgeklemmten Beinen. Was hat denn Larcher in meinem Wagen zu suchen? Hat er mir eine Nachricht gebracht? Tatsächlich hielt der Tote ein gefaltetes Blatt Papier in seiner verkrampften rechten Hand. Einen Brief. Daniel schob seinen Arm durch den Spalt, der zwischen der blockierten Tür und dem flachgequetschten Dach bestand. Die Scheibe war natürlich gesprungen. Er packte das Blatt und zog. Die Hand des Ingenieurs öffnete sich und ließ das Papier entgleiten. Daniel konnte die Nachricht nun nicht lesen. Zum einen war Forestier da, zum anderen war der Mondschein nicht hell genug. Er steckte das Blatt in seine Tasche. Als er sich umdrehte, stand der Sicherheitschef in der Nähe des VWs, er hielt die Fäuste auf die Hüften gestemmt.

»Sie sind am Arsch, Diersant!«

Daniel hupte zweimal, der Nachtwächter in der weißen Uniform öffnete das Gittertor und trat an den Wagen.

»Wollen Sie zu Dr. Carson?«

»Ja.«

Ohne aus dem Wagen zu steigen, hielt Daniel ihm seine Karte hin.

KRIEGSRAT DER AUTONOMEN HOSPITÄLER
DURCHLASSGENEHMIGUNG FÜR
DANIEL DIERSANT, UNSEREN AGENTEN IM
CHRONOLYTISCHEN UNIVERSUM
Dr. Carson, Chefarzt von Garichankar

Der Nachtwächter warf einen kurzen Blick auf das rotgestreifte Viereck, das ein altes Foto trug.

»Ja, das ist in Ordnung. Aber ich weiß nicht, ob Dr. Carson Sie um diese Uhrzeit noch empfangen wird.«

Automatisch warf Daniel einen Blick auf seine Uhr: 0.30 Uhr. Liebe Zeit, so spät bin ich noch nie gewesen!

»Schließlich befinden wir uns im Krieg«, sagte er. »Wenn nicht Dr. Carson, so möchte ich Dr. Holzach oder Dr. Laumer sprechen.«

»Ich werde anrufen.«

»Ist das notwendig? Ich bin doch mit Aufträgen unterwegs, wie Sie sehen.«

»Entschuldigen Sie. Wissen Sie, seit Beginn des Krieges müssen wir auch mit den Psychronauten gewisse Vorsichtsmaßnahmen eingehen. Die Invasion kommt aus dem chronolytischen Universum, deshalb . . .«

»Nun gut. Ich warte.«

Daniel stieg wieder in den VW und ließ die Tür angelehnt, um im Schein der Deckenlampe die Nachricht zu lesen, die er in Larchers Hand entdeckt hatte. Ellen . . .

Mein lieber Daniel,
wir sind alle zur Verteidigung des Hospitals und der chronolytischen Zone mobilisiert. Fast alle autonomen Hospitäler wurden gleichzeitig angegriffen. In Kalifornien betrifft die Invasion sogar die Städte und Dörfer der Umgebung. Der Krieg läuft auf zwei Ebenen ab. Einmal im geographischen und physikalischen Raum. Überall findet man Männer, Frauen und Kinder, die auf unerklärliche Weise in die Chronolyse versunken sind. Eine große Anzahl unter ihnen wurde zu Feinden der Gesellschaft und hat begonnen,

unsere Einrichtungen zu sabotieren. Einige haben sich unter der HKH-Fahne in Kommandos organisiert und konnten dank des Überraschungseffekts einige Basen einnehmen. Und der Krieg läuft blindlings im Unbestimmten weiter, wo die Kräfte des Imperiums sich unseren Annahmen weit überlegen zeigten.
Nun sind wir alle in Gefahr, und ich bin nicht sicher, ob ich dir weiterhelfen kann. Aus Gründen, die du später begreifen wirst, werden die HKH-Männer zweifellos versuchen, sich deiner zu bemächtigen, um dich zu zwingen, in ihren Dienst zu treten. Es ist lebenswichtig, daß du ihnen entgehst. Du hast die Pflicht, frei zu bleiben. Ich rate dir, so weit wie möglich aus der subjektiven Zone zu fliehen, in der du dich augenblicklich befindest. Und so weit wie möglich von der Grenze. Die ungewisse Zeit ist groß. Viel Glück.
Ellen

Ganz unten auf der Seite fand er ein Postskriptum:

Achtung: Dies ist nicht das Garichankar-Hospital: es ist eine neue Falle von HKH. Verlaß diese Szene sofort.

Daniel empfand vertrautes Unbehagen. Bereits abgelaufene Gedanken tauchten immer wieder auf und überfluteten sein Denken. Das Werk in Choisy, der Teufelskreis der Zeit, der Weg in die Zukunft, der Große Drache, HKH, Garichankar, der Unfall, achte auf die Fallen, Freiheit und Ohnmacht, keinerlei Chronolytika im Jahre 1966, wieder leben lernen, Harry Krupp Hitler I, nicht gefährlicher als irgendein Schlafmittel!

Einen Augenblick später fuhr er ohne es gewollt zu haben auf den Hauptweg der Fabrikanlage. Er war ruhig und zerstreut. Er lebte gleichzeitig auf mehreren Ebenen . . . Die Sommergestirne mit Wega im Zenit leuchteten schwach am klaren Mondhimmel. 29. oder 31. Juli, ich weiß nicht mehr. Jedenfalls haben wir bald Ferien. Und ich weiß noch nicht, ob ich in die Berge oder ans Meer fahre. Wir unterliegen einer Art Zeitexplosion. Die Chronolyse existiert nicht, eines Tages wird sie jedoch bestehen . . . Er zwang sich, nicht auf das Gaspedal zu treten, doch die Gewalt über seine Muskeln entglitt ihm manchmal. Dann tat der VW einen Hüpfer nach vorne.

Die Nacht prägte kaum die geometrische Linie der Gebäude, die sich wie stählerne Klippen gegen den Himmel erhoben. Langsam, langsam. Vielleicht hatte er eine Chance, im Augenblick des Unfalls zu entfliehen. In ein phantastisches Universum zu fliehen, wenn er in der Lage war, sich eines auszudenken und entschlossen genug, daran zu glauben. Oder aber an den Ozean Oradak und La Perte en Ruaba zu gelangen, wenn der Ozean Oradak und La Perte en Ruaba existierten. Wie aber sollte er eine Überfahrt bekommen. Renato wußte es vielleicht . . . Auf jeden Fall würde er sich zurechtfinden.

Er trat ein wenig aufs Gaspedal, der VW tat einen Satz nach vorne. Eine graue Form tauchte in seinem Außenrückspiegel auf. Eine weitere links, eine von rechts, eine von vorne. Nur vier Wagen gegenüber neun oder zehn beim letzten Mal. Vielleicht waren die HKH-Männer wegen des Kriegs nicht so zahlreich? Der Krieg, der sie zwang, an mehreren Fronten zu kämpfen. Nicht bremsen, nicht beschleunigen. Noch nicht. Nichts unternehmen, um den Unfall zu vermeiden. Und im Augenblick des Aufpralls sich aus der Szene zurückziehen. Ein Universum erfinden . . .

Die Peugeots hielten sich auf Distanz. Mit gemäßigtem Tempo fuhren sie weiter. Der VW rollte ganz langsam, seine ganze Karosserie vibrierte jedoch mit einem allzugespannten Metallgeräusch. Und einem Scheppern von Becken. In der Ferne stieg das Dröhnen von Donner auf. Ein Blitz zog ein Zickzackmuster über die Dächer. Der 404, der von vorne kam, rollte direkt auf den Volkswagen zu und näherte sich Zentimeter um Zentimeter. Daniel umklammerte mit beiden Händen den oberen Teil des Steuerrads und wich nicht von seiner Spur ab. Die drei anderen 404 schienen zu tänzeln, sie waren furchterregend in ihrer Quasi-Reglosigkeit.

Er lächelte. Er mußte eine Welt erschaffen. Er trat ein wenig fester aufs Gaspedal.

»Gebt mir das Meer!« befahl er.

X

Er erhob sich und tat ein paar Schritte auf dem Sand. Der Himmel war klar. Die untergehende Sonne streute ihren Feuerschein aufs offene Meer. Der Oradak-Ozean, dachte Daniel. La Perte en Ruaba . . .

Er hörte, wie hinter ihm jemand rief.

»Renato! Renato!«

Er drehte sich um, Monica sah ihn schelmisch und herausfordernd an. Sie hob einen Arm, um ihre Haare zurechtzustreichen, die ihr unordentlich ins Gesicht fielen. Ihre Brust spannte sich an, sie zog den Bauch ein. Sie war nackt. Er auch. Was für ein Glück, endlich diesen verfluchten Plunder loszusein! Sie lächelten sich an.

»Gehst du ins Wasser?« fragte sie.

»Ich weiß nicht. Später.«

Sie schüttelte sich vor Lachen.

»Du hast Angst . . . Du, Renato!«

»Das Land wirkt recht fremd auf mich.«

»Oh, das ist Italien.«

»Nein. Das ist das einzige, dessen ich mir sicher bin: dies ist nicht Italien.«

Monica neigte den Kopf. Ihre feuchten, ernsten Augen glitzerten in ihrem ovalen Gesicht von klassischer Schönheit wie zwei schwarze Diamanten auf einer Seidenmaske.

»Ich weiß nicht«, gab sie zu.

»Du glaubst, daß wir . . .«

Daniel suchte in seinem Gedächtnis. Irgend etwas war geschehen, und er hatte es vergessen. Wie kam es, daß sie beide sich hier befanden?

»Ich bin nicht Renato«, erklärte er.

Monica lachte lange und schüttelte ihre dunkle Mähne.

»Du bist Renato, mein geliebter großer Bruder, meine einzige Liebe!«

Sie begann sich vor ihm zu drehen und peitschte die Luft mit ihren Armen. Das Wasser stand niedrig. Große fremdartige Vögel und Sturmmöwen flogen über das Ufer. Ein langes, silbrigschimmerndes Band glänzte auf dem gelben Sand. Obwohl die Sonne tief stand, war der Himmel hell und tief. Möwen stießen Schreie aus wie gespießte Drachen.

»Wo sind wir?« fragte Monica. »Ich meine: wo sind wir deiner Ansicht nach, wenn dies nicht Italien ist?«

»Hast du schon einmal von La Perte en Ruaba gehört?«

»Nein. Aber es ist mir egal!« antwortete sie und deutete einen klassischen Tanzschritt an.

»Wenn dies nicht La Perte en Ruaba ist, dann eine Phantasiewelt. Oder ich weiß nicht was.«

Daniel drehte sich um in Richtung des Festlandes. Kein Baum, kein Hügel, kein Fels. So weit sein Blick reichte, entdeckte er lediglich eine seltsame, flache Wüste. Nein, flach war nicht das zutreffende Wort. Man hätte sich im Mittelpunkt eines Talkessels glauben können. Und das Bild des Talkessels war auch nicht ganz richtig. Daniel hatte das Gefühl, sich am Fuß einer geneigten Ebene zu befinden, die offensichtlich durch einen perspektivischen Effekt zum Horizont hin anzusteigen schien. Und wenn man sich in eine andere Richtung umsah, erkannte man eine andere Ebene, die zu der ersten in einem sehr weiten Winkel stand. Und so weiter. Alle Flächen schienen sich zu Füßen des Beobachters zu treffen. Je mehr sich seine Augen an die Landschaft gewöhnten, um so mehr minderte sich dieses Trugbild. Zumindest glaubte Daniel dies.

Der Raum stieg an. Selbst das Meer schien anzusteigen. Und der Horizont lag sehr hoch. Nein, es gab keinen eigentlichen Horizont. Der Himmel vermischte sich in einer schimmernden, verschwommenen Zone erkennbar mit der Erde. Daniel grübelte einen Augenblick über dieses Phänomen nach, um es zu begreifen. Er ließ sich auf den Boden fallen, packte eine Handvoll Sand und ließ sie durch seine Finger rinnen. Die Gravitation dieser Welt mußte geringer sein als die normale terrestrische. Dann fühlte Daniel die Erschöpfung, die er einen Augenblick lang vergessen hatte, sich mit ihrem ganzen Gewicht auf seinen Körper und sein Gehirn legen. Die Schwerkraft dieser Welt mußte ein wenig höher sein als die der Erde! Er sagte sich, daß er zuviel arbeitete. Seit mehreren Wochen hatte er keine

Ruhe mehr gehabt. Und eine Nacht mit Monica war auch nicht gerade erholsam. Ja, er erinnerte sich daran, eine Nacht mit Monica verbracht zu haben. Sie hatte zu ihm gesagt: »Irgend etwas in dir flößt mir Vertrauen ein. Dein Blick, deine Gesten, deine ruhige Art zu sprechen, deine Haltung, eine Art von Gleichgewicht, von . . . Ich hatte von Anfang an den Eindruck, daß du ein beständiger Typ bist, der eine Frau nicht gleich fallenläßt. Mit dir fühle ich mich beschützt. Du erinnerst mich an meinen ältesten Bruder, Renato . . . Gott weiß, wohin er verschwunden ist, Renato der Matrose! Vielleicht werde ich ihn niemals wiedersehen . . . Daniel, ich wäre gerne mit dir am Meeresstrand. Einem Strand mit weißem Sand, einem intensivblauen Ozean. Ich liebe dich!«

Sie hatte gesagt: »Ich wäre gerne am Meeresstrand mit dir.« Und irgend jemand, Gott oder Halbgott, hatte ihren Wunsch erfüllt.

Plötzlich hatte er den Eindruck, sich in einem Hohlzylinder zu befinden. Der Himmel schien über ihm wie über einem Tunnel vorbeizuziehen. Daniel behielt seine fast horizontale Lage bei, drehte sich jedoch zum Sonnenuntergang. Auf diese Weise schien eine riesige Fläche des Himmels in Orange- und Mauvetönen mit ungeheurer Geschwindigkeit der Sonne entgegenzustürzen. Er empfand einen heftigen Schwindel und ein Gefühl der Beklemmung. Er schloß die Augen.

Auf jeden Fall bin ich rausgekommen! Er hatte Paris, die Séac und Cerba hinter sich gelassen. Kein Defner mehr, kein Max Roland, kein Forestier. Er bedauerte diese höhnische und grausame Welt nicht. Diese absurde Welt. Er war ein freier Mensch. Er zwang sich, das Problem kühl abzuwägen. Die Erschöpfung schützte ihn gleichzeitig gegen Ungläubigkeit und Panik. Er war so müde, daß er nicht einmal die Kraft zu zweifeln noch die zu zittern hatte. Und ebenso entging Monica der Furcht, indem sie die Wirklichkeit ablehnte.

Sind wir Figuren oder Spieler? Diese Frage stellte sich Daniel nicht zum ersten Mal. Die Wahrheit war nicht so einfach. Wir sind gleichermaßen Spieler und Bauern, dachte er. Auf der einen Seite Pawlowsche Hunde oder Roboter Gottes, auf der anderen Seite Teufel oder Weltenschöpfer . . . Irgend etwas ist geschehen. Er hatte es vergessen, er begann sich jedoch erneut zu erinnern. Alles würde ihm bald wieder einfallen. Er war überzeugt. Er würde sich erinnern, wo, wann und wie er Monica kennengelernt hatte . . . Gedächtnisverlust? Dies erschien ihm kindisch. Sicherlich gab es eine andere Erklärung. Vielleicht wollte er sich einfach nicht erinnern. War die Wahrheit so erschreckend? Dann war es besser, darauf zu verzichten, sie weiterzusuchen. Zumindest vorläufig.

Er stellte sich wieder hin und vermied es, zum Himmel emporzublicken. Er schluckte mühselig seinen Speichel hinab. Er hatte Durst. Das war normal. Und wenn er getrunken hätte – sofern er etwas zu trinken gefunden hätte – würde er Hunger haben. Sie würden gezwungen sein, um ihr Überleben zu kämpfen wie die Helden von Abenteuerromanen. Er bemühte sich, der Lage mit Humor ins Auge zu sehen: das war immer noch besser, als das BTD oder ein Rollstuhl. Und sie würden es schon schaffen.

»Renato, mir ist kalt«, sagte Monica.

Kalt? Er benötigte eine gewisse Zeit, um den Sinn dieses Wortes zu erfassen. Durst, Hunger, kalt . . . nun gut, damit war zu rechnen. Als Gestrandete, Emigranten . . . Dies war immer noch besser als die Séac und Forestier.

»Renato!« rief Monica.

Er betrachtete sie lächelnd. Warum sollte er ständig wiederholen, daß er nicht Renato war. Sie lehnte eine unvorstellbare Wirklichkeit ab. Sie flüchtete sich in die Vergangenheit und den Traum, der ihr die Angst nahm. Er dachte, das Beste wäre es, sie in Frieden zu lassen.

Er fand sich sehr wohl fähig, sich an die Lage zu gewöhnen. Als Gestrandete, Emigranten . . . Trotz Durst, Hunger, Kälte, Furcht fiel es ihm schwer, die Freude zu zügeln, die in ihm aufstieg. Nichtsdestotrotz war diese Welt die seine. Die Gravitation entsprach seiner Muskelkraft, er atmete hier eine viel reinere Luft als auf der Erde. Gewiß, er mußte das Problem von Trinken und Nahrung lösen, er bezweifelte jedoch nicht, daß ihm dies gelänge, sobald er ein wenig ausgeruht war. Er sehnte sich nicht nach der Rue de Verneuil noch nach dem Werk von Choisy. Er sehnte sich nicht nach dem engen Leben eines gelehrigen Affen, nach seiner Sammlung von Arzneiproben, noch nach der Rente, die er niemals beanspruchen würde! Er sehnte sich nicht nach dem alten, schmutzigen und lauten Planeten, den man den Kombinaten und Konzernen, den wildgewordenen Schiebern und den Schweinen mit dem Menschengesicht überließ. Er würde sich schon arrangieren, um in dieser Welt zu leben. Genießbare Luft, eine normale Gravitation: das war bereits ein Wunder. Oder es bedeutete vielmehr, daß sie nicht zufällig hier gestrandet waren. Eine Intelligenz, ein Wille beobachtete und führte sie insgeheim.

Daniel dachte nach. Er hatte niemals richtige Freunde gehabt. Frauen fürs Bett und Kumpels, aber niemals Freunde. Dem Anschein nach paßte er sich an, im Grunde genommen fühlte er sich jedoch nirgendwo, in keiner Gesellschaft, wohl. Seit dem Ende seiner Kindheit war er nirgendwo zu Hause gewesen. Seit Jahrhunderten hatte er vergeblich ein Vaterland gesucht. Vielleicht konnte er sich hier eins errichten. Als er jedoch den Kopf hob, sah er, wie voreilig diese Hoffnung war. Fremder! schien der Himmel über ihm zu schreien. Der Himmel tanzte einen Totentanz und sang seine Verwünschungen. Fremder! Verschwinde von hier. Fremder!

Eine Art umgestülpte Pyramide bildete sich am Zenit und teilte den Raum in so viele Flächen, wie sie Oberflächen besaß, und es war unmöglich, sie zu zählen, da jede sich verdoppelte, sobald er sie ansah. Auf jeder Ebene stieg der Himmel mit wahnsinniger Geschwindigkeit ins Unendliche empor. Daniel senkte den Blick, um nicht vom Schwindel gepackt zu werden. Er stand mit gespreizten Beinen fest auf dem Boden wie ein Matrose auf der Brücke eines Schiffes, das von den Wogen gepeitscht wurde. Zwei Probleme waren dringlicher als jede Spekulationen: das Schwindelgefühl und der Durst. Zuerst mußte er lernen, den Himmel anzusehen, ohne von einem Taumel ergriffen zu werden: er drehte sich um zum offenen Meer. Die Sonne schien auf dem Meer zu stehen. Und doch war sie eine unversehrte Kugel, man hätte sagen können, das

Meer badete sie von allen Seiten. Nun hatte Daniel den Eindruck, sich in einem langen Tunnel zu befinden, dessen anderes Ende aus dem roten Fleck des Sonnenuntergangs bestand. Die Mauern und das Dach des Tunnels stürzten rasend auf die Sonne zu. Er hatte das Gefühl, nach vorne zu fallen. Er hob die Hände, um sich vor einem brutalen Sturz zu schützen. Seine Ohren dröhnten: Gongschläge und Beckenscheppern. Sein Sturz schien nicht enden zu wollen. Er fiel nicht zu Boden, sondern aufs Meer, auf den Himmel, den Horizont zu . . . den unendlich weiten Horizont, der gar nicht zu bestehen schien. Er fiel in den Raum, ins Nichts.

Erneut schloß er die Augen, um nachzudenken. Der Boden unter seinen Füßen wurde wieder fest. Der Schwindel verebbte. Er ließ die Arme sinken. Kein Horizont; dies war der Grund für das Ganze. Diese Vorstellung mußte er zuerst akzeptieren. Monica und er befanden sich offensichtlich nicht auf der Erde noch auf irgendeinem anderen bekannten Planeten. Diese Welt, ob real oder phantastisch, spielte keine große Rolle für sie als Flüchtlinge – besaß keinerlei für die menschlichen Sinne wahrnehmbare Neigung. Sie war flach. Es herrschte eine künstliche Gravitation. Vielleicht lediglich eine geistige Übereinkunft. Eine Pseudo-Schwerkraft . . . Er schnüffelte lange die Luft des Meeres und machte einen salzigen Duft aus. Das Wasser, das seine Schaumspitzen auf den Sand warf, war wahrscheinlich nicht trinkbar . . . Zwei Lösungen fielen ihm ein: entweder schnurstracks ins Landesinnere marschieren oder aber am Ufer entlang in der Hoffnung, auf die Mündung eines Flusses, eines Sees oder einen Sumpf zu stoßen. In beiden Fällen wären sie gezwungen, sehr lange zu laufen, und Daniel mußte die Augen gesenkt halten, um dieses Schwindelgefühl zu vermeiden, dies wäre allerdings nicht sehr angenehm. Sicherlich wäre es einfacher gewesen, dem Meer den Rücken zu kehren, Daniel wußte jedoch, daß ihm der Entschluß, den Strand zu verlassen, schon schwerfiele.

Vorsichtig, ohne die Augen allzusehr zu heben, begann er Monica zu beobachten. Einmal mehr schien ihm der Himmel auf den Kopf zu fallen. Mit zusammengepreßten Kiefern und von der Anstrengung gefältelter Stirn, die Hände in den Hüften, ließ er nicht locker. Ja, Monica fand sich gut zurecht. Sie schien kein bißchen von irgendwelchen Schwindelgefühlen erfaßt. Man könnte glauben, sie sei auf La Perte en Ruaba geboren – falls dies La Perte en Ruaba war . . . Ihre Blicke begegneten sich. Sie lächelte ihn an und atmete ein wenig schneller. Er sah, wie ihre Brust sich heftig hob und senkte. Sie machte eine sorglose Geste. Sie betrachtete Himmel und Meer, ohne irgendwelche Schwierigkeiten erkennen zu lassen. Von Zeit zu Zeit beugte sie sich nieder, um eine Muschel aufzuheben. Sie machte einen langsamen Bogen um Daniel. Sie betrachtete den Himmel, als sei es der Himmel ihres heimatlichen Italien. Wahrscheinlich glaubte sie sich immer noch zu Hause . . . Sie hatte sich fast instinktiv an die Situation angepaßt. Aber um welchen Preis? Wahnsinn? Und war der Wahnsinn nicht auch eine Form der Anpassung an eine unterschiedliche Welt? Daniel freute sich, unter solchen Umständen sein geistiges Gleichgewicht behalten zu haben. Vielleicht. Aber wer hätte das beschwören wollen? Dafür konnte er sich kaum aufrecht halten. Er erinnerte sich der ersten Minuten, die er am Strand zugebracht hatte. Das Fehlen des Horizonts (oder eines normalen Horizonts) noch das Phänomen der »Himmelsflucht« waren ihm gleich aufgefallen. Als er diese Besonderheiten sich zum ersten Mal bewußt gemacht hatte, hatte er anfänglich gewisse Sehstörungen. Das Schwindelgefühl, dieser ekelhafte Taumel mußten erst etwas später eingesetzt haben. Es handelte sich also vorwiegend um psychische Reaktionen. Sicherlich würde es ihm gelingen, sie unter Kontrolle zu bekommen. Aber wie sollte er es vermeiden, den Himmel zu betrachten? Eine neue Sonne, eine blaue Sonne kam gegenüber der roten und weit über der Erde in Erscheinung. Es handelte sich lediglich um einen kleinen blassen Kreis, so wie wenn man den Mond bei Tag sieht, nur vier oder fünfmal kleiner, doch das Licht enthüllte unbestimmte Landschaftszüge, die bis zu ihrem Erscheinen im Schatten gelegen hatten . . . Nun ähnelte die Welt einem Tunnel in breitem V-Format, der Betrachter befand sich natürlich im Innern der beiden Wände, die beiden Sonnen stellten die einander gegenüberliegenden Öffnungen dar.

Daniel faßte einen heroischen Entschluß: er wollte sich erneut dem Schwindel aussetzen. Er stand auf mit dem Angesicht zum Meer und der roten Sonne. Sie schien zu steigen und gleichzeitig kleiner zu werden. Man hätte sagen können, sie entfernte sich und zog den Tunnel hinter sich her. Am Zenit war keine Pyramide mehr zu erkennen. Wie ein verschiebbares Dach glitt der Himmel von der einen Sonne zur anderen, je nachdem, auf welcher Seite er stand. Und auch Erde und Meer schienen den Sonnen entgegenzusteigen. Beim »Sonnenaufgang« erschienen violette Berge in der Ferne, erreichten jedoch das blaue Gestirn nicht ganz. Beim »Sonnenuntergang« dagegen schien der Ozean in einem gewaltigen Aufstieg zu dem roten Gestirn emporzuwallen und umgurtete es mit einem geflammten Glorienschein.

Daniel fühlte sich bald zu der einen, bald zu der anderen hingezogen. Er hatte den Eindruck, sich zu strecken und größer zu werden. Statt zu wanken, zwang ihn das Schwindelgefühl, sich sehr ruhig zu halten, reglos angesichts des Himmels, so wie John Carter seinen Abflug zum Planeten Mars vorbereitete. Doch sein Magen hatte seit langem keine so gewaltige Prüfung über sich ergehen lassen. Seit seiner ersten Reise nach . . . Nein, er war niemals . . . Er blieb einige Minuten stehen und »spielte die John Carter«, so wie er dies nun nannte, die Minuten erschienen ihm als Stunden. Das gehört zu den Spielregeln im chronolytischen Universum. Sekunden waren manchmal Jahrhunderte. Aber befand er sich überhaupt noch im chronolytischen Universum? Schließlich senkte er den Blick, als er einen leichten Kopfschmerz spürte, war jedoch sicher, einen ersten Erfolg errungen zu haben.

Monica kniete ein paar Schritte weiter im Sand und suchte nach Muscheln. Als sie sah, daß er sie beobachtete, strich sie über ihren nackten Arm und schauderte und rief, daß sie fror. Daniel beobachtete voller Unruhe den Himmel. Ohne jeden Zweifel: die rote Sonne ging unter. Die blaue Sonne auf der anderen Seite wurde kaum größer. Vielleicht verlief sie parallel zur Küste. Und vielleicht näherte sie sich kein bißchen. Eine Art von Dämmerung brach vom »Norden« und vom »Süden« herein. Dies war reichlich beängstigend. Wurde es nun Nacht auf dieser Welt? Für wie lange? Wenn ja, welche Temperatur würde dann herrschen?

»Komm«, sagte er zu Monica. »Wir wollen mal sehen, ob das Meerwasser trinkbar ist.«

»Meerwasser ist niemals trinkbar«, erwiderte Monica ernst.

»Du hast sicher recht, aber es ist ja einen Versuch wert.«

Die bewegliche Grenze, welche die auslaufenden Wellen am Strand bildeten, schien etwa hundert Meter entfernt zu liegen. Je weiter sie darauf zugingen, um so mehr zog sie sich jedoch zurück. Daniel lief und hielt den Blick auf seine Füße gerichtet. Statt hundert mußten sie dreihundert Meter laufen. Das Wasser war lau, fühlte sich weich, fast ölig an. Auch in der Innenhandfläche wahrte es einen leicht bläulichen Ton. Er kostete es, fand es ein wenig salzig und bitter mit einem Geschmack, der ihn an Olivenöl erinnerte. Er trank einen Schluck. Dies löschte kaum den Durst. Im Gegenteil. Als Monica ihm einen fragenden Blick zuwarf, gab er ihr Zeichen, nicht davon zu trinken.

Allmählich konnte er sich leichter bewegen, vorausgesetzt, er hob den Kopf nicht zu sehr oder drehte sich nicht ganz offen der einen oder anderen Sonne zu, so daß ihn kein Schwindel mehr erfaßte. Im »Norden« und im »Süden« rührte sich der Himmel kaum mehr. Und die zunehmende Dämmerung machte das Schauspiel erträglich. Manchmal trat wieder das Trugbild des Tunnels auf. Der ganze Raum schien auf der Flucht. Daniel senkte die Augen, sogleich verschwand diese Erscheinung. Seine Ohren dröhnten immer noch von Zeit zu Zeit, es gelang ihm jedoch, mit gewisser Geschwindigkeit geradeaus zu laufen. Weiterlaufen, um wohin zu gelangen? Er hatte keine Ahnung.

Monica hüpfte neben ihm, um sich etwas aufzuwärmen. Häufig beugte sie sich hinab und sammelte Muscheln, die sie einen Augenblick lang betrachtete, ehe sie sie wieder wegwarf. Sie sprachen nicht, zwischen ihnen bestand eine Art geheimnisvolle Intimität, die jenseits alles Sprachlichen lag. Manchmal entschlüpfte ihnen ein Ausruf. Sie deuteten eine Geste an, ihr

Mund formte ein Wort, das sie nicht einmal ganz aussprachen. »Renato!« hauchte Monica. Er war nicht Renato, er verstand sie jedoch. Er dachte, die Situation hätte schlimmer sein können. Der teilweise Gedächtnisverlust der jungen Frau bedeutete offensichtlich nicht, daß sie auf rein platonische Beziehungen beschränkt blieben. Monicas Gefühle waren am allerwenigsten zweideutig. Er fragte sich, bis zu welchem Punkt ihrer Erinnerungen sie zurückgegangen war, falls es sich um einen Rückschritt handelte. Ihn hätte der Gedanke gereizt, sie in der Rolle eines älteren, unaussprechlich zärtlichen Bruders die Liebe zu lehren . . .

Aber allem Anschein nach war es wesentlicher und dringlicher, Trinkwasser zu finden. Und je dunkler es wurde, um so kälter wurde es auch. Vielleicht fänden sie keine andere Möglichkeit, sich zu wärmen, als in den Armen des anderen einzuschlafen.

Die Logik befahl, dem Meer den Rücken zu drehen und in Richtung der blauen Sonne auf die Berge des »Sonnenaufgangs« zuzumarschieren. Doch zum einen war Daniel nicht überzeugt, daß es sich wirklich um Berge handelte. Manchmal glaubte er wohl eine entfernte Bergkette mit Gipfeln, Schluchten und Tälern, ewigem Schnee und Gletschern zu erkennen. Doch manchmal fürchtete er, daß es nichts als Wolken waren. Und da er den Himmel nicht lange Zeit ansehen konnte, gelang es ihm nicht, sich zwischen den beiden Annahmen zu entscheiden. Und falls tatsächlich eine Bergkette mit Holz, Quellen und Wasser existierte, so mußte sie erschreckend weit entfernt sein. Vielleicht zig oder Hunderte von Kilometern. Also folgten die Flüchtlinge dem Ufer in Richtung ihrer Sehnsüchte.

Der Wasserstand sank weiter, als habe die Sonne das Meer mit sich gezogen. Und die blaue Sonne war zweifellos zu weit entfernt, um ihre Anziehungskraft spürbar zu machen. Daniel lief ein paar Schritte vom Wasser entfernt. Diese vertraute und schützende Begleitung gab ihm Mut. Er wagte es jedoch nicht – noch nicht – sich ins Landesinnere zu begeben, und er faßte diesen Entschluß um so leichter, als er niemandem Rechenschaft ablegen mußte und Monica ihn nicht fragte. Er wäre gerne noch einige Zeit am Meeresufer geblieben. Vielleicht kam von dieser Seite Hilfe. Im Grunde genommen hätte er diesen Strand am liebsten nie mehr verlassen. Er war nackt, ihm war kalt, er hatte Durst, und doch fühlte er sich paradoxerweise in Sicherheit.

Von Zeit zu Zeit blieb Monica stehen, grub beide Hände in den feuchten Sand auf der Suche nach Mollusken, Schalentieren oder Stachelhäutern. Daniel beunruhigte ihr ein wenig kindisches Verhalten nicht allzusehr. Wer wird am Meeresufer nicht wieder zum Kind? Plötzlich sah er, wie sie sich hinkniete, einen Augenblick lang ihren Fund betrachtete und ihn dann mit triumphierender Miene emporhob.

»Schau dir das an, Renato. Eine blaue Muschel. Wie schön sie ist! Hast du jemals so eine blaue Muschel gesehen?«

»Nein, niemals«, gab Daniel zu.

»Außen blau. Und innen, schau mal . . .«

Sie zeigte ihm eine Art großer Muschel, die ihrer Form nach dem *chapeau de Hongrie* von der Atlantikküste verwandt war, jedoch mindestens dreimal so groß. Der Trichter war von einem fast mauvegetönten Weiß. Sie schimmerte leicht im grauen Dämmerlicht . . . Daniel lächelte Monica an.

»Ja, mein Schatz, das ist wirklich ein schönes Stück.«

Vielleicht bedeutete dies, daß das Meer bei Flut weit anstieg. Er beschloß, die Bahn der blauen Sonne aus dem Augenwinkel zu beobachten. Im Augenblick war von dieser Seite aus nichts zu befürchten . . . Sie gingen weiter am Ufer entlang in Richtung Süden. Daniel war immer noch unentschlossen. Die »aufgehende« Sonne folgte ihrer Bahn über die Berge, die nun wie Marmor wirkten. Ja, es waren sicherlich Berge: eine felsige Kette mit verschneiten Gipfeln. Die »untergehende« Sonne vergrub sich in einen Tunnel, eine Art in den Himmel gebauten Kamin. In diesem Universum schien alles, das sich entfernte, unendlich weit emporzusteigen. Im »Westen« verwandelte sich der Mauveton in Dunkelblau, Orange, Purpur, ein düsterer Schleier fiel übers Meer. Die Nacht brach herein und stieß da und dort die Spieße ihrer Dunkelheit herab. Dies würde eine sternenlose Nacht. Das Schauspiel ihrer Invasion wurde immer bedrohlicher.

Der Strand schien nun in einem rötlichen Grau. Das Meer warf das Licht der blauen Sonne zurück. Manchmal nahm man eine geheimnisvolle Helligkeit wahr, deren Herkunft nicht zu erkennen war, die jedoch sogleich wieder erlosch. Das Meer – Oradak? – erhellte sich, so weit der Blick reichte. Dies war wie ein Nordlicht, nur flüchtiger. Daniel schöpfte wieder Hoffnung. Er hatte sie im übrigen niemals ganz aufgegeben. Eine dritte Sonne konnte wer weiß wo aufgehen und Helligkeit und Wärme verbreiten. Es stimmt, daß diese unbekannte Welt die Erde nachäffte und bald Dunkelheit herrschen mußte. Ein Mond oder etwas ähnliches würde bald auftauchen. Der Mond würde jedoch den nackten, schaudernden Flüchtlingen keine Wärme spenden. Für Daniel war der Durst jedoch schlimmer als die Kälte und auch die Erschöpfung, die ihn manchmal beides vergessen ließ. Allmählich war Monica nähergerückt. Sie liefen Seite an Seite. Sie hielt immer noch die blaue Muschel, die sie von Zeit zu Zeit an ihr Ohr führte. Dann erhellte ein kindliches Lächeln ihr Gesicht. Immer häufiger lehnte sie sich gegen Daniel. Ihre Haut war warm, trotz der frischen Luft. Diese kurzen Berührungen ihrer Arme, Hüften, Schenkel erweckten in den Herzen der Flüchtlinge eine wilde und schamhafte Zärtlichkeit. Manchmal hielt Monica die blaue Muschel an Daniel Ohr. Die Schnecke erzeugte ein merkwürdiges Geräusch: ein kurzes Glucksen, auf das ein Zischen folgte. Ein Geräusch, das etwas Lebendiges an sich hatte. Verblüfft nahm er Monica die Muschel aus der Hand und drückte sie an seine Schläfe, um zu lauschen. Fa-schi-si-su . . . Monica beobachtete ihn lächelnd. Daniel hatte den Eindruck, daß das Geräusch noch klarer kommen müßte, daß es einen Aufruf oder Gott weiß was bedeutete. Fa-schwi-si-sudie! Nein, es ergab keinen Sinn. Er führte die Muschel rund um sein Ohr. Mit viel gutem Willen hätte man verstehen können: Verschwinde! Sie suchen dich! Lächerlich. Er gab Monica ihren Schatz zurück.

Er dachte, daß sie kaum eine Chance hatten, vor Tagesanbruch Zuflucht und Wasser zu finden. Und vor Anbruch welchen Tages? Sie liefen über den Sand. Der Sand dehnte sich endlos aus. Dem Strand folgte Wüste. Wenn man nur einige

Felsen mit Süßwasser und einem Loch finden könnte! Nein, nichts als Sand . . .

Automatisch senkte er den Blick auf sein nacktes Handgelenk. Was wurde bei diesem Abenteuer aus der Zeit? Die Sekunden, die Stunden, vergehen sie wie dort unten im normalen Raum, in der Welt der Menschen, der Städte und der Uhren? Ergab es überhaupt einen Sinn, danach zu fragen? Er begann seinen Puls zu fühlen und fand ihn zu langsam. Viel zu langsam. Der Puls eines Leichtathleten. Vielleicht erwiesen sich die Gesetze des Lebens hier als viel flexibler und einsichtiger. Die Gesetze des Lebens und des Todes. Er empfand in sich, begründet auf seinen eigenen Gaben, ein ganz neues Selbstvertrauen. Ein Selbstvertrauen, das ihn erstaunte. War er Daniel Diersant, der Büroangestellte, der ruhige Städter? Oder aber . . . Ein Hintergedanke nahm in seinem Denken Gestalt an. Gab ihm dieses Universum, in das er nicht zufällig geschleudert wurde, vielleicht die Gelegenheit, die geheimen Kräfte, die er in sich fühlte, zu erkennen und zu beherrschen? Als Vogel, der in einem viel zu engen Käfig gefangen gehalten wurde, hatte er niemals fliegen gelernt. Jetzt hinderte ihn keiner daran, seine Flügel zu spannen und den Aufschwung in den offenen Raum zu nehmen. Er fand diesen Gedanken ein wenig kindisch und zwang sich, ihn zu verwerfen. Er hatte nichts zu erwarten von diesem Universum. Das Universum war ein Feind. Kämpfen. Man mußte kämpfen und die kühnsten Hoffnungen verwerfen. Er schwor sich, daß er sich von Kälte, Durst und Angst nicht einschüchtern ließ. Wenn dies eine Prüfung war, so wollte er sie kaltblütig bewältigen. Raus hier, lieber Gott! Er würde es schaffen.

*

Monica tippte ihm leicht auf die Schulter.

»Sieh mal!«

Sie hielt die Muschel in der linken und wies mit der rechten Hand auf einen dunklen Fleck auf dem dunklen Meer, der in einiger Entfernung zum Ufer schwamm. Bis zu diesem Augenblick hatten sie nicht den kleinsten, an den Strand gespülten Gegenstand entdeckt. Daniel hob die Augen. Sicherlich ein Stück Holz oder ein Meerestier, das sich einen Augenblick an der Oberfläche ausruhte. Man sah nicht genug, um sich eine genaue Vorstellung von dem Ding zu machen. Außer der Farbe: es war braun. Ja, vielleicht ein Stück Strandgut. Doch die Form erinnerte eher an den Kopf oder den Rücken eines Tieres, dessen Körper untergetaucht war.

»Schau mal, das kommt näher«, sagte Monica.

Tatsächlich schien der Gegenstand auf die Küste zuzuhalten. Monica eilte vor Daniel weg ins Wasser.

»Renato, es ist warm!« rief sie. »Komm!«

Daniel war gleichermaßen überrascht von der mehr als lauen Wassertemperatur. Es mußte eine Art Unterwasserthermostatregulator existieren, der auf die eine oder andere Art die abkühlende Atmosphäre ausglich . . . Monica stand schon bis zu den Schenkeln im Wasser, die Arme hatte sie hochgeworfen. Daniel folgte ihr, wohl bewußt seiner Unvorsicht, doch er war nicht in der Lage, der Anziehungskraft eines warmen Bades zu widerstehen. Wellen des Wohlbehagens umspülten bereits seine Haut. Da hatten sie einen Schutz für die Nacht gefunden: das Meer . . . Vorausgesetzt, daß die Flut nicht unvermittelt anstieg! Monica ging das Wasser nun bis zum Bauch. Sie wankte mit einem Freudenschrei nach vorne und begann auf den braunen Fleck zuzuschwimmen. Daniel rief sie zurück. Das Ding konnte gefährlich sein. Er hörte die junge Frau lachen. Sie schenkte seinem Befehl oder seiner Bitte keinerlei Beachtung, so beschloß er, ihr zu folgen. Sie rief ihm zu, daß es ein toter Fisch sein mußte. Sie prustete und zog einen Kreis um das Treibgut. Dann schwamm sie ein Stück weg in Richtung Süden parallel zur Küste. Daniel lief über den sandigen Meeresgrund und fischte mit beiden Händen nach den großen, klebrigen Algen in Form von Spinnennetzen. Monica machte plötzlich kehrt und kraulte auf ihn zu. Gemeinsam gelangten sie zu dem schwimmenden Gegenstand. Es war kein toter Fisch. Zumindest kein gewöhnlicher. Man hätte sagen können, ein Sack. Ein großer, brauner, hermetisch versiegelter und vielleicht luftgefüllter Sack. Daniel beschloß, ihn ans Ufer zu ziehen.

Als er sich dann zur Küste drehte, sah er vier menschliche Silhouetten auf sie zukommen. Vier Männer von gleicher Größe in schwarzer Kleidung mit Mützen und Stiefeln. Er erkannte sie.

Die Begleiter Forestiers! Die Gesandten von HKH!

»Renato, wer sind diese Typen?« erkundigte sich Monica ruhig.

Er antwortete nicht. Er war zu sehr damit beschäftigt, sich an all das zu erinnern, was er mit Erfolg zu vergessen bemüht gewesen war: die Chronolyse und die ungewisse Zeit, HKH und Garichankar, Dr. Holzach und der Große Drache, Dr. Carson und Harry Krupp Hitler I, das Hospital gegen das Imperium, die Invasion der Erde und die subjektive Unsterblichkeit, eine Welt ohne Ruhe . . . Eine Welt ständiger Kämpfe, eine Welt von Fallen und Leiden . . . Aber auch eine Welt berauschender Freuden und unglaublicher Erlebnisse!

Verschwinde! Sie suchen dich!

Die blaue Muschel hatte ihm eine Warnung übertragen. Eine Botschaft von Ellen oder Dr. Holzach. Vielleicht war er nicht weit genug geflohen. Die Männer von HKH hatten ihn wieder gefunden. Vielleicht waren sie in der Lage, ihn überall wiederzufinden. Wozu also versuchen zu fliehen? Dieses Universum gehört dem Imperium: Forestier hatte dies gesagt.

Die vier Männer in den schwarzen Uniformen kamen mit regelmäßigen Schritten und eng an den Körper geschmiegten Armen auf sie zu, sie waren offensichtlich unbewaffnet. Sie benötigten jedoch keine Waffen, da sie nur das geistige Abbild eines geistigen Angriffs waren. Daniel erinnerte sich. Ein leichter, wohlvertrauter Schmerz krampfte ihm den Magen zusammen. Er würde also niemals herauskommen!

Die HKH-Gesandten hatten fast das Ufer erreicht. Sie liefen langsam, schwaches Licht erhellte sie. Gleichzeitig blieben sie stehen. Dann trat der eine, der Forestier sein könnte, ans Wasser und machte eine Handbewegung in Daniels Richtung. Eine Geste des Wiedererkennens. Fast eine freundschaftliche

Geste. »Kommen Sie, so kommen Sie doch«, sagte die gehobene Hand mit der nackten, offenen Handfläche, die phosphoreszierend strahlte. Schweinehund! dachte Daniel. Dr. Carson hatte recht gehabt. Er empfand einen instinktiven Haß gegen das Imperium.

Er drehte sich um und sah Monica nicht mehr. Die junge Frau war verschwunden. Er rief nach ihr, etwas rührte sich unter Wasser. Monica, meine Liebe. Ein Wirbel bildete sich. Nun tauchte auch er unter. Ihm war warm. Er fühlte sich wohl. Er atmete normal. Er begann zwischen zwei Strömungen hindurchzuschwimmen. Plötzlich bemerkte er, daß er keinen Durst mehr hatte. Er fühlte, wie er immer tiefer tauchte und aufs offene Meer zuschwamm.

XI

Er schlug hart die Motorhaube des Volkswagens zu, setzte sich hinters Steuer, knallte die Tür zu und schloß die Augen. Schlafen.

Diese Hoffnung erfüllte seinen Kopf, seinen Körper, lief seine Nerven entlang und blähte sich in seinen schlaffen Muskeln. Schlafen. Er dachte: ich komme also niemals hier raus! Und dann: lieber Gott, ich werde jetzt schlafen können.

Und er schlief einen fiebrigen Schlaf, den einige prophetische Lichter erhellten. Er erwachte mit auf dem Lenkrad gekreuzten Armen, zerschundenem Kinn und schmerzender Stirn, sein Mund war trocken. Eine Laterne ganz in der Nähe warf helles Licht bis in den Wagen. Er sah eine Ausgabe des *France-Soir* auf dem Beifahrersitz. 20. November 1966. Und eine Schlagzeile: *An der Front des chronolytischen Krieges.* Er ließ die Zeitung liegen. Er wollte es nicht so genau wissen. Noch nicht. Er fror. Unter seinem alten, petrolblauen Anzug, der aus den fünfziger Jahren stammen mußte, trug er ein helles, nicht sehr sauberes Nylonhemd. Er war barfuß in Sandalen mit Binsensohlen. Bloße Füße in Sandalen am 20. November! Und warum dieser seit zehn Jahren veraltete Anzug? Irgend etwas war geschehen. An der Front des chronolytischen Krieges? Gehörte er zu den Kämpfern? Ja, er war ein Agent der Nerek auf Dienstreise im Unbestimmten. Er begann sich zu erinnern. Er war im Werk von Choisy mit dem Großen Drachen von HKH verabredet. Er warf einen Blick auf seine Uhr. In einer Stunde werde ich dort sein, das genügt. Habe ich meine Karte bei mir? Er zog seine Brieftasche heraus und fand ein Bündel von 5000 Franc. Was ist das nur für Kies? Nun gut, egal. Die HKH-Karte war jedenfalls da.

HOWARD K. HUGHES
DIENSTAUSWEIS
DANIEL DIERSANT

Alles war in Ordnung. Er tat einen Satz von ein paar Minuten nach vorne, hupte zweimal, hinter dem Gitter ging ein Licht an. Er stieg aus und trat an die gepanzerte Tür. Mit lautem Knirschen öffnete sich ein Türchen.

»Was wollen Sie?«

»Ich bin mit dem Großen Drachen verabredet.«

»Zeigen Sie mir Ihre Karte.«

Daniel hielt das braune Rechteck mit den schwarzen Streifen links und seinem Foto in der rechten Ecke hin. Eine Hand in Handschuhen ergriff sie.

»Treten Sie näher«, sagte der Nachtwächter trocken.

Daniel tat einen Schritt nach vorne. Eine Lampe wurde auf sein Gesicht gerichtet.

»Sie sind Daniel Diersant?«

»Natürlich. Was gibt es denn?«

»Das Foto auf Ihrer Karte sieht Ihnen überhaupt nicht ähnlich.«

»Lassen Sie mal sehen.«

»Nein, die Karte behalte ich. Ich werde anrufen.«

»Wie Sie wollen.«

Daniel kehrte zu seinem Wagen zurück. Er öffnete seine Brieftasche und fand eine zweite Karte.

IM NAMEN DES IMPERIALISTISCHEN VOLLSTRECKERS
BEFEHL AN ALLE HKH-AGENTEN
DANIEL DIERSANT
UNVERZÜGLICH ZU UNTERSTÜTZEN
DER GROSSE DRACHEN HANNIBAL K. HIMMLER

Sehr gut, sagte er sich. Dann betrachtete er das Foto. Es war nicht das seine. Lieber Gott, was geht hier vor? Er kannte dieses Gesicht. Die krumme Nase, die kahle Stirn mit der schwarzen Strähne: dies war Renato, der Matrose mit der verstümmelten Hand. Mit wütender Geste zerriß er die Karte und warf die Stücke in die Ablage.

»Diersant!« rief der Nachtwächter. »Sie können durch. Ich mache Ihnen auf. Viel Glück.«

Daniel setzte den VW in Gang und fuhr langsam los. Die Panzertür schob sich vor ihm zur Seite, und sogleich umstellten ihn Männer in Schwarz. Er wollte beschleunigen, doch ein heftiger Aufprall zerschmetterte die rechte Seite des Wagens, der sogleich umkippte. Er verlor das Bewußtsein und kam auf dem Boden des Wachhäuschens zu sich, eine Decke unter dem Kopf. Vor ihm stand Forestier und sah ihn an.

»Ich muß mich bei Ihnen entschuldigen, Diersant. Aber lieber Gott, erklären Sie mir, wozu dieses Foto und die Karte, die nicht die Ihre ist.«

»Ich verstehe nicht«, sagte Daniel.

Er setzte sich hoch, lauschte einen Augenblick den Gongschlägen, dem höhnischen Pizzicato und den rasenden Becken.

»Schauen Sie«, sagte Forestier und hielt ihm die erste Karte hin, die von Howard K. Hughes.

»Na und?« fragte Daniel.

»Wie, na und?«

»Das ist meine.«

»Warum haben Sie sich denn verkleidet?«

»Verkleidet?«

»Gebt mir mal einen Spiegel.« Die Männer kramten vergebens in ihren Taschen. Schließlich brachte der Nachtwächter einen Rückspiegel mit verzerrtem Rahmen und gesprungenem

Glas. Daniel betrachtete sich. Diese krumme Nase, die knochigen Wangen . . . Heftig zerrte er an der schwarzen Strähne und mußte sich zurückhalten, nicht vor Schmerz loszubrüllen. Dies Gesicht war das seine. Er schloß die Augen. Entsetzlich. Ich habe ein Examen in Naturwissenschaften, ich will kein . . . Er tat einen Satz nach vorne . . . oder zur Seite. Hinter Larcher stieg er zwei oder drei Stufen hinab. Der Ingenieur im abgetragenen Anzug stieß eine schwere, metallbeschlagene Tür auf. Ein Duft nach Veilchen umnebelte sie in dem Flur, an dessen Ende ein Mädchen mit müden Augen, zerrissenem Kleid und entblößter Brust herumlümmelte.

»Mein lieber Diersant«, erklärte Larcher, »ich will dich gleich warnen. Mein Paradies wird von Nutten und jämmerlichen Typen bevölkert.«

»Ich weiß, ich weiß«, entgegnete Daniel mit müder Geste. »Das hast du mir schon erzählt.«

»Achtzehn Monate Arbeitslosigkeit, was, und meine Frau, die abgehauen ist! Salute, Barkeeper!«

Ein einfältiges Lächeln verzerrte das Pferdegesicht des Mannes hinter dem Tresen. Der Ingenieur schwang sich kühn auf einen Hocker.

»Da hast du so einen jämmerlichen Typ!«

»Wir drehen uns im Kreis«, bemerkte Daniel.

»Was ist denn los mit dir?«

»Erkennst du mich wieder?«

»Na und ob! Diese Piratenfresse und die kaputte Pfote, die werde ich doch kaum vergessen können.«

»Hatte ich . . . diese Fresse, als du mich das erste Mal gesehen hast?«

»Tja, mein Alter, ich weiß nicht recht. Du wärst nicht der erste, der sich in diesem Drecksnest verändert. Ehrlich gesagt, ich kann es dir nicht sagen. Aber du darfst dich nicht so sehr quälen. Du bist doch ganz in Ordnung. Ich bin sicher, daß du den Weibern gefällst. Wir werden ja sehen. Monika!«

Er feixte. »Du wirst schon sehen. In der Gesellschaft von Nutten und Versagern habe ich mich immer ein bißchen wie ein kleiner Gott gefühlt. Monika!«

Dann an den Barkeeper: »Sag mal, Dummkopf, gefällt dir diese Maloche etwa?«

»Was wollen Sie, Monsieur Larcher«, meinte das Pferdegesicht, »man muß ja irgendwie leben.«

»Hör dir diesen Arsch an . . . Monika! Ich frage mich, was die Mieze wieder zu schaffen hat!«

Der Barkeeper verbeugte sich flüchtig, als er sich wieder aufrichtete, hielt er einen Revolver, den er auf Daniel richtete.

»Hände hoch, Diersant. Sie auch, Larcher.«

»Monsieur Larcher, heißt das!«

»Halt die Schnauze!«

»Dreckskerl! Ich hätte Stein und Bein geschworen, daß die Schurken von HKH niemals einen Fuß über meine Schwelle setzen!«

»Wir sind die Herren des chronolytischen Universums«, erklärte der Barkeeper. »Heil Hitler!«

Daniel setzte sich auf die Bank. Er war nackt angesichts einer jungen Frau, dies jedoch nicht, um mit ihr ins Bett zu gehen. Sie schob eine Nadel in seine Armvene. Die Spritze. Eine Schlüsselszene. Und die unangenehmste des ganzen Zyklus.

»Na, sehr schön«, sagte Forestier. »Ziehen Sie sich an, Doktor.«

Doktor? Was hatte dieser Titel zu bedeuten? Noch ein Irrtum. Es sollte wohl niemals aufhören. Daniel seufzte erschöpft und gab es auf, die Sache zu verstehen. Eine Wärmewelle stieg seinen Arm empor in seine Kehle. Ohne Hast streifte er seine Unterwäsche über und den grauen Umhang, den Forestier ihm gebracht hatte.

Dann drehte er sich um, um wieder Platz zu nehmen, fühlte sich überwältigt von einer Welle des Fatalismus und gab sich ganz und gar seinem absurden Schicksal hin.

»Das Garichankar-Hospital steht kurz vor der Kapitulation, Dr. Holzach«, erklärte Forestier.

Daniel zuckte mit den Schultern. Dr. Holzach? War er Dr. Holzach vom Garichankar-Hospital? War er Jean Larcher, der Ingenieur im abgetragenen Anzug? Oder Renato Rizzi, der Matrose mit der verstümmelten Hand? Oder einfach Daniel

Diersant, Übersetzer bei der Société d'Etudes et d'Applications de Chimie et Physique? Oder alle diese Männer auf einmal oder gar noch andere?

»Wir hatten große Schwierigkeiten, Sie zu identifizieren, Dr. Holzach«, sagte der Sicherheitschef in fast freundschaftlichem Ton. »Schließlich haben Sie sich doch entlarvt. Es ist sinnlos, dieses Versteckspiel weiterzuführen. Dieses Universum ist das unsere. Und wir kennen es zu gut, als daß uns ein Psychronaut von Garichankar auf Dauer entwischen kann . . . Sie werden nun einer der unsrigen werden. Der Krieg ist in eine neue Phase getreten. Die meisten der autonomen Hospitäler befinden sich in unseren Händen, und von diesen Basen aus werden wir bald die Erde kontrollieren. Dann wird HKH im physikalischen Raum zum neuen Leben erwachen.«

Daniel hatte den Kampf aufgegeben und fühlte sich befreit. Die junge Frau nahm neben ihm Platz und ergriff sein Handgelenk. Er fragte sich, ob sie wirklich Gefangene war wie er. Er hatte gewisse Zweifel.

»Wie geht es Ihnen, Doktor?«

Daniel zögerte. Er war vielleicht nicht Dr. Robert Holzach vom Garichankar-Hospital. Er glaubte jedoch, es in diesem Augenblick werden und für immer bleiben zu können. Es genügte zu wollen, und das chronolytische Universum beugte sich seinem Willen.

»Was haben Sie mit mir vor?« erkundigte er sich.

Forestier lachte triumphierend. Daniel erkannte voller Abscheu das riesige Kinn dieses Mannes der Tat, die Schmisse des Helden wieder, die über seine Wangen klafften: eine richtige Söldnerfresse, ein Bullengesicht, die Visage eines Schlägers oder eines Roboters.

»Für den Anfang werden wir Ihnen einige Fragen über das Garichankar-Hospital stellen, Dr. Holzach.«

»Wozu soll es gut sein, wenn es doch bald kapituliert?«

»Das ist unsere Sache. Machen Sie sich darum keine Gedanken.«

»Und wenn ich nicht antworte?«

»Sie werden sich nicht lange weigern. Das Produkt, das wir

Ihnen eben injiziert haben, ist ein Willensanihilator. In einigen Minuten werden Sie völlig gefügig sein und uns freundlich die Fragen beantworten, die man Ihnen stellt. Danach werden Sie alles vergessen. Sie werden sich kaum an Ihren Namen erinnern. Ihre Persönlichkeit wird völlig zerstört, und Sie werden glücklich sein, HKH dienen zu können.«

»Ich habe meine Zweifel. Was wollen Sie wissen?«

»Erzählen Sie mir von Guair Norlan.«

»Ich kenne den Namen nicht.«

»Spielen Sie nicht den Idioten. Er ist ein Arzt von Garichankar, einer Ihrer Kollegen, und der Spitzentheoretiker für die Chronolyse in Europa.«

»Nein.«

»Dr. Holzach, es liegt ganz in Ihrem Interesse, mit uns nach Ihren Kräften zusammenzuarbeiten. Wenn Sie sich als kooperativ erweisen, bekommen Sie ein Gegenmittel zum Anihilator, so daß die Strukturen Ihrer Persönlichkeit erhalten bleiben. Sie wissen, daß das chronolytische Universum Eigentum von HKH und nicht der autonomen Hospitäler ist. Wenn wir diese Operation gegen das entropische Universum ausgelöst haben, dann lediglich zu unserer Verteidigung. Denn Sie sind die Angreifer, Sie die Psychronauten, die uns in unserem Reich auf der Spur sind. Sie haben das Imperium jedoch unterschätzt . . .«

Die Szenerie wechselte. Daniel blieb schwankend und wie verblendet am Eingang eines langen, niedrigen Raumes stehen, der von einer Art Fluten an den Seiten und Prismenleuchten an der Decke erhellt wurde. Dies ähnelte einem stilisierten Labor in einem esoterischen Gruselfilm. Und, so dachte Daniel, dieser Stil war Teil der Falle. Die Wände, die Möbel, die Instrumente, alles war braun oder bronzefarben. Die Tapeten und Sessel trugen die Farben abgestorbener Blätter. Vor Daniel waren auf einem niedrigen Tisch drei Körper direkt auf dem rauhen Holz ausgestreckt. Drei junge, schlafende Frauen, nackt, mit friedlichen Gesichtern, als habe der Schlaf ihnen eine Maske übergestülpt. Er erkannte sie ohne Überraschung: Monika Gersten mit dem aschblonden Haar; Monika, das Mädchen aus der Bar in rotblond; und Monica, die dunkelhaarige Schwester des geheimnisvollen Renato. Die Augen Monika Gerstens bewegten sich schnell. Die junge Deutsche träumte gerade. Vielleicht träumte sie, daß sie sich in Chronolyse befand und träumte. Daniel erinnerte sich an La Perte en Ruaba und hatte Angst. Er hatte eine Niederlage erlitten: erneut befand er sich im geistigen Gefängnis in der Macht von HKH. Doch der Auftrag von Dr. Holzach ging seinem Ende entgegen. Er hörte sein Blut in seinem Kopf pochen. Etwas summte dumpf in oder neben ihm. Die Fragmente einer aufdringlichen Melodie erreichten ihn von Zeit zu Zeit. Er atmete den modrigen Geruch eines Kellers oder eines Elektrizitätswerks ein. Er schloß die Augen und schlug sie sogleich wieder auf, ein völlig sinnloses Unterfangen, das jedoch zu einem Reflex geworden war. Der bronzefarbene und braune Raum war immer noch da. Und die drei Mädchen schliefen auf dem Tisch. Forestiers Stimme riß ihn aus seinen fieberhaften Überlegungen.

»Dr. Holzach, diese Frauen, die Ihnen bekannt sind, werden für die ganze Dauer Ihres Aufenthalts in HKH Ihre Sklaven sein, wenn Sie zur Zusammenarbeit mit uns bereit sind. Ich nehme an, daß sie Ihnen gefallen: auf gewisse Weise haben Sie sie ja geschaffen. Ich leihe sie Ihnen, schenke sie Ihnen. Sie können mit ihnen spielen, sie demütigen, vergewaltigen, foltern, verstümmeln oder umbringen. Ganz egal. Und nach denen können Sie noch weitere bekommen. HKH pflegt seine Versprechen zu halten. Heil Hitler!«

»Von welchem Hitler reden Sie?«

»Von Harry Krupp Hitler I, unserem Imperator.«

»Der nicht existiert!«

»Aber den wir schaffen werden, damit er Ihren Planeten regiert, Dr. Holzach! Nun werden Sie meine Fragen beantworten. Sind Sie bereit?«

»Ich höre«, antwortete Daniel.

»Verfolgt der Psychopathologe Guair Norlan augenblicklich seine Forschungen über die subjektive Unsterblichkeit?«

»Es ist möglich. Am besten fragen Sie ihn selbst, wenn Sie das Hospital gestürmt haben.«

»Antworten Sie.«

»Alle Forscher der Welt interessieren sich für die subjektive Unsterblichkeit.«

»Stimmt es, daß Sterbenden Chronolytika injiziert wurde?«

»Meines Wissens nach nicht. Nicht in Garichankar.«

»Warum?«

»Keiner hat gewagt, dieses Risiko auf sich zu nehmen.«

»Die subjektive Unsterblichkeit ist doch einige Risiken wert?«

»Wir haben keinen Beweis, daß dieses Schicksal nicht schlimmer wäre als der Tod. Die Hölle!«

»Man glaubt in Garichankar, daß das chronolytische Universum eine Hölle ist? Eine Hölle, in der wir die Teufel sind? Noch niemals habe ich derartigen Unfug gehört!«

»Sie können ja Dr. Norlan fragen, wenn Sie ihn zu fassen bekommen.«

»HKH ist ewig. Wissen Sie warum?«

»Ich glaube nicht an HKH.«

»Sie sind verrückt, Dr. Holzach.«

»HKH ist lediglich ein abstrakter Entwurf.«

»HKH existiert und wir werden es Ihnen beweisen.«

»HKH ist die Ausgeburt meiner Befürchtungen . . . Der Befürchtungen Daniel Diersants, diese Welt völlig in der Herrschaft der Monopole unter den Privatimperien aufgeteilt zu sehen. Eine solche Entwicklung war 1966 voraussehbar. Es gab jedoch die Ereignisse von 1998 und . . .«

Wieder war sein Mund trocken, ein metallener Geschmack lag auf seiner Zunge. Forestier beobachtete ihn, seine fragenden Augen waren zu länglichen Spalten in dem Metall verengt, das sein Gesicht verbarg. Die Maschinerie seines Kopfes und seines Gesichts, die durch die transparenten Platten von Wangen und Lippen sichtbar war, trieb schreckliche Blasen eines weißlichen Gases. Der Sicherheitschef war ein Kyborg!

»Was wissen Sie von den Ereignissen von 1998?«

»Alle industriellen Imperien wurden von der Geschichte hinweggefegt.«

»Aber im Jahr 1998 hat HKH halb Europa beherrscht.«

»Ich glaube Ihnen nicht.«

»Es gab tatsächlich einen großen, anarchistischen Aufstand

am 1. Mai. Hans K. Hauser und seine neun engsten Mitarbeiter wurden im imperialistischen Turm von Leverkusen eingeschlossen, den das Volk belagerte. Eine Karikatur von Tribunal hat sie zum Tode verurteilt. Sie haben nicht gewartet, daß die rasende Menge sie ermordete. Sie hatten mit Chronolytika Selbstmord begangen, und so die subjektive Unsterblichkeit erlangt. Sie hatten ein Imperium verloren, jedoch eine Welt erobert!«

Selbst die erfahrensten Psychronauten gehen manchmal in die Falle. Schon mehrere Male war Robert Holzach dem Raster eines dicht gewebten Traums auf den Leim gegangen. Und jedes Mal hatte er den Eindruck gehabt, niemals herauszukommen. Dies war für alle Reisenden im Unbestimmten eine geläufige Erscheinung. Er kannte sehr wohl die anzuwendenden Techniken, um sich in solchen Fällen zu schützen. Wenn er sich jedoch in eine fremde Persönlichkeit integrierte, so büßte er damit seine Autonomie ein und besaß keinerlei Kontrolle mehr über den chronolytischen Raum. Und er hatte die Quasi-Gewißheit, sehr weit, weiter als irgendein Psychronaut von Garichankar in die Tiefen der ungewissen Zeit vorgestoßen zu sein. Sieg! Er schluckte seinen Speichel, als könne er so seinen Erfolg besser auskosten. Doch sogleich fragte er sich, ob es sich nicht im Gegenteil um eine grundlegende Niederlage handelte. Ob er aus eigener Schuld oder nicht den Kontakt mit Ellen oder den Phorden des Hospitals verloren hatte. Ob er nicht Einsamkeit und Ohnmacht und den Kräften des Alptraums ausgeliefert war. Ob die Gespenster, die er selbst erweckt hatte, ihn nun nicht verschlingen würden. Nur weg, lieber Gott, nur weg hier!

»Ellen«, sagte er, »ruf mich zurück, ich bitte dich. Ich bin am Ende!«

Er versteifte sich und wartete, doch nichts tat sich. Der Kyborg lachte höhnisch.

»Garichankar kann Sie nicht hören, Dr. Holzach. Dies ist eine der Wirkungen der Droge, die man Ihnen eingegeben hat.«

»Mir wurde keine Droge eingegeben, Forestier. Es gibt keine Willensanihilatoren im chronolytischen Universum. Dies war eine einfach Täuschung und hätte nur funktionieren können, wenn ich Ihnen geglaubt hätte. Sie können jetzt mit dieser Maskerade aufhören.«

Forestier ließ seine Arm- und Schultermuskeln in Gestalt sternenförmiger Bündel unter der metallischen Panzerung spielen. Man hätte sagen können, daß eine Vielzahl kleiner Schlangen über seine Haut krochen.

»HKH existiert, und wir werden es Ihnen beweisen. Ich gebe zu, daß unsere Begegnung nur simuliert ist, doch die Droge, die man Ihnen . . . eingegeben hat, ist ein Gift für den Verstand, Sie werden die Auswirkungen zu spüren bekommen. Haben Sie den Mut, der Wahrheit ins Gesicht zu sehen. Sie befinden sich in unserer Gewalt, Dr. Holzach.«

Daniel warf mit seiner verstümmelten Hand die schweißgetränkte, schwarze Strähne zurück, die ihm in die Stirn fiel. Robert Holzach befand sich vielleicht in der Gewalt von HKH, aber nicht Renato Rizzi!

Er trat zu den drei bewußtlosen, nackten, begehrenswerten jungen Frauen.

»Nun, Doktor«, bot Forestier an, »lassen Sie sich verführen.«

»In der zivilisierten Welt, aus der ich komme, Forestier, sind Frauen menschliche Wesen. Keine Objekte.«

»Aber Sie, *Sie,* haben Lust, sie wie Objekte zu behandeln. Ihr Auftrag im Unbestimmten hat Sie verändert, Dr. Holzach. Ihre Symbiose mit Daniel Diersant hat Sie gebrandmarkt. Sie werden nie mehr der gleiche Mann sein. Und wenn Garichankar überleben sollte, so werden Sie dort keinen Platz mehr finden. Sie sind einer der unseren . . .«

»Ellen, Dr. Carson!« dachte Daniel. »Garichankar-Hospital, antwortet mir. Ich bin Robert Holzach. Antwortet mir, helft mir!« Gegen seinen Willen streckte er seine verstümmelte Hand aus, als wollte er die Brust der ersten der drei schlafenden Frauen, Monika Gerstens, streicheln. Dann ging er um den Tisch und legte die andere Hand, die linke, auf Monicas Schulter. Monica, die fröhliche Begleiterin seiner Irrwege am Strand unter den beiden Sonnen. Tatsächlich unterschieden sie nur ihre Haare. Die Ähnlichkeit ihrer Gesichtszüge war phantastisch.

»Nun, Doktor«, fragte Forestier, »sind Sie bereit, nun alle meine Fragen zu beantworten?«

»Fahren Sie zur Hölle!« erwiderte Daniel mit Renatos Stimme.

Er tat einen Schritt nach vorne und stand auf der Straße. Auf der kleinen, schmutzigen, schmierigen Straße, die er so gut kannte mit ihren wenigen Laternen und verschleiert von Rauch oder Nebel. Ewige Hitze klebte seine Kleider auf seine Haut. Er zog seine blaue Weste aus und klemmte sie unter den Arm. Sogleich schauderte ihn in seinem nassen Hemd. Was für ein Drecksnest, wie Larcher gesagt hatte! Dies war die Grenzzone mit dem verlassenen Hafen in der Nähe und dem ausgetrockneten Meer, dahinter lag der Oradak-Ozean und La Perte en Ruaba.

»HKH existiert, und wir werden es Ihnen beweisen!«

Forestiers Stimme verfolgte ihn aus der Ferne, doch deutlich vernehmbar. Diese Schweinehunde würden mich wohl nie in Frieden lassen! Er hob den Blick. Es war, als bedecke eine Aschewolke die Stadt. Der Himmel war von einem rötlichen Grau wie heißes Metall.

»HKH existiert, und wir werden es Ihnen beweisen!«

Ihm wurde bewußt, daß Durst seine Kehle ausdörrte. Er kam seit Tausenden von Jahren vor Durst um. Er öffnete zuerst den Hahn rechts. Kein Wasser. Vergeblich versuchte er den linken Hahn. Ein Krampf stülpte ihm den Magen um. Kein Wasser! Entsetzt fragte er sich einen Augenblick lang, ob er nicht Gefangener der ungewissen Zeit bleiben würde.

»HKH existiert, und wir werden es Ihnen beweisen!«

Plötzlich schoß ein Dampfstrahl aus dem Hahn links, rechts floß kaltes Wasser. Daniel formte seine Hände zur Schale. Der Schweiß lag eisig über seinem Nacken und seinen Schultern. Er hob die Hände vor die Lippen, als er jedoch seine gräßliche Verstümmelung vor Augen hatte, überkam ihn plötzlicher Ekel. Das Wasser rann zwischen seinen Händen hindurch und platschte auf den Rand des Waschbeckens.

»HKH existiert, und wir werden es Ihnen beweisen!«

Er hielt den Kopf unter den Wasserhahn und sog einen Schluck ein, den er gleich wieder ausspuckte. Das Wasser hatte einen ekelhaften Metallgeschmack. Er stand auf, um einem Schwindelgefühl zu widerstehen. Ellen!

Konnte Ellen ihn hören? Er war nicht einmal mehr sicher, daß sie existierte. Das Garichankar-Hospital, HKH, die Chronolyse und die Hölle . . . Nur die Hölle war wahrscheinlich!

»Dr. Carson! Garichankar-Hospital! Hier spricht Robert Holzach! Antworten Sie mir!«

»HKH existiert, und wir werden es Ihnen beweisen!«

Er wünschte zu sterben, zu verschwinden, niemals existiert zu haben.

XII

Er hielt den Volkswagen vor der Tür an, stellte den Motor ab und drückte zweimal auf die Hupe. Die Stimme des Nachtwächters zischte durch den Lautsprecher:

»Was wollen Sie?«

»Ich muß sofort zum Großen Drachen.«

»Steigen Sie aus dem Wagen und schieben Sie Ihren Dienstausweis durch den Spalt im Schalter. Dann treten Sie zwei Schritte zurück und warten.«

Daniel nahm seine Karte aus der Brieftasche.

DIENSTAUSWEIS
AUSGESTELLT AUF DR. R. HOLZACH
FÜR DAS HKH: HAROLD K. HAWKER
HEIL KRUPP HITLER!

Er trat bis an die gepanzerte Tür, legte das Papperechteck hin und trat zwei Schritte zurück, wie man ihn geheißen hat. Ein Scheinwerfer strahlte ihn von Kopf bis Fuß an. Nach einigen Sekunden schloß er geblendet die Augen.

»Sie sind Dr. Holzach?«

»Ja.«

»Das Foto auf Ihrer Karte stimmt nicht mit Ihrem Äußeren überein. Ich muß das dem Imperium melden.«

»Der Große Drache kennt mich.«

»Ich darf kein Risiko eingehen. Das Foto auf Ihrem Dienstausweis ist nicht das Ihre. Das ist ein Irrtum. Ich werde anrufen. Sie können wieder in Ihren Wagen steigen. Aber werfen Sie nicht den Motor an.«

Daniel zog Ellens Brief aus der Innentasche seiner petrolblauen Weste und las ihn im Schein der Deckenlampe.

Mein lieber Daniel,
Garichankar dankt dir für den entschlossenen Widerstand, den du den HKH-Versuchen entgegengesetzt hast, Dr. Holzach unter ihre geistige Kontrolle zu bringen. Ohne dich hätten wir beide vielleicht der Gewalt oder der Verführung nachgegeben und wären zumindest für gewisse Zeit zu gefügigen Sklaven im Dienste des Imperiums geworden. Wir hätten damit die Reihen des Invasionstrupps verstärkt . . . Dies war das Ziel von HKH.
Das Phordalnetz bereitet sich darauf vor, Dr. Holzach zurückzurufen. Wir müssen uns also endgültig trennen. Ich möchte dich ein letztes Mal treffen und bitte dich, mich vor der Rückbeorderung Robert Holzachs, der dir selbst das Zeichen geben wird, in der Auberge Gomez zu treffen. Alle Ärzte von Garichankar, insbesondere Anne Kellim Carson, Lauris Nortrigen, Guair Norlan und Nadja Plukov versichern dich ihrer brüderlichen Freundschaft. Auf bald
Ellen

»Dr. Holzach!« rief der Nachtwächter. »Würden Sie ans Telefon kommen? Dann können Sie selbst mit dem Großen Drachen reden.«

Daniel hüpfte aus dem Wagen, taumelte und hielt sich an der offenen Tür fest, um nicht zu fallen. Seine Hände waren klebrig, sein Rücken eisig, seine Lippen fiebrigtrocken. Schwankend ging er und der Nachwächter mußte ihn bis zu dem Wachhäuschen stützen. Es war ein quadratischer Raum mit grauen Wänden, einer Telefonzentrale und verschiedenen Apparaten der gleichen finsteren und undefinierbaren Farbe.

Er ließ sich auf einen Stuhl fallen und ergriff den ausgehängten Hörer.

»Guten Tag, Doktor«, ertönte die kalte Stimme Forestiers. »Flucht ist keine Lösung, und Ihre kindlichen Listen führen zu nichts. HKH existiert, wir werden es Ihnen beweisen. Rühren Sie sich nicht von der Stelle. Wir kommen. Dies ist Ihre letzte Chance.« Daniel legte auf und unternahm einen Sprung in der Zeit. Zum hundertsten oder hunderttausendsten Mal fuhr er auf dem Hauptweg des Werks von Choisy. Die Mauern verbargen den Himmel bis hinauf zur Capella, Altair und dem Großen Bären. Eine finstere Szenerie aus Beton, Nacht und Tod. Er kämpfte gegen die Schläfrigkeit an, die sich seiner bemächtigte. Er schüttelte den Kopf. Ja, er würde es schaffen! Ein grauer 404 tauchte rechts auf, ein zweiter von vorne. Bald waren es zehn. Bald hundert. Bald war der ganze Hof der Fabrik voll. Und mehr noch, einige schoben sich übereinander, zwischeneinander, Hunderte von grauen 404, die alle dem Forestiers ähnelten. Instinktiv bremste Daniel und fuhr zurück. Eine Mauerversteifung bildete einen Engpaß, an dessen Ende sich das Gittertor öffnete. Dort hielt er den VW an und drückte zweimal auf die Hupe. Der Nachtwächter in der weißen Uniform zeigte sich hinter der Tür und winkte ablehnend. Daniel stieg aus dem Wagen und trat ans Gitter.

»Was ist denn los?«

»Das Krankenhaus ist geschlossen.«

»Warum?«

»Wegen des Kriegs, natürlich.«

»Ich bin Psychronaut auf Forschungsreise. Ich muß unbedingt Dr. Carson sprechen.«

»Haben Sie Ihre Karte?«

Daniel streckte das weiße Rechteck mit den zwei roten Streifen und einem Foto hin.

GENERALSTAB DER
PSYCHRONAUTENTRUPPEN
DR. ROBERT HOLZACH
AUF DIENSTREISE IM UNBESTIMMTEN

»Gut, ist in Ordnung. Warten Sie einen Augenblick. Ich werde anrufen.«

Daniel stieg in den VW, um Ellens Brief zu lesen.

Mein lieber Daniel,
der Krieg zwischen HKH und dem Garichankar-Hospital wird im geographischen wie im chronolytischen Universum fortgesetzt. Du bist Dr. Holzach. Du darfst auf keinen Fall in die Fallen des HKH gehen. Die Kenntnisse, die du über das Hospital und unsere geheimen Forschungen auf dem Gebiet der subjektiven Unsterblichkeit besitzt, dürfen auf keinen Fall dem Imperium übermittelt werden. Dies ist das erste Mal, daß wir die Bemühungen des HKH, sich eines der unseren zu bemächtigen, verfolgen können. Erfolglose Bemühungen bislang, wir gratulieren dir dazu. Von nun an werden unsere Psychronauten besser gewappnet sein, den Versuchungen der Imperialisten zu widerstehen. Vorsicht! Das Werk von Choisy ist nicht das Garichankar-Hospital. Dies ist eine Falle von HKH.
Auf bald
Ellen

»Dr. Holzach!« schrie der Nachtwächter. »Dr. Carson am Telefon.«

»Endlich!« rief Daniel.

Er fragte sich, worauf die Phorden noch warteten, um ihn zurückzurufen. Er hatte jetzt genug, dicke genug. Im Geiste flehte er Ellen und das Netz an, seiner Mission ein Ende zu machen. Und sogleich flehte er sie auch an, sich noch ein wenig zu gedulden. Robert Holzach hatte es eilig, nach Hause zurückzukehren. Daniel Diersant hatte Angst, was ihm geschehe, wenn er nicht mehr unter der Kontrolle der Phorden stand. Noch eine Minute, liebe Ellen!

»Da ist Dr. Carson.«

»Daniel Diersant?« fragte eine zarte, ruhige, beherrschte und melodiöse Frauenstimme.

»Hier spricht Anne Kellim Carson.«

Ein leichtes, ein wenig spöttisches Lächeln klang aus der Hörmuschel.

»Du bist wohl überrascht, daß der Chefarzt des Garichankar-Hospitals eine Frau ist? Hat Robert Holzach so viel vergessen? Nun gut, dies ist bei fast allen autonomen Hospitälern der Fall. Aber falls es dich tröstet, es sieht so aus, als seien die Männer dafür begabter als die Frauen für die chronolytischen Reisen. Und Dr. Holzach ist einer unserer besten Forscher im Unbestimmten.«

»Entschuldigen Sie«, sagte Daniel. »Nun finde ich mich gar nicht mehr zurecht. Befinden Sie sich im Krieg gegen HKH?«

»Krieg ist vielleicht nicht das treffende Wort. Den Gespenstern des Imperiums ist es gelungen, eine gewisse Zahl von Psychronauten unserer Zeit zu unterwerfen. Bei ihrer Rückkehr sind diese Männer und Frauen ohne es zu wissen Agenten von HKH geworden. Sie haben Chronolytika in unsere Lebensmittel, Getränke und Medikamente gemischt. Eine große Anzahl Personen in den Hospitälern und Städten wurden so ohne jegliche Vorbereitung in die ungewisse Zeit geschleudert. Die Mehrzahl sind leichte Beute für die Imperialisten geworden, die so schnell die Stärke ihrer terristrischen Streitmächte vergrößern konnte. Wir konnten jedoch die Invasion fast überall stoppen, indem wir Chronostatika in großen Dosen angewandt haben. In Garichankar stehen etwa ein Dutzend unserer Leute, die in einem Laboratorium festgehalten werden, noch unter dem Einfluß von HKH. Allerdings halten die Imperialisten das gesamte Hospital von Palo Alto in Utopie 01 wie auch einen Teil der Stadt. Doch sicher hat diese wahnsinnige Initiative, das industrielle Imperium wiederzuerrichten, keinerlei Aussichten auf Erfolg. Selbst wenn zig Hospitäler gefallen wären, könnte das Unterfangen nur im Chaos enden. Die Geschichte läßt sich nicht zurückdrehen. Doch die Erde wird lange Zeit – vielleicht die ganze Ewigkeit – unter der Gefahr eines neuen Angriffs leben. Und im Unbekannten ist nichts endgültig. Von nun an müssen wir mit dem absurden Wunsch der Toten rechnen, in die Welt der Lebenden zurückzukehren. HKH ist sehr stark im chronolytischen Universum, und die Paranoiden vermehren sich immer am schnellsten. Das Abenteuer der subjektiven Unsterblichkeit hat erst begonnen . . . Ich wollte dich nur darauf vorbereiten, daß das Phordennetz Dr. Holzach zurückruft. Die Operation steht direkt bevor. Wir mußten das Ganze beschleunigen, denn euer beider Widerstand könnte nachgeben. In einigen Augenblicken wirst du frei sein . . .«

»Und was wird danach aus mir?« Einen Augenblick lang herrschte tiefe Stille.

»Wie danach?« fragte Dr. Carson mit erstaunter Stimme, Daniel hielt dieses Erstaunen jedoch für gespielt.

»Wenn ich aufwache.«

»Du wirst glauben, geträumt zu haben. Und du wirst sehr schnell vergessen, so wie man einen Traum vergißt.«

»Aber in welchem Zustand werde ich mich befinden? Behindert, gelähmt?«

»Ich weiß nicht, Daniel. Aber du wirst nicht gleich aufwachen. Es ist etwas Unvorhergesehenes geschehen. Ein Zusammenfall seltener Umstände. Du hast eine Gehirnverletzung erlitten und darauf psycholeptische Drogen in hoher Dosis eingenommen. Diese beiden Faktoren zusammen hatten quasi einen chronolytischen Effekt. Deshalb bist du mit Dr. Holzach so tief ins Unbestimmte gerissen worden. Niemals ist ein Mensch deiner Zeit uns so nahe gekommen . . .«

»Na schön«, sagte Daniel. »Und danach?«

»Du wirst im chronolytischen Universum befreit. Bis zu deinem Erwachen.«

»Ja . . . Aber 1966 gab es noch keine Chronolytika, nicht wahr?«

»In deiner Zeit kannte man bereits Pharmaka, die bei begabten Personen eine gewisse geistige Befreiung schufen und einen ersten Schritt zur Chronolyse darstellten. Die Phorden von Garichankar haben das übrige getan.«

»Ich habe den Eindruck, daß du mir nicht die Wahrheit sagst, Anne Kellim Carson. Nicht die ganze Wahrheit. Ich leugne nicht die Wirkung des Mebsital . . . der Droge, die ich zweifellos genommen habe . . . Auch nicht die Wirkung des Schocks, den ich bei einem Unfall erlitten habe . . . Aber ich glaube, daß in Wirklichkeit die Phorden von Garichankar mich aufgefischt haben, damit ich bei einem ihrer psychronautischen Experimente nütze. Und jetzt braucht ihr mich nicht mehr und laßt mich fallen. Ist das falsch?«

»Es ist nicht ganz richtig.«

»Aber es ist auch nicht ganz falsch.«

»Nein, aber die Mission von Dr. Holzach erfuhr einige unvorhergesehene Entwicklungen. Und die Invasion von HKH hat uns beträchtlich behindert. Wir glaubten einen anderen Psychronauten schicken zu können, um Dr. Holzach zu ersetzen und dich noch ein wenig in der ungewissen Zeit zu leiten. Doch alle chronolytischen Reisen wurden fürs erste ausgesetzt. Später werden wir versuchen, wieder mit dir in Kontakt zu treten.«

»Ich verstehe. Ihr habt mich in euren Krieg mit hineingezogen und jetzt überlaßt ihr mich euren Feinden. So ist das doch wohl?«

»HKH wird dich in Ruhe lassen, sobald du die Verbindung mit uns verloren hast und allein bist. Die Imperialisten interessieren sich nicht für dich. Sie haben vielmehr versucht, durch dich Dr. Holzach zu treffen, um ihn ihrem Willen zu unterwerfen und einen Agenten für HKH aus ihm zu machen. Das ist alles.«

»Ellen behauptet, daß mein persönlicher Widerstand ausschlaggebend war. Stimmt das?«

»Ganz so einfach ist das auch nicht. Sagen wir, daß die Gesamtheit Diersant-Holzach sich als besonders widerstandsfähig erwiesen hat.«

»Anders gesagt: Garichankar schuldet mir nichts. Vielen Dank, Dr. Carson.«

»Das Phordennetz wird nun Dr. Holzach zurückrufen. Die Kommunikation ist für uns sehr schwierig, wir müssen sie unterbrechen. Viel Glück, Daniel!«

»Geh zum Teufel!« erwiderte Daniel. Doch in seiner Stimme klang eine Spur Zuneigung und Bedauern mit.

Der VW rollte mit zwanzig Stundenkilometern. Die Peugeotmeute stand fast. Nicht bremsen, nicht beschleunigen. Nichts versuchen, um den Unfall zu vermeiden. Vielleicht erfährst du endlich die Wahrheit. Im Augenblick des Aufpralls versuchst du, dich in die andere Zeit zu begeben, während Robert Holzach nach Hause zurückkehrt.

Vorausgesetzt, dachte er, ich bin wirklich Robert Holzach. Vielleicht ist Daniel Diersant nicht nur ein chronolytisches Gespenst, eine Gestalt aus meinen Träumen.

Die 404 hielten sich immer noch in guter Entfernung. Ihre Räder schienen sich voll zu drehen, dennoch bewegten sie sich kaum. Der VW vibrierte heftig: Pizzicato, Gongschläge und Becken. Dann krachte ein Gewitter los: Blitze zerrissen den Himmel, Regen klatschte auf die Windschutzscheibe. Die zwei Peugeot-Reihen, die von vorne kamen, rollten direkt auf den VW zu . . . Doch sie kamen nicht näher. Daniel handelte wider seine Beschlüsse. Oder aber er kam zu einer besseren Lösung. Er trat das Gaspedal voll durch. Ein paar zehntel Sekunden lang hatte er den Eindruck, die Welt würde explodieren, während der VW nach vorne raste. Dann ordnete sich wieder alles. Zwei Wagen hatten sich gestreift. Sie standen nun hintereinander fast auf der gleichen Linie. Eine Wagentür schlug laut zu. Daniel stieg aus, seine verstümmelte Hand in der Westentasche. Mit der anderen holte er seine Pfeife heraus und schob sie sich zwischen die Zähne. Diese Geste gab ihm Sicherheit. Mehrere Personen stritten sich in seinem Körper, seinem Gehirn, seiner Seele. Da war Dr. Holzach, der Matrose mit der verstümmelten Hand, der Ingenieur im abgetragenen Anzug und . . . Daniel Diersant! Er fühlte sich nicht wohl in seiner Haut, die für all die Männer, die er war, zu eng geworden war.

Ein großer Typ im karierten Anzug und hellem Filzhut trat ungerührt auf den VW zu. Forestier. Er hat mich verfolgt, als er begriffen hat, daß ich zum Werk fuhr, und wollte mich überholen. Er . . . Gleichzeitig überraschte sich Daniel dabei, Dr. Holzachs Bericht vorzubereiten. » . . . da das faschistische industrielle Imperium HKH, 1985 bis 1998, bereits seinen Keim in der Gesellschaft von 1966 trug. Bereits zu jener Epoche mehrten sich die privaten Polizeikräfte in großen kapitalistischen Unternehmen, die sich zu mächtigen autonomen Feudalkräften innerhalb der Staaten entwickelten. Die Regierungen verhielten sich im übrigen als ihre Komplizen und Vasallen.«

Und ein Teil seiner selbst lehnte es ab, an HKH zu glauben.

»Was haben Sie denn hier zu suchen?« erkundigte sich Forestier. »Glauben Sie denn, Sie sind auf der Autobahn?«

Daniel lächelte.

»Aber ich bin doch auf der Autobahn, mein Alter.«

Der Hausbulle der Séac machte eine Handbewegung voll beherrschten Zorns. Seine Augen blitzten rot. Es waren einfache längliche Schlitze in den Metallplatten, die sein Gesicht und seine Wangen bedeckten.

»Dr. Holzach, in Garichankar wartet eine böse Überraschung auf Sie.«

Daniel zuckte mit den Schultern. Der Kyborg ließ die beiden blitzenden Metallbögen knirschen, die ihm als Zähne dienten.

»Was Sie betrifft, Diersant, wir sprechen uns noch. Holzach geht, Sie jedoch bleiben. Vergessen Sie nicht, daß das chronolytische Universum Eigentum von HKH ist. Sie haben nun genug den Schlaukopf gespielt. Das werden Sie mir büßen. Es wird mir ein Vergnügen sein, Ihnen einen kleinen Vorgeschmack auf die Hölle zu geben, mein Alter. Ich hoffe, daß Sie lange unter uns weilen werden. Ein oder zwei Jahrhunderte, vielleicht auch drei oder zehn! Wir werden viel Spaß miteinander haben.«

»Leck mich am Arsch!«

Forestier stieg wieder in seinen Wagen und fuhr im Rückwärtsgang davon. Daniel ließ den VW an der Kreuzung stehen und lief zu Fuß weiter nach hinten in den Hof. Lieber Gott, wenn dieser Dreckskerl die Wahrheit sagte! Garichankar läßt mich fallen, und HKH rächt sich an mir so oder so . . . Im Augenblick der Trennung erreichte die Verschmelzung Diersant-Holzach ihre maximale Harmonie. Daniel fühlte, daß Tag und Stunde gekommen waren. Ein leichter Schmerz im Rücken ließ ihn schwanken. Eine Hand legte sich auf seine Schulter, um ihn aufzuhalten. Dr. Holzach stand plötzlich im weißen Kittel und bloßen Kopf lächelnd neben ihm. Daniel erkannte die spöttischen Augen wieder, die in tiefen Höhlen lagen, und die lange, spitze Nase, das ein wenig fliehende Kinn und die dicken Lippen, die sich zu einem sarkastischen Lächeln verzogen. Er drückte die Hand, die der Arzt ihm schweigend entgegenstreckte. Weit weg im Süden erschien eine massive Stadt, die ein bläuliches Licht umstrahlte, das kaum heller war als der Mondschein.

»Garichankar? So habe ich mir das nicht vorgestellt.«

Robert Holzach neigte den Kopf, sagte jedoch weder ja noch nein. Plötzlich begann sich der Himmel zu röten. Eine flakkernde Helligkeit fiel auf die Straße zum Hospital. Daniel drehte sich um. Hinter ihm brannte das Werk von Choisy. Purpurrote Flammen schlugen bis zur Wega empor.

»Was hat das zu bedeuten, Doktor?«

»Ich weiß es nicht.«

Daniel hob den Blick. Im Süden bildete Orion ein gestirntes Wappen über dem Hospital.

»Diersant«, sprach der Psychronaut weiter, »wir werden uns nun trennen. Ich . . . Ich weiß, daß du Groll hegst. Du glaubst, wir hätten uns deiner für unsere Experimente bedient und würden dich nun aufgeben.«

»Ja, so ist es nun mal. Reden wir nicht mehr davon. Ich wünsche dir eine gute Rückkehr.«

»Nein. Ich erkenne die Schuld schon an. Dies ist meine letzte Mission im Unbestimmten. Ich glaube, wir werden die Forschungen einstellen müssen. In gewissem Sinn war die Invasion von HKH eine gute Sache. Wir haben die Hölle entfesselt, wir wissen es. Die Geister des Imperiums hätten nicht so viele Psychronauten unter ihre Gewalt bekommen und sie zu ihren Agenten auf der Erde verwandeln dürfen – denn genau das ist passiert – hätten die Phorden nicht einen schwerwiegenden Fehler begangen. Wir waren uns und unserer Maschinen zu sicher. Wir werden dies teuer bezahlen. Aber es wird eine nützliche Lektion sein . . . Ich will trotzdem versuchen, nach meiner Rückkehr den Kontakt mit dir aufrecht zu erhalten. Wenn es möglich ist. Ich würde dir gerne helfen. HKH ist immer noch . . . und jetzt mehr denn je unser gemeinsamer Feind. Und dieses seltsame Feuer verheißt mir nichts Gutes. Ich frage mich, was sie sich ausgedacht haben . . . Ich hoffe, du kommst zurecht. Jetzt kannst du zu deiner Verabredung. Erinnerst du dich noch? Zur Auberge Gomez . . . Viel Glück!«

Daniel öffnete die Glastür hinter den Vorhängen und trat auf den Balkon: ein laues Lüftchen umhüllte ihn. Sein Blick suchte Altair, Deneb und Wega, die in der Sommernacht nicht zu finden waren. Der Wald schien unter einem bleichen Mondschein wie aus Bronze gegossen. Ein fieberhaftes Dröhnen stieg aus der Erde. Der Wind brachte einen Duft nach trockenem Heu und Rauch. Er atmete tief durch und kehrte in das Zimmer zurück. Ellen gesellte sich zu ihm, winkte ihm freundschaftlich zu und ließ sich in einen Sessel fallen; sie legte die Hände auf ihre Knie, senkte den Blick und wartete. Er bewunderte sie aufrichtig. Sie stellte vielleicht sein letztes Band mit der Welt der Lebenden dar. Ihre orangefarbene Bluse paßte wunderbar zu dem dunkelbraunen Samtrock. Ihre schwarzen Haare, die um das ovale Gesicht lagen, machten sie zu einem fast iberischen Typ. Ihre Wangen waren rot vor Aufregung, ihre Augen blitzten sanft hinter den großen Brillengläsern. Doch abgesehen von Haaren und Augen, an die er sich sehr gut erinnerte, war dies nicht die Ellen Laumer, die er früher in Paris, bei der Séac, beim Cerba oder anderswo kennengelernt hatte. Er berichtigte sich: ich habe Ellen niemals in Paris, bei der Séac, beim Cerba oder anderswo gesehen. Lediglich Robert Holzachs Erinnerungen hatten sich mit den meinen vermischt! Und doch erkannte er sie mit Gewißheit wieder, ohne daß auch nur der Schatten eines Zweifels aufkam. Das war Ellen.

Sie stand auf, nahm ihre Brille ab und legte sie vorsichtig auf den Tisch in die Nähe eines roten Nelkenstraußes.

»Findest du nicht, daß das hier ein bißchen wie ein Luxusbordell wirkt?«

Sie deutete mit vertraulicher Geste auf das breite Bett, die Spiegel an Wänden und Decke, den Teppichboden in Pelzimitat, die roten Vorhänge und die riesenhafte Stehlampe. Daniel seufzte. Dieses letzte Rendezvous zerriß ihm das Herz.

»Den Provinzlern gefällt es hervorragend«, sagte er, während seine Kehle sich zusammenzog.

»Ich nehme an, du bist also mit deinen Freundinnen hierhergekommen?«

»Ich war auch der Meinung, mit dir hier gewesen zu sein. Eine Täuschung mehr!«

Ellen kehrte zu ihrem Sessel zurück. Er setzte sich zu ihren Füßen, schlang einen Arm um ihre Beine, während sie seinen Nacken streichelte. Plötzlich empfand er jene überschwengliche Melancholie und ein Gefühl des letzten Mals, der letzten Chance, daß ihm aus seinem vergangenen Leben so vertraut war.

»Schade«, sagte Ellen, »wir haben zu wenig Zeit. Unsere Begegnung ist nur über die Phorden von Garichankar möglich. Ich werde mit Robert Holzach zusammen zurückgerufen. Du wirst frei sein.«

»Frei!« stieß er bitter hervor.

»Ich kann dich schon verstehen«, gab sie zu.

»Die Phorden haben mich ins chronolytische Universum gezerrt, um euch zu gestatten, eine Verbindung mit meiner Epoche herzustellen, nicht wahr?«

»Das kommt ungefähr hin«, stimmte sie zu. »Weshalb sollte ich leugnen?«

»Ich würde dir gerne ein paar Fragen stellen.«

»Ich höre«, sagte sie und legte seine verstümmelte Hand in die ihre.

»Werde ich denn niemals erfahren, was mir zugestoßen ist? Ich meine diesen mysteriösen Unfall. Und die Droge – ich erinnere mich nämlich nicht, Mebsital oder etwas anderes eingenommen zu haben.«

»Die Phorden werden den Bericht von Rob analysieren. Ich fürchte allerdings, daß wir dir die Ergebnisse nicht übermitteln können.«

»Robert Holzach hat mir versprochen, daß er versuchen wird, nach seiner Rückkehr wieder Kontakt mit mir aufzunehmen.«

»Vielleicht. Vielleicht wirst du die Wahrheit in der ungewissen Zeit erfahren.«

»Gut. Ist ja auch egal. Und HKH?«

»Der Krieg zwischen dem Imperium auf der einen und den Hospitälern und der Welt auf der anderen Seite wird weitergehen. Die Welt der Toten gegen die Welt der Lebenden.«

»Diese Geschichte, die die mir erzählt haben, stimmt also? Hauser und seine Mitarbeiter haben sich in ihrem Turm in Leverkusen das Leben genommen?«

»Sie haben sich nicht umgebracht. Sie waren sehr weit mit ihren chronolytischen Forschungen. Sie haben sich freiwillig in die ungewisse Zeit geschleudert mit ihren paranoiden Träumereien. Und sie haben ein Geisterreich im Unbestimmten geschaffen.«

»Ich werde also allein sein im HKH?«

»Ja.«

»Allein in Feindesland?«

»Ja.«

»Das wird wohl ziemlich schwer?«

»Ja.«

»Sie haben mir schon angekündigt, mir einen Vorgeschmack auf die Hölle zu geben. Ein oder zwei Jahrhunderte lang. Oder zehn.«

»Daniel, ich . . .«

»Du kannst nichts für mich tun. Ich weiß. Was habe ich deiner Meinung nach zu erwarten?«

»Ich nehme an, sie werden versuchen, dir die Wege in die Zukunft zu versperren. Sie werden dich zwingen, dich in einer beschränkten chronolytischen Zone im Kreis zu drehen.«

»Ich werde also zum Zirkuspferd, zu einer Art Roboter.«

»Eines Tages wirst du ausbrechen können.«

»Wohin? Und wie?«

»Es wird sich finden.«

»Nun gut«, sagte er. »Ich . . . Ich werde also fliehen. Danke. Und Renato?«

»Wer ist Renato?«

»Diese Hand . . . Diese verstümmelte Hand ist nicht meine. Sie gehört einem Matrosen namens Renato Rizzi. Manchmal versucht seine Persönlichkeit, die meine zu überlagern. Und manchmal habe ich sein Gesicht. Vielleicht ist es eine normale Erscheinung der Chronolyse. Doch die Männer von HKH wurden häufig dadurch abgelenkt. Wie geht es nun weiter?«

»Ich weiß nicht, Daniel. Vielleicht ist das deine Chance.«

»Meine Chance, wofür?«
»HKH zu entkommen.«
»Danke, Ellen. Jetzt . . . Ich hätte gerne, daß du dich ausziehst.«
Ellen stieß einen langen Seufzer aus.
»Ich nehme an, wir haben nicht einmal mehr die Zeit, miteinander zu schlafen. Nicht einmal in der chronolytischen Simulation.«
»Du bist zweifellos die letzte lebende Frau, der ich begegne. Ich will dich nackt sehen.«
Sie lächelte und stand auf, um ihre Bluse mit spielerischer Gemächlichkeit abzulegen. Dann blinzelte sie langsam und ließ ihren Rock fallen. In diesem Augenblick dröhnte eine ernste, andächtige und wie gehämmerte Stimme in die Stille:
»Losis T, das Phordalnetz von Garichankar!«
Das Ende rückte näher. Daniel biß die Zähne zusammen und hielt die Augen auf Ellen gerichtet. Und Ellen wiegte sich vor ihm in Slip und BH. Sie deutete einen Tanzschritt an, ihr dunkles Haar wallte. Er wollte sie in seine Arme nehmen. Sie schlüpfte ihm weg und legte sich auf den Teppich.
»Operation beendet«, erklang wieder die Stimme im Namen der Phorden von Garichankar. »In wenigen Sekunden werden wir Dr. Holzach und Dr. Laumer zurückrufen. Wegen des geistigen Bandes zwischen Ihnen, Daniel Diersant und dem Phordalnetz müssen Sie sich auf einen Schock gefaßt machen. Ihn auf ein Minimum zu beschränken, benötigen wir Ihre Mitarbeit. Entspannen Sie sich, schließen Sie die Augen, schlafen Sie!«
Daniel schenkte der Anordnung nicht die geringste Beachtung. Er ließ sich neben Ellen fallen und riß ihr mit verzweifelter Hast die Unterwäsche vom Leib. Er roch ihren würzigen und gleichzeitig fruchtigen Duft, während der Stoff unter seinen Fingern zerriß. Seine verstümmelte Hand suchte ihre Scheide.
»Entspannen Sie sich, schließen Sie die Augen, schlafen Sie!« befahlen vergeblich die Phorden.
Die Tür des Zimmers wurde heftig aufgestoßen. Der Ingenieur Larcher erschien schwankend auf der Schwelle.

»Daniel!«

Daniel sah ihn, ohne ihn zu bemerken, streifte seine Hosen ab und warf sich auf Ellen. Der Boden unter Larchers Füßen gab nach, so daß er bis zum Bauch in vergeistigten Trümmern versank. Hinter ihm tauchte Forestier auf.

»Garichankar wird zerstört werden wie Karthago.«

»Hau ab, du hängst uns zum Hals raus!« brüllte der Ingenieur im abgetragenen Anzug.

Forestier begann zu lachen. Zwei Stahlplatten schimmerten an Stelle seiner Zähne. Er hob seinen Metallarm zu einem tadellosen Hitler-Gruß.

»HKH wird siegen. Auf bald, Diersant!«

Verrückt vor Begierde, Hoffnung und Verzweiflung drang Daniel in Ellen und vergrub sich in sie.

»Entspannen Sie sich, schließen Sie die Augen, schlafen Sie!«

Doch Daniel hörte die Phorden nicht mehr.

»Diersant!« schrie der Ingenieur im abgetragenen Anzug. »Du hast noch eine Chance. Versuche La Perte en Ruaba zu erreichen. Du erinnerst dich doch, der Strand mit den zwei Sonnen. Monica wartet dort auf dich. Wir werden uns dort treffen.«

Eine schwarze Woge trug ihn empor und alles, was von der Auberge Gomez blieb, verschwand.

Ellen verschwand.

Daniel war allein in einer metallfarbigen Welt voller kreischender Geräusche und chemischer Düfte.

»Entspannen Sie sich, schließen Sie die Augen, schlafen Sie!«

Daniel stürzte.

XIV

Er hupte zweimal und stieg aus dem Wagen. Ein riesiger roter Pilz erhob sich über dem Werk. Er roch Schwefel, Rauch brannte in seinen Augen. Eine Hitzewelle traf ihn plötzlich. Er spürte, wie ihm Schweiß über Stirn und Wangen rann. Eine große Gestalt in grauem Overall zeigte sich hinter dem Gitter.

»Was wollen Sie denn?«

Im Feuerschein sah Daniel, daß der Mann eine Maske und Handschuhe trug.

»Ist das die Fabrik, die da brennt?«

»Das sieht man doch, oder?«

»Geht das schon lange so?«

»Nein, es hat gerade begonnen. Aber es wird noch eine Weile dauern!«

»Warum?«

»Weil das Feuer um sich greift, und es keine Feuerwehr mehr gibt.«

»Keine Feuerwehr mehr?«

»Die sind alle 1998 umgekommen!«

»Ich muß den Großen Drachen sehen«, erklärte Daniel wenig überzeugend.

Er wußte, daß er in eine Sackgasse geraten war. Aber wie sollte er aus der Falle entkommen?

»Haben Sie Ihre Karte da?«

Er hielt das braune Rechteck mit den zwei braunen Streifen und einem Foto von Renato hin. Der Nachtwächter packte es mit Handschuh und zog es durch das Gitter. Sogleich gab er die Karte zurück.

»Sie machen sich wohl über mich lustig!«

»Was gibt's denn? Geben Sie mir mal Ihre Lampe.«

Daniel holte mühselig Luft. So ist das also. Jetzt sitze ich fest. Schweinehunde!

HARRY KRUPP HITLER I, SEINES ZEICHENS IMPERATOR,
BEFEHL AUF KEINEN FALL
DANIEL DIERSANT
DURCHLASS ZU GEWÄHREN, ER IST EIN FEIND VON HKH.

»Was soll das da heißen?« zischte der Wächter durch seine Maske.

»Das ist ein netter Scherz deines Herrn, Dummkopf!«

»Was machen Sie denn hier?«

»Ich warte, daß das Feuer ausgeht . . . Oder die Revolution losbricht.«

»Hauen Sie ab oder ich rufe die Polizei!«

Daniel machte einen leichten Sprung nach vorne, nach hinten oder Gott weiß wohin und befand sich auf der Nationalstraße 20. Er fuhr in Richtung Auberge Gomez – falls die Auberge Gomez noch existierte. Der Motor brummte gleichmäßig. Die Lichtbündel der Scheinwerfer gruben einen Tunnel in die Nacht. Die Nadel des Geschwindigkeitsanzeigers saß bei hundert fest und vibrierte kein bißchen. Daniel warf einen Blick auf seine Uhr: 23.55 Uhr. Die Ebene schimmerte unter einem herrlichen Vollmond. Er kurbelte die Scheibe herunter und nahm einen leichten Benzingeruch wahr . . . Nein, Rauch! Gleichzeitig bemerkte er, daß er Durst hatte. Lieber Gott, nur raus hier! Er trat das Gaspedal voll durch, die Nadel verharrte jedoch auf 100.

Er war allein auf der Straße. Allein. Weit weg von Garichankar. Und die Phorden hatten ihn verlassen. Er war frei. Frei, aber allein. Und die Männer von HKH warteten auf ihn, das wußte er. Der Wagen schoß in den Wald und dann in eine Kurve, ohne langsamer zu werden. Der Mond verschwand hinter den Bäumen. Die dichten Stämme bildeten eine Art grauer Flucht. Plötzlich gaben sie den Raum wieder frei, der Himmel tauchte wieder auf. Mit dem Mond, Altair und Wega. Daniel erkannte den felsigen Abhang, den Kieshaufen und die Pappeln am Ufer des unsichtbaren Flusses. Er bremste und blieb stehen. Er konnte nicht anders. Sein Wille entglitt seiner Gewalt. Er stieg aus dem VW, hörte den Wasserfall und bemerkte vor sich die umgefahrene Zapfsäule der Tankstelle. Dieser Mondschein war absolut phantastisch. Er hob den Blick und begriff. Dies war nicht mehr der Mondschein. Ein riesenhafter, rötlicher Schimmer stieg zwischen Arkturus und Altair zum Himmel. Der Wald brannte. Die Straße in den Süden war versperrt. Die Straße in den Süden und in die Zukunft! Der Raum hatte sich entzündet. Die Schatten tanzten, Daniel spürte erneut Hitze auf seinem Gesicht. Das war der kleine Vorgeschmack der Hölle, den Forestier versprochen hatte. Ich beginne zu verstehen: überall, wo ich nun hingehen werde, werde ich auf Feuer stoßen. Auf Feuer, anstatt die Männer von HKH. Ich sitze in der Falle. Wie komme ich hier nur raus? Was hatte Larcher gesagt? Versuch, La Perte en Ruaba zu erreichen. Erinnere dich an den Strand mit den beiden Sonnen . . . Der Strand mit den zwei Sonnen, das war das Paradies! Wie konnte er sich da zwischen zwei Gestaden der Hölle daran erinnern?

Er dachte an den Oradak-Ozean, die blaue Muschel, den braunen Sack und Monicas Gesicht. Er wurde in dem Augenblick, da das Flurlicht erlosch, in einen düsteren Flur projiziert. Er lehnte sich gegen eine heiße Wand. Er befand sich im Haus von Monika Gersten. Die Atmosphäre war erstickend. Auch hier Feuer? Logisch. Eine lückenlose Falle. Er fand den Lichtschalter, drückte und lief zur Tür von Monikas Wohnung, um zu klingeln. Nichts. Und wieder erkannte er den Rauchgeruch. Er warf sich gegen die Tür. Niemand antwortete. Er legte seine offene Handfläche auf das Holz. Glühend heiß. Eine Wolke beißenden Rauchs umgab ihn. Das Licht ging aus. Die Flammen schlugen nun aus dem Fußboden. Sie lieferten genug Helligkeit, daß er ohne umherzutasten die Treppe fand. Das ganze Haus lag verlassen da. Die Kälte überraschte ihn. Dann erinnerte er sich: es war der 20. November. Seltsame Spaziergänger hasteten durch ein fast winterliches Paris. Sie trugen Mäntel, Regenmäntel oder Gaberdins. Daniel zitterte in seinem blauen Anzug. Er hob den Kopf und sah zahlreiche rote Flekken am Himmel der Hauptstadt. Waren dies Feuersbrünste? Er begann zu laufen, ohne zu wissen, wohin. Es spielte auch keine Rolle. Er taumelte und fiel auf dem Boden seines Zimmers auf die Knie. Er verbrannte sich die Finger und begann zu husten. Etwas Klebriges, Heißes klebte auf seiner Haut. Er begriff: Babar schmolz gerade. Er konnte aufstehen, lief zur Tür und riß sie auf. Der Luftzug belebte die Flammen, das ganze Zimmer entzündete sich nun. Daniel sprang und befand sich am Steuer seines Volkswagens. Auf dem Nebensitz lag eine Zeitung. *France-Soir,* 20. November 1966. Er las:

Letzte Nachrichten aus der Hölle:

Öffentliches Gebet in der Kirche Notre Dame zu Paris, um die Hilfe des Gottes Ruaba zu erflehen

Er hob den Blick. Auf der anderen Straßenseite stand ein Wohnblock in Flammen, so daß das Innere seines Wagens erhellt wurde. Dies war eine geistige Falle, und er hätte sich erheben müssen, die Hölle verleugnen! Doch das Unbewußte von Daniel blieb von seiner katholischen Erziehung gezeichnet, gezeichnet von der Angst vor dem Teufel, vor dem ewigen Feuer. Und seine Feinde hatten in ihm diesen geheimen Schrecken seiner Kindheit gefunden, den das Erwachsenenalter niemals ganz auszulöschen gewußt hatte, und sie bedienten sich dessen, um ihn zu quälen. Er war leicht zu strafen, da er ein tiefes Schuldbewußtsein in sich trug. Er glaubte an den Teufel, und er glaubte nicht an den Gott Ruaba! Schade. Seine Peinigung würde vielleicht die ganze subjektive Unsterblichkeit dauern. Ein Jahrhundert oder zehn. Vorausgesetzt, er erwachte nicht auf seinem Krankenbett oder in einem Rollstuhl. Oder aber in einer anderen Hölle, denn er hatte nun die Quasi-Gewißheit, tot zu sein.

Er fuhr auf der Straße von Choisy zwischen zwei Flammenwänden. Auch im Wagen wurde die Hitze immer sengender. Er fuhr langsamer, um seine Weste auszuziehen und ließ das Steuer los. Was riskierte er schon? Gewiß nicht, sich umzubringen. Er fragte sich, was geschähe, wenn er in die Glut raste. Er würde dieses Experiment letztlich wagen, wenn er genug hatte, jetzt besaß er jedoch noch nicht den Mut dazu. Er kurbelte die Scheibe herunter. Es war noch schlimmer. Noch ein Zeitsprung. Er stand vor dem Werk und drückte wie üblich zweimal auf die Hupe. Er wurde allmählich zum perfekten Roboter. Der rote Pilz am Himmel war noch größer geworden, die Passage am Tor war taghell erleuchtet.

Er stieg aus und hielt sich das Taschentuch vors Gesicht. Der Nachtwächter in einem Asbestanzug tauchte hinter dem Gitter auf. Daniel dachte: ich muß auf jeden Fall vermeiden, daß die Szene sich genau wiederholt. Ich muß versuchen, einige Worte, einige Gesten, irgendwas zu verändern. Das ist alles, was mir an Freiheit geblieben ist . . .

»Was wollen Sie denn hier?«

»Den Großen Drachen besuchen natürlich. Sagen Sie: brennt die Fabrik denn schon lange?«

»Seit 1998«, erklärte der Nachtwächter. »Haben Sie Ihre Karte dabei?«

Daniel zog den scheußlichen gelben Papierstreifen aus seiner Brieftasche.

DANIEL DIERSANT, ZAUBERLEHRLING
AUF DIENSTREISE IN DER HÖLLE
FÜR DEN GROSSEN DRACHEN DES IMPERIUMS
HIMMLER K. HUGHES

Dieser Scherz war von reichlich schwarzem Humor. Er biß die Zähne zusammen. Lieber Gott, ich muß da raus!

Einen Augenblick lang hielt der Wächter die Karte in seinem offenen Handschuh.

»Ja, das sieht aus, als wäre alles in Ordnung. Ich werde anrufen.«

»Funktioniert das Telefon denn?«

»Wir werden ja sehen.«

Daniel drehte sich wieder zu seinem Wagen, setzte sich hinters Steuer und ließ die Wagentür angelehnt. Er durchstöberte seine Brieftasche und all seine Taschen. Er hoffte vage, einen Brief von Ellen zu finden. Kein Brief. Dagegen besaß er immer noch das berühmte Bündel von 500-Franc-Scheinen. Er feixte. Selbst in der Hölle war das keine besonders große Summe. Irgend etwas stand auf den ersten Schein geschrieben, recht ungeschickt mit Kugelschreiber. Er beugte sich darüber und entzifferte:

Nicht alle Italiener

Das gab keinen Sinn. Keinerlei Bedeutung. Er widerstand dem Impuls, das Bündel wegzuwerfen, der Feuerherd war ein wenig zu weit weg; er steckte es wieder in seine Brieftasche.

»Monsieur Diersant«, rief der Wächter. »Kommen Sie schnell! Sie werden am Telefon verlangt.«

Daniel lief von einer verrückten Hoffnung erfaßt. Er taumelte gegen die offene Tür. In dem Wachhäuschen war der Rauch so dicht, daß er die Augen schließen mußte.

»Wer will denn mit mir sprechen?«

»Ich glaube, irgendein hohes Tier«, sagte der Nachtwächter.

Daniel hustete, nahm das Taschentuch vor den Mund und tastete nach dem Hörer. Eine weit entfernte, rauhe, angespannte, wütende, herrische und flehentliche Stimme schrie seinen Namen.

»Diersant!«

»Ja.«

»Hier spricht Hitler.«

»Hitler?«

»Harry K. Hitler! Hören Sie mich, Diersant? Brennt Paris?« Ein wahnsinniges Lachen quäkte durch die Hörmuschel, und Daniel legte wieder auf. HKH bediente sich seiner Erinnerungen, seiner Wahnbilder und seiner Zwangsvorstellungen, um ihn zu quälen. Und er rutschte, ohne es zu wissen, in das Spiel hinein. Diese Szene wäre ohne eine gewisse Mitarbeit seinerseits nicht möglich gewesen.

Er drehte sich um, der Wachtposten verschwand. Er tat ein paar Schritte auf einer Art Schlacke, stieß schließlich gegen einen Haufen Abfälle. Dann sah er zu seiner Rechten eine Laterne und erkannte, wo das Trottoir verlief. Dies war die düstere, schmutzige Stadt, wo er Larcher begegnet war. Die Straße fiel leicht zum ausgetrockneten Meer hin ab. Weiter unten befand sich der Wegweiser mit den vier Pfeilen. In Richtung des Meeres war der Himmel rot, er sah jedoch keinen Mond. Einen Augenblick lang hoffte Daniel, daß er auftauchte durch den Rauch und Nebel. Nein, er mußte sich getäuscht haben. Kein Mond. Es war eine Feuersbrunst. Und Rauch lag über der Stadt. Er trat aufs Trottoir und lief schnell bis zur Kreuzung, wo der berühmte Wegweiser stand. Er befand sich an seinem alten Platz. Daniel trat näher, um die Aufschriften zu lesen. Auf allen vieren stand nur HKH.

Er zuckte mit den Schultern und ging nach links. Er glaubte sich zu erinnern, diese Straße beim letzten Mal genommen zu haben. Mehrere Gebäude brannten bereits. Er war eine Ratte in einem Tricklabyrinth. Er suchte einen Ausgang, den es nicht gab. Unmöglich. Es muß eine Möglichkeit bestehen, hier herauszukommen, und ich werde sie finden! Hier in der Grenzzone habe ich vielleicht eine Chance . . . Je weiter er kam, um so zahlreicher wurden die Feuerstellen, die Flammen schlugen immer höher, die Hitze wurde unerträglich. Einen Augenblick lang blieb er stehen. Dies war nicht die richtige Methode, aus der Falle zu entkommen, das wußte er. Er wollte sich jedoch vergewissern, daß die Männer – oder die Gespenster von HKH – nichts vergessen hatten, daß sie nicht irgendwo ein Rattenloch offengelassen hatten, durch welches er schlüpfen konnte. Wenn wirklich das gesamte chronolytische Universum in Flammen stand – nun, dann mußte man etwas anderes versuchen . . . Plötzlich sah er die Bar, in die er einmal gegangen war und wo er Monika, Larchers Geschöpf, begegnet war. Ein bläuliches Licht blinkte über der Tür. Vis-à-vis brannte ein Haus. Er sagte sich, daß er genug Zeit hatte, um nachzusehen, ob das Mädchen noch da war. Die Chancen standen nicht einmal eins zu tausend, es war jedoch einen Abstecher wert. Er packte die klebrige Klinke und stieß die Tür auf. Er erkannte den exotischen Ramsch und Kolonialkitsch, der diesem Ort seinen unglaublich altmodischen Charakter verlieh. Er stolperte über ein mottenzerfressenes Pantherfell, blieb an einem Bambusvorhang hängen und gelangte schließlich an die Bar.

Monika wartete mit übergeschlagenen Beinen auf ihrem Hocker. Sie trug einen roten Rock, einen schwarzen Pullover und schwarze Strümpfe. Daniel legte seine rechte verstümmelte Hand auf den Tresen.

»Die ganze Bude leer?«

»Sie haben wegen des Feuers das Feld geräumt«, erklärte Monika.

»Und du bist geblieben?«

»Ich dachte mir schon, daß du wiederkommst. Es hätte mich erstaunt, daß du die fünfhundert Mäuse schon ausgegeben hast. Und du weiß ja, ich mache für Geld alles!«

Sie drehte sich zu Daniel, damit er ihre muskulösen Schenkel und ihre üppigen Brüste bewunderte, die ihr Pullover in allen Details abzeichnete.

»Kannst du mir hundert Franc leihen, Matrose?«

»Aber sicher«, antwortete er.

Er nahm das Bündel aus seiner Brieftasche, zog die Nadel heraus und hielt den ersten Schein der jungen Frau hin. *Nicht alle Italiener . . .* Er bemerkte, daß der Satz auf der Kante des zweiten Scheins weiterging: *sind Katholiken.* Das war idiotisch. *Nicht alle Italiener sind Katholiken!* Was geht das mich an!

»Willst du die anderen auch?«

»Nein«, antwortete sie. »Nur einen. Behalte die übrigen: das kann dir noch nützen.«

»Wozu?«

»Du wirst schon sehen.«

»Und was machen wir jetzt? Bumsen?«

Monika stieß ein grausames, ein wenig hysterisches Lachen aus.

»Nein, wir machen Feuer!«

Sie rollte den Schein zusammen, holte ihr Feuerzeug aus der Handtasche und ließ eine Flamme emporsteigen. Dann näherte sie langsam ihre Hand mit dem Geldschein der anderen, die das Feuerzeug hielt.

Und plötzlich stand die ganze Bar in Flammen. Das Feuer kroch über eine Matte und leckte an Daniels Füßen.

Er machte einen Satz zurück . . . und einen Satz nach vorne.

Er hielt den Wagen vor dem Gittertor an, hupte zweimal. Er stieg aus. Der rote Pilz bedeckte nun drei Viertel des Himmels. Man sah so gut wie um die Mittagszeit. Ein Feuerwehrwagen fuhr mit heulender Sirene über die Straße: Pizzicato und Bekkenscheppern. Die gewöhnlichen Gongschläge dröhnten in der Ferne.

»Feuerwehrleute?« erkundigte sich Daniel. »Sie sind also nicht alle 1998 umgekommen?«

Der Nachtwächter grinste.

»Sie sind beim Versuch, einen Brand in einem Laboratorium für Chronolytika zu löschen, umgekommen!«

»Ich will zum Großen Drachen.«

»Schon wieder!«

»Das ist doch wohl mein Recht, wie?«

»Keine Ahnung, aber Sie gehen mir allmählich auf die Nerven. Ich werde anrufen. Geben Sie mir Ihre Karte.«

»Ich hoffe, daß ich sie nicht verloren habe. Nein, da ist sie.«

HERKULES KISSINGER HADES
DURCHLASSGENEHMIGUNG FÜR DANIEL DIERSANT
FEUERINSPEKTOR

Die Dreckschweine!

»Ich werde sie Ihnen gleich zurückgeben«, erklärte der Nachtwächter.

Daniel ging wie üblich zu seinem VW zurück. Da kam ihm ein Einfall. Er nahm das Bündel aus seiner Brieftasche. Auf jedem Schein stand ein Fragment des Satzes. Das ganze bildete eine vollständige, aber rätselhafte Nachricht: . . . *sind Katholiken – nicht alle Matrosen – glauben an den Teufel – Renato ist – in Frankreich geboren – und sein Vater war – Kommunist – er fürchtet nur – die Meeresvodrans.*

Daniel packte die Scheine wieder weg und stützte den Kopf in seine Hände. Lieber Gott, das war eine Nachricht. Aber wer hat sie mir wohl geschickt? Ellen? Rob? Rob hatte mir versprochen, wieder Kontakt mit mir aufzunehmen nach seiner Rückkehr . . . Was soll das heißen? Eine kodierte Nachricht – damit die Schweinehunde von HKH sie nicht verstanden. Es war also wichtig.

Er lächelte. Ein einziger Satz war wirklich bedeutsam: *nicht alle Matrosen glauben an den Teufel.* Übersetzung: Renato Rizzi glaubt nicht an den Teufel, nicht an die Hölle. Wenn du Renato wirst, dann befreit dich das aus dieser geistigen Falle . . . Daniel betrachtete seine verstümmelte Hand. Er hatte Renatos Hand und Daniel Diersants Gedächtnis. Einmal war er jedoch Renato geworden, eine Sekunde oder eine Stunde lang. Er hatte eine völlige Seelentransfusion mitgemacht. Konnte er erneut aus seiner Haut schlüpfen? Jener, der ihm diese Botschaft hatte zukommen lassen, glaubte zweifellos daran.

In diesem Augenblick rief ihn der Nachtwächter.

»Kommen Sie schnell, Sie werden am Telefon verlangt!«

Also geht das schon wieder los! Das ist schon wieder der Kerl, der Bandenchef, der sich über mich lustig macht. Ich . . . Er rannte zu dem Wachhäuschen und schwankte zwischen Widerstand und Hoffnung. Es würgte ihn, als er in das enge, verräucherte Zimmer kam.

»Wer will mich denn sprechen?«

»Keine Ahnung, aber es muß wichtig sein, damit der imperialistische Vollstrecker die Verbindung hierhergelegt hat.«

Daniel nahm den ausgehängten Telefonhörer, legte sein Taschentuch über das Sprechgerät und schloß die Augen.

»Diersant?« erklang eine vertraute Stimme. »Hier Larcher. Läuft es nach deinen Wünschen?«

Es ist der Ingenieur im abgetragenen Anzug! Das war eine Überraschung – und nicht allzu erfreulich.

»Dann gehörst du also auch zu ihnen?«

»Ich hatte keine Wahl. Das chronolytische Universum gehört HKH. Ich war so jämmerlich dran, ehe ich hierher kam, daß ich jetzt alles tun würde, um meine Ruhe zu haben. Ich habe nicht versucht, den Helden zu spielen, mein Alter. Deswegen haben sie mir auch gestattet, dich anzurufen. Ich hätte dir gerne geholfen, aber sie sind stärker . . . Es gibt keine Möglichkeit, die Feuersbrünste zu löschen, aber ich glaube, daß sie dich vielleicht selbst einige legen lassen.«

»Na und?«

»Tja, gibt es denn keinen Ort, wo du gerne mal Feuer legen würdest?«

»Ich weiß nicht. Wozu soll es gut sein?«

»Moralisch würde es dir helfen. Es wäre eine elegante Art, dich aus der Affäre zu ziehen.«

»Sprichst du im Namen von HKH?«

»Keineswegs. Dieser Einfall ist mir selbst gekommen. Aber es wäre doch die Mühe wert.«

»Was?«

»Zum Beispiel den Sitz der Séac anzuzünden . . . Ich an deiner Stelle hätte gerne die Bude dieser Scheißkerle abgebrannt. Ich glaube, daß mir das großen Spaß machen würde. Was hältst du davon?«

»Ich weiß nicht. Ich habe nicht . . .«

Er suchte in den Taschen seiner Weste und fand ein Feuerzeug. Renatos Feuerzeug. Der Matrose mit der verstümmelten Hand rauchte Pfeife. Mit dem linken Daumen ließ er eine kleine Flamme emportanzen.

»Deine Idee gefällt mir nicht besonders«, sagte er.

Doch der Ingenieur hatte aufgelegt.

In der Rue Faubourg-Saint-Honoré hatten die Flammen noch nicht das Gebäude der Séac erreicht. Eine riesige Rauchwolke lag über der Stadt. Daniel sah auf seine Uhr: 14.45 Uhr, der Zeitpunkt seiner Verabredung mit Max Roland. Die Sonne war nicht mehr zu sehen. Der Schein der verschiedenen Feuerstellen lieferte eine Art rötliche Dämmerung. Larcher muß einen guten Grund gehabt haben, mich hierherzuschicken, dachte Daniel. Er tat einen Satz nach vorne und befand sich auf einem Korridor in der ersten Etage. Die Gespenster, die den Sitz der Séac bevölkerten, kümmerten sich um ihre lächerlichen kleinen Arbeiten, als wäre gar nichts los. Eine Sekretärin mit Brille musterte ihn mit verblüffter Miene. Ganz offensichtlich wirkte er in seinem alten, petrolblauen Anzug nicht wie ein Angestellter des Hauses. Er fühlte sich sehr schuldbewußt. Nein, es wird mir niemals gelingen. Ich muß nur ein wenig warten. Die Séac wird schon von selbst abbrennen, genau wie das Werk in Choisy und der ganze Rest. Er war nun ganz in der Nähe des Büros des Geschäftsführers. Er trat bis zur Tür zum Allerheiligsten. Er nahm sein Feuerzeug aus seiner Westentasche und steckte es in seine Hose. Die Firma in Brand setzen? Nein, das könnte er nicht. Nicht er, Daniel Diersant, der getreue Angestellte, voller Respekt vor der Hierarchie und trotz all seiner launigen Träume. Plötzlich begriff er Larchers Gedanken. Daniel Diersant war nicht in der Lage, im Sitz der Séac Feuer zu legen. Alles wehrte sich gegen eine solche Tat: sein Charakter, seine Vergangenheit, seine Erziehung. Wenn das Haus wenigstens leer gewesen wäre! Renato hätte jedoch nicht die gleichen Skrupel. Er war ein Rebell, wenn nicht ein Revolutionär. Vielleicht ein Abenteurer. Das Spiel würde ihm großen Spaß machen. Und Larcher – oder ein anderer an seiner Stelle – hatte sich diese Prüfungen ausgedacht, um den Matrosen zu zwingen, sich nötigenfalls zu zeigen, um Daniel Diersant zu vertreiben. Eine Seelentransfusion: dies war die einzige Methode, der Hölle zu entgehen. Gehörten Renato und Daniel der gleichen geistigen Gruppe an? Es bestand ein Risiko. Der Spender hatte eine stärkere Persönlichkeit als der Empfänger. Der letztere riskierte bei der Operation unterzugehen.

Daniel zögerte nicht lange. Ich muß ins Büro von Max Roland, muß ihn anschnauzen und seine Papiere anstecken. Ich werde mit meiner Personalakte anfangen. Die Schweinehunde sind schuld, daß ich mich hier befinde. Dann gab es ein Loch, und er stand vor dem hohen Chef. Max Roland betrachtete ihn mit wütender Miene, das Ganze in unglaublich gespannter Stille. Die Feuersbrunst warf flackernde Schatten in den Raum.

»Wer sind Sie?«

Der Geschäftsführer öffnete leise eine Schublade. Vielleicht suchte er eine Waffe. Daniel feixte. Wer bin ich? Es wird sich zeigen. Er trat zwei Schritte auf Max Roland zu und holte sein Feuerzeug raus. Diese Schnauze! Mein Vater hätte dazu gesagt: ein Preiskalb.

Der Geschäftsführer stand unvermittelt auf.

»Treten Sie zurück oder ich schieße!«

Er richtete eine Automatik auf Daniel, seine Hand zitterte kein bißchen. Doch Daniel trat noch näher. Er erreichte den Schreibtisch, nahm ein Bündel Papiere in seine verstümmelte Hand und drückte mit der anderen das Feuerzeug. Eine phantastische Flamme zuckte hoch, gleichzeitig blaffte der Revolver. Sogleich hatte Daniel den Mund voller Sand. Er erhob sich auf die Ellbogen, um auszuspeien. Den Mund voller Sand, den Mund voller Sand, voller Sand . . . Ich träume. Sie haben mich! Er ging auf die Knie und blinzelte mit den Augen. Der Strand mit den zwei Sonnen. La Perte en Ruaba. Ich träume. Ich träume nicht. Er stand auf. Ich habe es geschafft. Monica!

XIII

Er streckte die Hand nach dem braunen offenen Sack aus, in dessen Innern man zwischen einem Geflecht von Schnüren und Taschen die Reste der Vorräte sehen konnte. Es war nicht allzuviel. Aber sie würden natürlich einen weiteren braunen Sack finden, sowie sie ihn benötigten. Monica sah sie schon in weiter Entfernung, wenn sie sie nicht gar herbeiorderte. Und vielleicht bestellte sie sie tatsächlich mit ihrer blauen Muschel, diesem riesigen Schneckenhaus, von dem sie sich nicht trennen wollte.

Renato ergriff einen unwahrscheinlich leichten Kristallflakon, in dem ein goldenes Getränk sprudelte. Monica hielt die Muschel hin, die ihr als Glas diente.

»Ich habe Durst.«

Geschickt füllte Renato das perlmuttne Behältnis. »Auf dein Wohl. Auf unsere Einsamkeit!«

Nachdenklich sah die junge Frau zu, wie die glitzernden Bläschen in der Luft platzten. Ihre schwarzen Augen schienen durch die etwas ängstliche Vorsicht noch größer zu werden. Sie nahmen viel Platz ein in ihrem langen, ovalen Gesicht mit seinen vielen Abflachungen und dem Helm dunkler Locken, die weitgehend ungebändigt herabfielen.

»Nein«, sagte sie. »Wir werden nicht alleine bleiben. Vielleicht sind wir die ersten, ich bin jedoch überzeugt, daß noch andere kommen.«

Sie ergriff Renatos Hand und führte den Fleischwulst, der sich in der Nähe der unteren Fingerglieder zwischen Zeige- und Ringfinger gebildet hatte, an ihre Lippen.

»Scheußlich, diese kaputte Pfote«, sagte er.

»Aber nein, Lieber, sei nicht albern. Mich stört das überhaupt nicht. Und das ist doch schließlich das Wesentliche?«

Sie hatte das seltene Geschick zu lachen und dabei ganz ernst zu bleiben, ohne jede Anstrengung zwei widersprüchliche Mienen zu vereinen, ihr tiefer, wacher Blick blieb jedoch immer ein wenig ernst.

»Ich habe den Eindruck, daß du immer so gewesen bist.

Vielleicht würde ich dich weniger lieben, wenn du nicht diese verstümmelte Hand hättest.«

Er kramte weiter im Innern des Sacks: es mußte eine Art Tier sein. Aber wie konnte ein Meerestier aus Oradak gefrorenes Fleisch und Champagnerflaschen produzieren? Er fand einen Stengel von der Konsistenz einer kandierten Frucht und begann ihn zu kauen; er dachte jedoch, es könnte sich auch um den Rest eines getrockneten Fisches handeln. Und sogleich nahm das Stück in seinem Mund einen Geschmack nach Salz und Rauch an.

Die beiden Auswanderer hatten einen Haufen versteinerter Aktinien zusammengesammelt, die einen milchigen Schein und behagliche Wärme ausstrahlten. Dank den Anzügen aus dem braunen Sack waren sie nun gegen Kälte und Feuchtigkeit geschützt. Sie brauchten eigentlich kein Feuer, sie fanden es jedoch beruhigend, nun, da die beiden Sonnen nur noch zwei winzige Punkte an den beiden Seiten des Universums darstellten und der kleine Mond in Ellipsenform eine düstere Miene am bewegten Himmel annahm.

Monica hatte die Arme um die Beine geschlungen, sich geschmeidig zusammengekauert und das Kinn auf ihre hochgezogenen Knie gelegt. In dieser Stellung, die ihr fast eine eiartige Form verlieh, wirkte sie klein und zerbrechlich und gleichzeitig unerreichbar, weit entfernt, abwesend, jenseits aller menschlichen Begierden. Dies war jedoch eine Maske, wie Renato bald herausgefunden hatte. Denn sie hatte so vielen Begierden entsprochen, selbst den gemeinsten. Während sie auf ihn wartete, und auch vielleicht aus Liebe zu ihm, war sie zu einem Matrosenflittchen geworden. Seufzend stand er auf. Er war glücklich, sie wiedergefunden zu haben und fest entschlossen, sie nicht mehr zu verlassen. Er gab sich einem angenehmen Gefühl von Sicherheit hin. Er hatte es geschafft. Er hatte ein Vaterland gefunden. Er war weit weg von der Erde, weit weg von Garichankar und HKH. Milliarden Kilometer, Milliarden Lichtjahre: Gott allein weiß, wie man die Entfernung in der ungewissen Zeit mißt. Er träumte. Alle Träume waren möglich. Alle Hoffnungen waren erlaubt.

Wolken wie lange, durchschimmernde Gespenster zogen am Mond vorbei, ohne seinen Schein zu verdunkeln. Weit in der Ferne im roten Westen schimmerte ein schwacher Glorienschein über dem Meer. Die Sonnen gingen niemals ganz unter: sie konnten nicht über den Horizont verschwinden, da es keinen Horizont gab. Sie vergruben sich in den flachen Himmel . . . Wenn man den Mond lange genug ansah, gewann man den Eindruck, daß Fetzen der Nacht um ihn kreisten, als bestände der Raum aus dunklen Stoffen, die der Wind umhertrieb. Die lauen, gemächlichen, fast greifbaren Wellen stiegen manchmal vom Ozean empor. Ein Duft nach grünen Äpfeln kam von der Erde und mischte sich in die Wolken von Salzduft.

Renato machte ein paar Schritte am Strand. Er hatte den Eindruck, daß zahllose dunkle und bösartige Augen ihn unter halb geschlossenen Lidern hervor beobachteten. Die Spione von HKH? Das glaubte er nicht. Das Imperium Harry K. Hitler war weit entfernt. Doch dieses Universum gehörte vielleicht auch jemandem. Den mysteriösen Herren von La Perte en Ruaba: jenen, die den Emigranten die braunen Säcke schickten . . . Er machte einen Bogen um die weißen Krabben, die über den Sand und zwischen den von der Flut angeschwemmten Algen umherkrochen. Er schritt durch Seeigel und Seesterne. Er trat über einen Kreis, den kleine Kopffüßler mit von Augen eingefaßten Fühlern in guter Entfernung um das Feuer gezogen hatten.

Hinter ihm stieg ein Schrei auf, er fuhr herum. Monica war aufgestanden. Ihre zarte Silhouette, die der Mondschein mit einem silbernen Schimmer umgab, erhob sich in Richtung Süden. Sie streckte mit offener Handfläche die Hand aus und wies zum Himmel. Renato schaute in die entsprechende Richtung. Kleine, bunte Lichtchen entstanden unterhalb des Mondes und fuhren wie wandernde Sterne über den Himmel. Zuerst bildeten sie eine Reihe langer Linien, die nicht ganz die Größe des halben Wehrgehänges von Orion erreichten, am Ende abgerundet waren und manchmal die Form einer Hantel annahmen. Dann kamen feinere, größere Linien in lebhafteren

Farben, winzige Muschelschalen, die in einer phantastischen Prozession dahinflogen. Alles schien aus dem Nichts zu entstehen, an einem festen Punkt sternenloser Nacht. Die Lichter kamen immer schneller. Und sie verloren sich irgendwo, stießen dann wieder zusammen und verschwanden langsam. Sie erweckten den Eindruck, als stiegen sie in unerreichbare Fernen empor. Eine optische Illusion, die der besonderen Struktur dieser Welt entspricht, dachte Renato. Seltsame Wandersterne, die zum Himmel stiegen und sich Gott weiß wo verloren . . . Nach einigen Zehntelsekunden schmolzen die Linien dahin und machten mauvefarbenen, unbestimmbaren Flecken Platz. Und dann erstarben auch jene Flecken. Die Erscheinung hatte keine ganze Minute angedauert. Einen Augenblick blieb Renato reglos, die Augen immer noch auf den Himmel gerichtet. Er hatte den Eindruck, daß diese Lichter ein Zeichen, ein Signal, einen Appell oder etwas in dieser Art bedeuteten. Ein Appell von wem an wen?

Vielleicht an uns!

Er trat wieder ans Feuer und senkte den Kopf. Lichtpunkte tanzten noch auf seiner Netzhaut.

Das Rauschen der brechenden Wellen übertönte nicht ganz das Singen von Wind und Palmen. Man hörte den schweren Flügelschlag und die Schreie der Vögel in der Ferne. Eine Art Sirene heulte von Zeit zu Zeit auf dem offenen Meer ähnlich einem Nebelhorn, mit einem Klang, der jedoch eindeutig tierischer Herkunft war. Renato lächelte. Die Ungeheuer seiner Kindheit mußten sich irgendwo in der Welt verstecken, die er ersonnen hatte. Aber hatte er sie tatsächlich ersonnen? Nein, der Oradak-Ozean und La Perte en Ruaba waren Wirklichkeit. Er hatte sich lediglich durch eine Art Wahlverwandtschaft an diesen Strand mit den zwei Sonnen begeben. Nun mußte man nur noch erfahren, ob die Gesandten von HKH, die schwarzgekleideten Männer, die Daniel Diersant jagten, ihn auch jenseits der ungewissen Zeit finden konnten. Denn, soviel war sicher, er hatte das chronolytische Universum verlassen. Er war an einem unentdeckten Land gestrandet, in festem Raum und fester Zeit. Und die braunen Säcke? Woher kamen die braunen

Säcke? Die Nahrung, die sie mit sich führten, war reichhaltig, wenn auch etwas ausgefallen, die Getränke köstlich, wenn auch seltsam. Doch eine dumpfe Frustration hielt sich in Renato, nachdem er getrunken und gegessen hatte. Lange, nachdem er Hunger und Durst gestillt hatte, suchte er, er wußte nicht nach was, in den getrockneten Innereien des Sacks. Vielleicht eine Geheimtasche mit einer Botschaft. Oder aber der unwiderlegbare, aber undefinierbare Beweis, daß dieses Universum real und die Existenz dieses Manna auf natürliche Weise zu erklären waren. Und dennoch war ihm der Zweifel nicht unangenehm. Auch nicht eine gewisse Frustration. Ohne dies hätte diese Welt zu sehr dem Paradies geähnelt, und Renato wollte kein Paradies. Er wollte hier durchaus leben, wie er auf der Erde gelebt hatte, ohne an Gott oder Teufel zu glauben. Er würde Nahrung und Getränke von unsichtbaren und nicht allzu fordernden Herren erhalten. Dieses neue Schicksal nahm er gutwillig an.

In diesem Augenblick sprach eine Stimme aus dem Himmel, stieg vom Meer empor, stand aus dem Sand oder dem Mund eines Kopffüßlers empor und brach in seinem Kopf los. Eine Stimme, die seinen Namen aussprach: jenen, den er in seinen Alpträumen aus Zerstreutheit, Irrtum oder Fluch getragen hatte – Daniel Diersant – und jenen, den Monica ihm verlieh, den einzigen, den er jetzt kannte – Renato Rizzi.

»Bist du Daniel? Bist du Renato? Ich bin Robert Holzach vom Garichankar-Hospital. Versuche, mir zu antworten.«

»Ich bin Renato Rizzi«, antwortete Renato, ohne zu zögern. Dann wurde er sich bewußt, daß er auch zu einem unwiederbringlichen Teil Daniel Diersant war. »Ich bin Daniel Diersant und Renato Rizzi«, berichtigte er sich. »Ich weiß nicht, wie das kommt, aber so ist es nun einmal. Grüß dich, Quacksalber!« Der Teil seiner Persönlichkeit, der aus Rizzi bestand, konnte ohne allzu großes Erstaunen die Tatsache akzeptieren, daß der Arzt von Garichankar den Kontakt mit ihm wieder herstellen wollte. Sein Persönlichkeitsteil Diersant jedoch begann sogleich zu zweifeln, rebellierte und forderte eine Erklärung.

»Und wo sind Sie, Doktor? Wie können Sie mit mir kommunizieren?«

»Im letzten Augenblick haben die Phorden beschlossen, uns in der Chronolyse zu lassen, Ellen und mich. Doch diese Kommunikation beruht auf einem Wunder. Der Zufall hat uns genutzt . . .«

»Der Zufall oder anderes.«

»Bist du in La Perte en Ruaba?«

»Ja, am Strand mit den zwei Sonnen. Mit Monica. Habt ihr – Ellen und du, geglaubt, daß ich, Renato, nicht an die Hölle glaubte und es meinem alter ego Daniel Diersant mitgeteilt?«

»Wir haben gerade in diesem Augenblick erst wieder den Kontakt mit dir hergestellt. Ich begreife deine Anspielung nicht ganz. Diese Geschichte mit der Hölle . . . Ja, HKH hatte dich in eine geistige Falle gesperrt. Das wußten wir. Wir hätten dir gerne geholfen, sind jedoch zu spät gekommen.«

»Damit war zu rechnen.«

»Ellen und ich hatten uns geschworen, dir zu helfen, ohne das Phordalnetz war jedoch nichts möglich, wir mußten Michael, die Zentrale, überzeugen, und das war nicht leicht.«

»Wie steht es denn mit eurem Krieg?«

»Die Imperialisten verfügen über einen Brückenkopf in fast allen autonomen Hospitälern der Erde und auch in einigen Städten. Es werden Chronostatika in großen Dosen eingesetzt, es ist jedoch nicht ungefährlich. HKH wird die Erde nicht erobern, es ist jedoch wahrscheinlich, daß wir die Herstellung von Chronolytika aufgeben und die bestehenden Lager vernichten müssen. So wird eine gewisse Zeit lang jegliche Verbindung zwischen der ungewissen Zeit und unserer Welt unterbrochen werden. Das bedeutet, daß die Psychronautik ihrem Ende entgegengeht. Dies ist der Preis, den wir zahlen müssen. Unser augenblicklicher Auftrag ist zweifellos einer der letzten bewußten Eingriffe des Menschen ins Unbestimmte. Deshalb brauchen wir dich . . .«

»Ihr braucht mich?«

»Es ist so gut wie sicher, daß der Oradak-Ozean und La Perte en Ruaba nicht zum chronolytischen Universum gehören. Du bist jenseits der ungewissen Zeit gelandet. Renato Rizzi, hörst du mich noch?«

»Ich höre dich sehr gut, Doktor. Dies alles scheint mir sehr weit hergeholt. Die Welt, aus der ich komme – wenn ich aus irgendeiner Welt komme – interessiert mich nicht mehr. Und deine noch weniger. Ich glaube kaum, daß ich dir helfen kann, mein Alter. Entschuldige: Doktor.«

»Du mußt mir helfen, Daniel . . . Renato. Dies ist sehr wichtig, nicht nur für mich und für Garichankar . . . Vielmehr auch für die Wissenschaft, für die Zukunft des Menschen.«

»Die Wissenschaft und die Zukunft des Menschen sind mir scheißegal.«

»Na schön, aber höre mich an.«

»Komm doch lieber hier vorbei. Ich werde dir einen braunen Sack aufheben.«

»Einen braunen Sack? Ja, ja, es interessiert mich schon, aber . . . Renato! Zum ersten Mal in der Geschichte der Menschheit konnte ein Band zwischen zwei unbeschreiblich entfernten und unsagbar unterschiedlichen Welten geknüpft werden. Du und ich müssen die Gelegenheit, die sich uns bietet, ausnützen. Wenn es uns gelingt, wird dein Name die Menschen Christopherus Columbus vergessen lassen. Ungelogen.«

»Ich mag Christopher Columbus nicht besonders. Ich habe mich immer gefragt, ob er nun ein Erleuchteter oder ein Schwindler war. Und du sagst mir, daß ihr nun alle psychronautischen Reisen einstellen wollt. Damit wird doch eine Verbindung zwischen uns endgültig unterbrochen. Ich sehe nicht, was wir beide unter diesen Umständen unternehmen könnten.«

»Wir haben zwei Möglichkeiten. Entweder wir stellen eine Verbindung zwischen La Perte en Ruaba . . . sagen wir Garichankar her, ohne über das Unbestimmte zu gehen, also ohne die Hilfe der Chronolyse in Anspruch zu nehmen – falls es sich bestätigt, daß La Perte nicht Teil des chronolytischen Universums ist. Oder aber wir verlängern unseren Kontakt auf beachtliche Weise, indem wir die Zeitabweichungen ausnutzen. Zwischen zwei Gesprächen liegen für uns einige Sekunden, für dich Tage, Wochen, Monate . . . Oder was in La Perte en

Ruaba anstelle dieser Einheiten steht . . . Und dies bis zum Ende unseres Auftrags.«

»Ich habe keine Lust, Christopherus Columbus zu spielen. Gib's auf, Doktor.«

»Renato, hör mich an. Wir können auch dir helfen. Wir und die Phorden von Garichankar. Das Universum, in dem du jetzt lebst, hat seine Gefahren. Wir kennen einige über die Psychronauten von Utopie 01, die dort bereits in der Tiefenchronolyse einmal angelegt haben. Wir werden dir helfen, diese Gefahren zu enthüllen und sie zu vermeiden.«

»Ich komme schon alleine zurecht. Ihr habt mir nur insoweit geholfen, als ihr euch meiner bedienen konntet.«

»Das ist nicht wahr. Wir haben Fehler begangen, aber wir haben uns nicht deiner bedient. Robert Holzach und Daniel Diersant befanden sich einfach im gleichen Boot, mehr ist nicht geschehen. Vergiß nicht, daß es eine Zeitlang eine totale Verschmelzung zwischen uns gab. Ich war Daniel Diersant. Ich war du. Dies ist eine wesentliche Erfahrung. Und ohne mich, ohne uns, ohne Garichankar hättest du niemals als autonome Persönlichkeit existiert, Renato Rizzi. Du bist ein chronolytisches Doppel von Daniel Diersant. Und der wirkliche Daniel Diersant ist zurückgetreten, um dir Platz zu machen. Interessiert es dich zu erfahren, was ihm 1966 widerfahren ist – was dir widerfahren ist, Renato?«

»Nein, Quacksalber, das interessiert mich nicht. Liefer deinen Chefs deinen Bericht ab, und laß mich in Ruhe.«

»Man hat mich zuerst in die leichte Chronolyse zurückgeführt, und ich habe dem Phoralnetz meinen Bericht abgeliefert, das nun die Analyse beendet hat. Das Ergebnis ist äußerst erstaunlich. Daniel Diersant hatte wohl einen Unfall gehabt, das ist jedoch nicht alles . . . Dies ist gewiß die letzte kriminalistische Untersuchung, die ein Psychronaut in der Vergangenheit durchgeführt hat. Was du auch darüber denken magst, du bist ein wenig Daniel Diersant, und es ist besser, wenn du die Wahrheit erfährst . . .«

»Die Wahrheit?«

»Sagen wir eine unendlich wahrscheinliche Version der

Ereignisse, die dich ins chronolytische Universum geführt haben. Du warst mehr oder weniger mit Robert Sarthès verbündet und wolltest eine Rolle im Nachfolgekrieg der Séac spielen. Die Freunde Max Rolands haben dies bemerkt. Sie haben dich zuerst in die Laboratorien des Cerba versetzt, dann haben sie dir eine endgültige Versetzung über Defner, den stellvertretenden deutschen Direktor, vorgeschlagen. Du hast abgelehnt, also haben sie dich mit einer Abfindung entlassen. Dein Gehalt vom Juli plus die Abfindungssumme stellten zweifellos die 5000 Francs dar, die in deiner Brieftasche lagen. Am 29. oder 30. Juli 1966, nachdem du deine Kündigung erhalten hast, hast du mit deinem Beschützer Robert Sarthès telefoniert, der dich für den gleichen Abend ins Werk von Choisy bestellt hat. Vor dem Gittertor mußtest du halten und warst gerade dabei, mit dem Nachtwächter zu verhandeln, als Forestier am Steuerrad seines Wagens auf der Straße vorbeifuhr. Vielleicht wollte er nach einem letzten Kontrollgang über den Hof nach Hause. Er mußte durch die Garagen rausgefahren sein. Er hatte also einen Wagen gesehen, der hinein wollte. Und er dachte zutreffenderweise: ein Besuch für Sarthès. Wie du es schon erraten hast, hat er versucht, vor dir dort anzukommen, um sich zu verstecken und nach dir hineinzuschleichen. Er hat also kehrtgemacht, offensichtlich hat er einen Schlüssel zu den Garagen und kehrte ins Werk zurück; sobald er einmal im Hof war, schoß er ohne seine Scheinwerfer anzumachen davon, um dich zu überholen. Er war jedoch einige Sekunden zu spät. Sein 404 und dein VW stießen an der Kreuzung der Hauptallee und der Zufahrt zu den Garagen zusammen. Dein Wagen wurde schwer beschädigt, du hast eine Kopfverletzung erlitten und das Bewußtsein verloren. Es sieht so aus, als habe Robert Sarthès von alledem nichts bemerkt. Nach Forestiers Meinung und der Führenden des Unternehmens mußte eine polizeiliche Untersuchung im Werk um jeden Preis vermieden werden. Eine solche Affäre hätte sich katastrophal für die Gruppe um Max Roland auswirken können. Forestier hatte also beschlossen, alle Spuren des Unfalls zu verwischen. Der Nachtwächter war einer seiner Leute. Er hatte alle seine Mittel mobilisiert. Während eine

Truppe des Sicherheitsdienstes deinen Wagen weit weg von Choisy brachte – und dich zweifellos auch – begab er sich mit deinen Schlüsseln in die Rue de Verneuil und besichtigte deine Wohnung. Vielleicht hoffte er, Korrespondenz oder Akten zu finden, die deine Beziehungen zu Sarthès erhellten. Oder aber er wollte einfach jede kompromittierende Notiz verschwinden lassen. Vielleicht hatte er noch ein anderes Ziel . . . Bei dir fand er dann eine Röhre mit Mebsital zwischen all den übrigen Medikamenten. Dies brachte ihn auf eine Idee: dich zu zwingen, einige der Tabletten zu schlucken. Dank dieser merkwürdigen Sammlung könnte die Polizei glauben, daß du drogensüchtig warst. Dies wäre eine Erklärung für deinen Unfall gewesen. Du warst jedoch immer noch bewußtlos, zumindest allem Anschein nach, denn dein Gedächtnis registrierte während dieser Zeit eine gewisse Anzahl von Fakten und Worten. Wahrscheinlich konnten sie dich nicht zwingen, die Mebsitaldragées zu schlucken. Also mußten sie sich eine Spritze mit dem Produkt beschaffen und es dir injizieren. Dann haben sie dich in deinem Wagen irgendwo auf der Nationalstraße 20 abgestellt. Es war alles in allem ein Mord . . . Aber von da an wäre alles weitere, was wir hinzufügen könnten, nur müßige Spekulation. Es tut mir leid, dir diesen Bericht aufgezwungen zu haben, Renato . . .«

»Nun, ist schon gut. Es tut mir leid, daß ich erst sagte, es würde mich nicht interessieren. Ich habe mich getäuscht. Ich habe dich Wort für Wort angehört und glaube, daß du der Wahrheit sehr nahe bist. Ich dachte mir schon, daß Forestier für den Unfall verantwortlich war. Meinen Unfall, wenn du so willst. Und ich bin nicht besonders überrascht, zu erfahren, daß er auch ein Mörder war . . . Denn ich nehme an, Daniel Diersant ist tot?«

»Wir wissen es nicht. Wenn du uns helfen könntest, so würden wir . . .«

»Gib es auf. Diersant ist tot. Ich weiß es. Der Tod ist eingetreten, als ich glaubte, mich in eurem verdammten Hospital zu befinden. In diesem Augenblick habe ich tatsächlich meinen Tod erlebt. Ich habe gesehen, wie die Welt um mich her in

Stücke brach und mein Körper sich zersetzte. Ich fühlte mich buchstäblich verrecken und habe begonnen . . . das zu werden, was ich nun bin. Ich habe keine Lust, mehr darüber zu erfahren. Jedenfalls werde ich kaum zur Beerdigung können!«

»Du bist der Erbe von Daniel Diersant. Du mußt uns an seiner Stelle helfen, wie er es sicher gerne getan hätte.«

»Es ist wahr: ich bin sein Erbe. Ich bin das, was er gerne gewesen wäre, ohne es sich einzugestehen. Daniel Diersant ist seine Flucht in zweifacher Hinsicht gelungen: er hat eine Welt zurückgelassen, die er verabscheute, und er ist aus seiner Haut geschlüpft, um das zu werden, wovon er insgeheim träumte: ein freier Mensch.«

»Du bist nicht wirklich frei, Renato. Noch nicht.«

»Warum nicht?«

»Du bist kein historischer Mensch. Deine Vergangenheit ist zum großen Teil eingebildet. Du hast keine Wurzel. Deine Existenz ist noch ungewiß.«

»Du willst sagen, ich sei ein minderwertiges Wesen, ein Untermensch?«

»Die Phorden glauben, daß du kein biologisches Geschöpf, sondern eine geistige Gesamtheit bist, ein Produkt der ungewissen Zeit.«

»Und deshalb habe ich nicht das Recht auf Freiheit? Deshalb muß ich euch gehorchen? Zum Teufel mit den Phorden. Ich *bin* Daniel Diersant, und ich antworte dir in seinem Namen, was er nicht zu antworten gewagt hätte, da er dich stets als Chef akzeptiert hätte: Rutsch mir den Buckel runter!«

»Daniel Diersant, ob dir das gefällt oder nicht, du hast Pflichten gegenüber der Gesellschaft.«

»Welche? Im übrigen bin ich Renato Rizzi!«

»Renato, Ellen steht neben mir. Sie vergißt dich nicht. Sie hat Vertrauen in dich. Ich glaube, sie liebt dich immer noch. Sie bittet dich . . .«

»Ich weiß. Ich gefalle den Frauen, trotz meiner kaputten Hand. Oder auch deswegen. Und es sieht so aus, als ficke ich wie ein kleiner Herrgott. Tut mir leid, daß ich mit dir nicht bis zum Ende kam, Ellen. Es war großartig. Ich werde es die ganze Ewigkeit nicht vergessen!«

»Ellen und ich brauchen dich.«

»Ich bin nur ein elender Wurm, der keine Geschichte hat. Ich weiß nicht, wie ich den großen Gelehrten des Garichankar-Hospitals dienen könnte.«

»Die Wissenschaft braucht dich, deine Hilfe.«

»Die Wissenschaft ist mir scheißegal.«

»Die Menschheit . . .«

»Ich bin nicht Teil von ihr. Und das ist auch besser so. Ich bin eine gefährliche Gestalt. Vielleicht so gefährlich wie die Gespenster von HKH. Im übrigen bin ich auch ein Gespenst. Und ich werde vielleicht nur eure tolle Epoche verseuchen.«

»In unserer Epoche ist der Mensch endlich fähig, sein inneres Universum selbst zu erobern.«

»Es steckte jedoch der Teufel in der Kiste, und ihr seid gezwungen, sie zuzunageln!«

»Hör zu, Renato, du kannst uns eine Menge Zeit und Mühen ersparen. Du kannst den Ruhm für dich beanspruchen, die wichtigste Rolle im größten Abenteuer der Menschheit zu spielen und eine wirklich historische Existenz erlangen. Wenn du dich jedoch weigerst, so wird es uns ohne dich gelingen. Oder vielleicht unseren Erben. Du wirst es bedauern.«

»Doktor, ich spreche nun im Namen Daniel Diersants. Mein Leben war eine Falle. Eine ganze Ewigkeit wollte ich fliehen. Und ich habe es geschafft. Ich werde mich nicht bei der erstbesten Gelegenheit wieder in eine Falle setzen. Ich will mich nicht in den Dienst eines Systems stellen, und sei es noch so perfekt. Ich spiele nicht mehr mit – bei keinem Spiel. Da du meine Erinnerungen geteilt hast, mußt du wissen, daß das Leben in der Welt, aus der ich komme, nicht lustig war, insbesondere nicht auf den untersten Sprossenleitern. Du mußt wissen, in welchem Maße die Arbeit beklemmend und vernichtend war. Nun gut, ich habe ein Universum gefunden, wo man leben kann, ohne zu arbeiten und wo selbst der Gedanke an Arbeit absurd erscheint. Es ist mir ganz egal, ob es nun ein geistiger Entwurf oder was auch immer dieser Art ist, oder ob dies der

Geschichte gegen den Strich geht. Ich suche keinen Ausweg. Ich habe keinerlei Lust, mit Doktorentiteln honoris caus vom Garichankar-Hospital bombardiert zu werden. Ich bin fest entschlossen, die Hände in den Schoß zu legen, solange die guten Götter irgendwo mir jedesmal einen braunen Sack schicken, wenn ich einen haben will. Und ich hoffe, daß ich genauso dumm und unschuldig werde wie die Kraken in diesem Meer. Und daß mir das Gehirn in die Füße rutscht, genau das wünsche ich mir: das wäre eine verdammte Erleichterung. Ich bin schon nicht mehr auf dem laufenden. Ich werde niemals mehr irgendwo dabei sein. Das mußt du schlucken. Ich mag dich gerne, Rob, trotz dem miesen Streich, den du mit mir gespielt hast – ich weiß, daß du es nicht absichtlich getan hast. Du hast mich wirklich gebraucht, und ich würde dir verdammt gerne helfen. Aber du willst, daß ich meinen Teil zum *Erfolg* beitrage. Gib es auf. Die Eroberung der Welt ist ein veraltetes Spiel. Befaß dich mit dem Leben. Bums Ellen, so gut du nur kannst. Und nichts hindert dich, dich ab und zu in einer Phantasiewelt zu zerstreuen. Ich bin sicher, ihr habt einen Haufen Ersatzmöglichkeiten für die Chronolytika. Vergiß Christopherus Columbus und versuch nicht allzusehr, wieder Kontakt mit mir aufzunehmen, um mich in deine Projekte zu verwickeln. Im übrigen wünsche ich dir alles Gute!«

Der geistige Austausch erfolgte mit einer außergewöhnlichen Klarheit, und Renato (oder Daniel Diersant in ihm) empörte sich gegen diese Erscheinung. Er glaubte Robs Erklärungen nicht ganz. Dieser Kontakt, der unterbrochen und auch wieder nicht ganz unterbrochen war, dann wieder unvermittelt neu geknüpft wurde, diese allzu perfekte Kommunikation, diese seltsame Gefälligkeit des Phordennetzes . . . Dies alles bedeutete eine Kraft, eine neue Intelligenz, die ins Spiel gekommen war. Die Götter von La Perte en Ruaba? Die Fischer?

»Du weißt nicht einmal, welche Art von Zusammenarbeit ich dir vorschlagen wollte«, gab Rob zu bedenken. »Bald wirst du dich in deinem Paradies langweilen, Renato, und du wirst froh sein, für die Menschen zu arbeiten.«

»Und ohne Arbeit werde ich noch glücklicher sein. Es ist besser, daß du deine Illusionen über mich aufgibst.«

»Ist dies dein letztes Wort?«

»Ja.«

»Gut. Trotz deiner Entscheidung übermitteln dir die Ärzte von Garichankar ihre brüderlichen Grüße.«

»Zuviel der Ehre. Ich grüße sie voller Demut.«

»Sei nicht verbittert, Daniel Diersant . . . Du hast es geschafft.«

»Ich bin Renato Rizzi. Und ich bin nicht so sicher, ob ich es geschafft habe. Vielleicht habe ich mit meiner neuen Haut nur die Herren gewechselt.«

»Ich verstehe deinen Standpunkt. Ellen auch. Renato, ich werde dich in einigen Augenblicken zurückrufen. Dies geschieht zum ersten Mal. Es ist wichtig, daß du mir antwortest. Wichtig für Ellen und mich. Weniger für die Wissenschaft und die Menschheit. Bist du einverstanden?«

»Ich bin einverstanden, aber ich werde meinen Entschluß nicht über den Haufen werfen.«

»Danke. Bis gleich.«

*

Monica wachte an dem Akzinienfeuer. Er streckte sich neben ihr aus, dann nahm er sie in die Arme. Vielleicht war sie Teil eines Traums, den man ihm in einer geheimnisvollen Bestimmung aufzwang, dies war jedoch ohne Bedeutung. Der Traum gefiel ihm. Der Traum erfüllte ihn. Deshalb nahm er ihn an. Vielleicht war Monica nur ein Trugbild, ein Geschöpf, das den heimlichen Wünschen Daniel Diersants entsprungen war . . . wie Renato Rizzi. Es war ihm egal. Im übrigen fand sie sich in diesem Universum viel besser zurecht als er. Mit ihrer blauen Muschel forderte sie die braunen Säcke an. Blaue Muschel und braune Säcke, dachte er. Auf einem gewissen Niveau mußten sich die Möglichkeiten der Technologie extrem vereinfachen, um sich der Szenerie anzupassen. So unterschieden sich die Maschinen und Instrumente kaum von Luft und Wasser, von

Licht und Wind, von Steinen und Sand, von der Haut der Tiere und dem Duft der Blumen . . . Diese Welt war vorbereitet für Auswanderer. Vielleicht war das ganze chronolytische Abenteuer nur ein Schöpfungsprozeß, der von den unbekannten Herren der Perte en Ruaba ersonnen wurde, um ihre Welt zu bevölkern.

Mit zärtlicher Geste nahm Monica Renatos verstümmelte Hand. Er atmete den Duft ihres Fleisches, der säuerlich und ein wenig scharf war. Er hob sie mit einem Arm um ihre Taille gelegt und setzte sie auf sich ab, um sie zu entkleiden. Der Anzug glitt mit einem seidigen Knistern über ihre Haut, das Renato Millionen Nadeln den Rücken zerstechen ließ. Er hatte den Eindruck, daß Monicas Körper, Monicas Liebe in seinem Körper neue Sinne erweckte. Etwas, das dem Auge Tastsinn verlieh. Etwas, das das Nachgefühl auf den Innenflächen seiner Hände in seine Kehle projizierte; etwas, das die Zärtlichkeiten in vibrierende Musik auf seinen Lippen verwandelte, etwas, das ein wenig teuflisch war und seine Speicheldrüsen Champagner produzieren ließ, das in die Lust den Geschmack von Lachen und Tränen mischte. Er erinnerte sich an eine Bemerkung Larchers: Dies ist kein Traum, dies ist ein Erwachen. Vielleicht – und er zweifelte nicht daran – war das Leben hier reicher und intensiver . . . Langsam gelangte er in ein wunderbares und geheimnisvolles Land, wo keinerlei Bedauern, keinerlei Wehmut, keinerlei Angst ihn jemals erfassen konnten . . . Ein Ort, wo er auf immer in Sicherheit war – eine paradiesische Oase auf der kalten Straße ins Nichts.

*

Ein Schrei weckte ihn. »Renato!«

Er zögerte eine Sekunde, ehe er die Augen aufschlug. Er fühlte den feuchten, frischen Hauch des Seewinds. Er war nackt. Einen Augenblick lang hörte er den schweren Flügelschlag der Vögel, die über dem Strand kreisten, und den fernen Gesang des Oradak-Ozeans. Er betrachtete den Himmel. Der Mond war verschwunden. Eine bläuliche Dämmerung setzte in

Richtung der Berge ein. Das sind doch Berge, dachte er. Er hob sich auf die Knie, dann stand er auf. Monica stand vor ihm, gerade, zerbrechlich und nackt, mit dem Gesicht zum Untergang der blauen Sonne. Der Meereswind wehte ihre Haare auf die linke Schulter.

»Renato, schau: ein Mann und eine Frau.«

In einer Entfernung, die Renato auf zweihundert Meter schätzte, näherten sich zwei Gestalten am Strand. Sie waren ungefähr von gleicher Größe, die eine jedoch, die schlankere, geschmeidigere hatte lange, blonde Haare. Die Ankömmlinge waren nackt, was zu beweisen schien, daß sie noch keinen braunen Sack gefunden hatten. Renato glaubte die Frau wiederzuerkennen. Doch alle beide waren zu weit entfernt, als daß er ihre Gesichter identifizieren konnte. Monica drehte sich langsam um.

»Ich habe dir gleich gesagt, daß wir nicht allein bleiben werden.«

»Ziehen wir uns an«, erwiderte Renato.

»Wozu? Schließlich sind sie doch auch nicht angezogen?«

»Du hast recht«, stimmte er zu. »Die Temperatur ist durchaus erträglich.«

Die Besucher waren unentschlossen in hundert Meter Entfernung stehengeblieben. Monica winkte ihnen zur Begrüßung zu, dann lief sie ihnen entgegen.

»Die kenne ich doch!« sagte Renato.

Larcher und Monika natürlich. Der Ingenieur im abgetragenen Anzug – ohne seine Uniform des ewigen Arbeitslosen – und das Mädchen, das er beinahe geschaffen hätte. Nur Monika war real. Sie war kein einfaches Trugbild, sondern die Schöpfung der unbekannten Götter, die auf La Perte en Ruaba und vielleicht auch in der ungewissen Zeit regierten.

Plötzlich tauchten kleine bunte Flecken hinter den Bergen auf und verloren sich am Himmel. Renato dachte an die Lichter, die das erste Mal aufgetaucht waren, ehe Rob sie gerufen hatte. – Dr. Holzach. Er folgte Monica ein paar Schritte, Larcher und Monika sahen sie an. Dann schienen sich die beiden Frauen wiederzuerkennen. Die Dunkelhaarige stieß einen Schrei aus, die Blonde lief auf sie zu. Der Ingenieur wartete, die Fäuste in die Hüften gestemmt.

In diesem Augenblick hallte ein Ruf in Renatos Gehirn wider.

»Hier spricht Robert Holzach!«

»Nun reg dich nicht auf, Doktor, ich bin immer noch da.«

»Renato, die Zentralphorde von Garichankar, Michael, steht in Verbindung mit dem Phordalnetz der autonomen Hospitäler, die sich vereinigt haben, um der Invasion von HKH entgegenzutreten. Ich werde ein Gespräch mit ihm führen, also indirekt mit allen Phorden der Erde. Ich hätte gerne, daß du dieses Gespräch anhörst und eventuell teilnimmst.«

»Wenn du meinst, daß dies nützlich ist.«

»Unverzichtbar. Michael!«

»Ja, Dr. Holzach, ich höre Sie.«

Die Stimme der Zentrale hallte in Renatos Kopf mit femininer Zartheit und entschlossenem Ernst wider.

»Michael«, fragte Dr. Holzach. »Ich habe also den Auftrag, den du mir anvertraut hast, gut durchgeführt?«

»Ja.«

»Und dieser letzte Auftrag bestand doch darin, mein Bestes zu tun, um Daniel-Renato zur Mitarbeit zu bewegen?«

»Ja.«

»Das also war der Wunsch des Phordalnetzes?«

»Ja.«

»Könntest du uns rasch erklären, weshalb?«

»Nach dem Überraschungsangriff von HKH litt die Situation auf der Erde so, daß wir alle psychronautischen Forschungen abbrechen und die Reisen in die ungewisse Zeit endgültig aufgeben müssen. Dank der Möglichkeiten des Phordalnetzes durch dieses Dringlichkeitsdekret habe ich trotzdem den Entschluß getroffen, die Doktoren Laumer und Holzach für eine begrenzte Zeit in der Chronolyse zu belassen, nach der sie geistig unversehrt und frei zurückkehren könnten. Dies bedeutete ein Risiko, sie den Invasoren auszuliefern, ich glaubte jedoch, dies auf mich nehmen zu müssen. So gab ich dem Wunsch der Beteiligten nach, den Kontakt zwischen Daniel Diersant-Renato Rizzi und ihnen selbst wieder herzustellen, was uns ohne allzu große Schwierigkeiten gelang. Die Zeit drängte uns allerdings . . . Daniel-Renato ist zweifellos das letzte Band, das zwischen der Erde und La Perte en Ruaba besteht. Seine freiwillige Mitarbeit schien mir unverzichtbar, um über dieses Universum Informationen zu erhalten, die wir uns nunmehr nie mehr beschaffen können.«

»Ich war also ein loyaler Botschafter der Phorden«, sagte Dr. Holzach, »und dies, obwohl ich nicht ganz die herrschende Meinung über die Wissenschaft, die Menschheit und die Zukunft des Menschen teile?«

»Ja.«

»Du weißt also, Michael, daß Ellen und ich Renatos Weigerung verstehen und sie sogar akzeptieren?«

»Ja.«

»Und du machst uns keinen Vorwurf?«

»Nein.«

Einen Augenblick lang herrschte innere Stille. Renato fühlte, daß der Kontakt nicht unterbrochen war, daß jedoch kein Gedanke zu ihm durchdrang. Die beiden weit entfernten Gesprächspartner schienen Gott weiß was abzuwarten. Robs Anwesenheit ließ ihn regelmäßig durchatmen, Michaels Anwesenheit beschleunigte seinen Kreislauf. Wer stellte diese Kommunikation her? Dies überstieg die Macht der Phorden. Wir werden alle manipuliert, dachte Renato. HKH und Garichankar, die Phorden und die Gespenster . . . Er hatte den Eindruck, daß ein schwerwiegendes Ereignis, ein gewaltiges Ereignis, das irgend jemand wollte, sich in dieser Stille vorbereitete. Dann zwang ihn Larchers Ankunft, seine Aufmerksamkeit abzuwenden.

»Grüß dich, Matrose!« Und dann mit leichter Kopfbewegung, als wollte er sich für seine Nacktheit entschuldigen: »Fühl mich ein bißchen bescheuert.«

»Du hast unrecht, dies ist der ideale Aufzug für einen Arbeitslosen.«

»Und hier läßt sich gut fischen?«

»Nun, mit euch sind wir nun vier, die aufgefischt wurden.«

»Ah so, wir sind die Fische, nicht die Fischer?«

»Tja . . . Nun, ich würde gerne einen Schluck trinken.«
»Monica«, sagte Renato, »hol uns einen braunen Sack.«

In der Ferne wurde der Dialog weitergeführt. Renato schloß die Augen.

»Michael«, sagte Rob, »du bist also bereit, uns das zuzugestehen, worum wir dich gebeten haben?«

»Ja.«

»Renato!«

»Ich bin da.«

»Du hast einmal zu mir gesagt: Komm doch hier vorbei, ich werde dir einen braunen Sack aufheben. Gilt deine Einladung immer noch?«

»Sie gilt.«

»Gut, Michael, willst du uns also helfen, zur Perte zu gelangen?«

»Ja.«

»Doch alle psychronautischen Reisen sind endgültig abgebrochen und es ist unmöglich, daß wir in der Chronolyse bleiben. Stimmt das?«

»Das stimmt.«

»Was hast du also vor?«

»Ich werde euch töten, sobald ihr euch in der Tiefenchronolyse befindet. So könnt ihr vielleicht die subjektive Unsterblichkeit erlangen.«

In diesem Augenblick erhob sich eine unbekannte Stimme. Sie schien Renato nahe, vertraut, freundschaftlich, leicht spöttisch; und gleichzeitig befehlend und unnahbar, unnachgiebig und ohne jede Schwäche. Die Stimme einer Frau. Oder einer Göttin.

»Wir erwarten euch.«

»Auf bald, Renato.« sagte Rob.

Anne kam als erste an. Sie tauchte aus dem Meer auf und rollte sich auf den Strand. Renato lief auf sie zu und hob sie auf seinen Armen empor.

»Hallo«, sagte sie.

ENDE

AUF DER SUCHE NACH DEM CHRONOLYTISCHEN UNIVERSUM

Michel Jeury und die Erneuerung der französischen Science Fiction

von Jörg Weigand

Für Professor Darko Suvin, den Herausgeber der in der ganzen Welt hochgeschätzten Fachzeitschrift »Science Fiction Studies«, ist er zusammen mit der Amerikanerin Ursula Kroeber LeGuin zur Zeit einer der beiden interessantesten Science Fiction-Autoren der Welt; Maxim Jakubowski, der sowohl im englischen wie im französischen Sprachbereich zu Hause ist und wie nur wenige Vergleichsmöglichkeiten besitzt, qualifiziert ihn als den führenden französischen SF-Autor, der in der Lage ist, bereits seit langem abgenutzte Themen mit neuer Frische zu füllen; und John Brunner schließlich begibt sich seinetwegen in die französische Provinz, genauer gesagt: in die Dordogne, um in der Nähe von Issigeac das bestaunte Wunderkind der französischsprachigen spekulativen Literatur zu besuchen.

Die Rede ist von Michel Jeury, heute 47 Jahre alt, dem es innerhalb nur weniger Jahre gelungen ist, der französischen Science Fiction, die Ende der sechziger/Anfang der siebziger Jahre in ein Koma der Erschöpfung und Austrocknung gefallen zu sein schien, neue, entscheidende Impulse zu geben.

Michel Jeury wurde 1934 im Perigord, einer Landschaft der Dordogne, die auch heute noch sein Zuhause ist, geboren. Er besuchte verschiedene Schulen in den kleinen Ortschaften jener Gegend, mit mehr oder weniger Erfolg, wie er heute betont. Im übrigen war er ein romantischer Träumer, dem das Comicslesen wichtiger schien als das von der Schule propagierte »Lernen für's Leben«.

Beruflich versuchte er sich zunächst als Angestellter der britischen Handelskammer in Frankreich, machte aber auch einen Abstecher in den Beruf des Krankenpflegers. Früh begann er zu schreiben, die in den fünfziger Jahren in Frankreich aufblühende Science Fiction faszinierte ihn.

Sein erster Roman war bereits 1954 fertiggestellt – Jeury war gerade 20 Jahre alt – und lag zur Begutachtung bei Pierre Versins, der damals die SF-Reihe der Editions Métal redaktionell betreute. Versins, schon damals ein ausgewiesener Kenner des Genres, war von dem Erstling sehr angetan, doch ehe es zur Drucklegung kommen konnte, gingen die Editions Métal pleite. Der Roman, es handelt sich um »Aux Etoiles du Destin« (Zu den Sternen des Schicksals), erschien dann erst im Jahre 1960 unter dem Pseudonym »Albert Higon«.

Bereits zwei Jahre davor, 1958 also, hatte Jeury unter seinem richtigen Namen eine erste Romanveröffentlichung gehabt: »Le Diable Souriant« (Der lächelnde Teufel), ein Buch, das allerdings mit der SF nicht das geringste zu tun hatte.

Ebenfalls 1960 erschien der Roman »La Machine du Pouvoir« (Die Maschine der Macht); obgleich es sich bei diesem Buch ebenso wie bei »Aux Etoiles du Destin« um ein – aus heutiger Sicht – eher mittelmäßiges Werk handelte, wurde Jeury, der immer noch als Higon auftrat, dafür der »Prix Jules Verne« zuerkannt.

Dann wurde es still um diesen Autor, den das französische Science Fiction-Publikum nur unter seinem Alias-Namen kennengelernt hatte. Außer einigen wenigen kurzen Erzählungen erschien 13 lange Jahre nichts mehr von Jeury/Higon. Dann, im Jahre 1973, war Michel Jeury schließlich in aller Munde.

Es erschien »Le Temps Incertain«, der vorliegende Roman, von Michel Jeury. Der Autor hatte die Anonymität des Pseudonyms aufgegeben; möglicherweise hatte er selbst die Bedeutung seines dritten SF-Romans erahnt. Im gleichen Jahr noch erhielt er auf Anhieb den Preis für den besten französischen SF-Roman des Jahres. Ein großartiger – verdienter – Erfolg für einen großartigen Roman.

Michel Jeurys Science Fiction ist des öfteren mit den Werken A. E. van Vogts (vor allem Jeurys unter dem Higon-Pseudonym geschriebene Bücher), aber auch mit Philip K. Dick verglichen worden. Jeury hat sich immer gegen solche Unterstellungen gewehrt und mit einer These gekontert, die so abwegig gar nicht ist. Folgt man nämlich Jeurys Argumentation, dann erfordern bestimmte Themenkomplexe der Science Fiction auch besondere stilistische Behandlung, so daß es durchaus zu Angleichungen im Stil verschiedener Autoren kommen kann. Es würde hier zu weit führen, zu untersuchen, inwieweit es nicht vielleicht doch nachweisbare Einflüsse durch angelsächsische Autoren bei Jeury gibt. Immerhin erweist eine vergleichende Lektüre der von Jeury unter »Albert Higon« geschriebenen Space Operas und der unter Jeury veröffentlichten, das Phänomen der Zeit aufarbeitenden Werke merkliche Unterschiede im Stil, wie sie wohl nicht nur durch verschieden großen Zeitaufwand beim Abfassen der Romane entstehen.

»Le Temps Incertain« beginnt mit seiner Handlung in der Gegenwart (ein Ausgangspunkt, der auch bei Philip K. Dick häufiger anzutreffen ist) und stürzt sich dann in die Turbulenzen einer Zeit, deren verschiedene Stränge und Abwandlungen es dem Autor erlauben, seine utopisch angehauchten Vorstellungen des idealen Lebens, seine Träume und Ängste, seine ökologischen Alpträume und Wünsche vor dem Leser auszubreiten. Doch während Philip K. Dick zwar vom Heute ausgeht und darauf bauend seine oftmals fast grotesken Zukunftsbilder entwickelt, bleibt Jeury nicht an diesem Punkt stehen. Ihm geht es um mehr. Er will die heutige Situation des Menschen verstehen, er will sie analysieren, anderen verständlich machen. Auf diese Weise macht er den Leser aufnahmebereiter für die kritische Bewältigung der Gegenwart, ein wahrhaft nicht leichtes Unterfangen bei SF-Konsumenten, deren hauptsächliches Sinnen auf Unterhaltung steht.

»Le Temps Incertain« schlug gleich bei seinem Erscheinen 1973 bei Lesern, Mitautoren und Kritikern wie eine Bombe ein. War Ende der sechziger Jahre die französische Science Fiction an ihrer eigenen Mittelmäßigkeit fast zugrunde gegangen, hier erhielt sie nun den entscheidenden Impuls für eine Neubesinnung. Sicherlich folgten diesem Impuls damals nicht gerade die bis dahin in der SF erfolgreichen französischen SF-Autoren, doch neben jungem Nachwuchs wie Dominique Douay, Bernard Blanc, Bernard Mathon, Georges Barlow, vor allem aber Daniel Walther und Pierre Pelot, war z. B. der bis zu diesem Zeitpunkt fast nur unter seinem Pseudonym »Kurt Steiner« tätige André Ruellan mit von der Partie.

Seit 1973 veröffentlicht Michel Jeury mit schöner Regelmäßigkeit jedes Jahr mindestens ein Buch, daneben umfängliche Erzählungen in Anthologien und Magazinen; im allgemeinen bedient er sich dabei des eigenen Namens, hin und wieder aber, bei Abstechern ins mehr Abenteuerliche, veröffentlicht er auch heute noch als Albert Higon. Man kann sicherlich nicht behaupten, daß bei einer solch intensiven Produktion die Qualität im allgemeinen das anfängliche Niveau halten kann; doch neben allerlei Mittelmäßigem, was aber immer noch besser ist als das meiste, was als SF auf den Markt kommt, ist doch immer wieder ein kleiner Edelstein zu entdecken.

Nach »Le Temps Incertain« sind vor allem die 1974 erschienenen »Les Singes du Temps« (Die Zeit-Affen) zu nennen, ein Roman, der sich in das chronolytische Gefüge des 1973 preisgekrönten Werkes nahtlos einfügt und die Konstruktion der Zeitgefüge entscheidend erweitert. Beide Romane zusammen bilden in Frankreich bereits gewissermaßen Klassiker der neu formierten französischsprachigen SF.

Jeury schreibt seitdem bewußt politisch orientierte Science Fiction. Er versucht, spannende Unterhaltung (auch die muß es geben, seiner Meinung nach) mit Kritik an heutigen Zuständen unserer Gesellschaft zu verbinden. Gutes Beispiel dafür ist der Roman »L'Empire du Peuple« (Das Imperium des Volkes). In Frankreich bereits bei Erscheinen im Jahre 1977 als »Politic-Opera« klassifiziert, zeigt dieses Buch deutlich Jeurys Intentionen auf. Wer den Roman schlichtweg als sozialistische Utopie bezeichnet, befindet sich nicht weit entfernt von der Wahrheit.

Daß Jeury durchaus einen Hang zur Unterhaltung hat, dafür gibt es genügend Beispiele. Zum einen hat er sich auf das Abfassen von Jugendbüchern verlegt, etwa »Le Sablier Vert« (Die grüne Sanduhr). Dieser Jugendroman, 1977 erschienen, leidet freilich an dem Fehler, daß Jeury hier versucht hat, bewußt für ein junges Publikum zu schreiben – und das ist nicht so recht gelungen.

Und zum anderen veröffentlicht Jeury seit vergangenem Jahr auch in der Reihe »Anticipation« bei Fleuve Noir, einem Pariser Massenverlag, der – von einigen wenigen Ausnahmen abgesehen – ausschließlich französische Autoren herausbringt. Fleuve Noir hat im allgemeinen keinen besonders guten Ruf, oder man sollte vielmehr sagen: hatte keinen guten Ruf. Vor Jahren erschien hier sehr viel krauses, unlesbares Zeug; so blieb denn auch im allgemeinen die Verbreitung auf das Ursprungsland beschränkt. Doch das Bild hat sich in den letzten fünf Jahren wesentlich gewandelt. Sicherlich, noch immer werden in diesem Verlag Autoren wie Maurice Limat, Jimmy Guieu, Peter Randa oder M. A. Rayjean veröffentlicht, daneben aber erscheinen hier Romane von Pierre Pelot (unter seinem Pseudonym Pierre Suragne), Jean-Pierre Andrevon (Pseudonym: Alphonse Brutsche), J. L. LeMay, Paul Béra und eben neuerdings auch Michel Jeury, der bei Fleuve Noir sogar auf ein Pseudonym verzichtet und sich offen zu dem bekennt, was er geschrieben hat: Gut lesbare Unterhaltungsromane, die aber doch mehr sind als bloße Ablenkungslektüre. Auch das Kritische kommt zu seinem Recht, wenn auch etwas zurückhaltender dargeboten.

Michel Jeury – er hat die Erneuerung der französischen Science Fiction eingeläutet; und nicht wenige Autoren sind ihm auf dem geöffneten Weg gefolgt. Ihm hat es die französische SF zu verdanken, daß sie heute auf dem europäischen Kontinent eine unbestritten eigenständige Rolle spielen kann.